Espace

encyclopédie pour enfants

Sélection
READER'S DIGEST

MONTRÉAL

Sélection
READER'S DIGEST

POUR L'ÉDITION ORIGINALE
Consultant Peter Bond
Édition Wendy Horobin, Fleur Star, Holly
Beaumont, Lee Wilson et Susan Malyan
Graphisme Pamela Shiels , Rachael Grady, Lauren Rosier,
Gemma Fletcer, Karen Hood, Clare
Marshall, Mary Sandberg et Sadie Thomas
Recherche iconographique Ria Jones, Harriet Mills
et Rebecca Sodergren
Maquette de couverture Natalie Godwin
Direction artistique Martin Wilson
Direction éditoriale Bridget Giles
Atelier d'édition Bookwork

POUR LES ÉDITIONS EN LANGUE FRANÇAISE
Gallimard Jeunesse
Responsable éditorial Thomas Dartige
Édition Éric Pierrat

Réalisation de l'édition française ML Éditions, Paris,
sous la direction de Michel Langrognet
Traduction Sylvie Deraime
PAO et édition Anne Papazoglou-Obermeister
Correction Marie-Pierre Le Faucheur

Édition originale parue sous le titre de

Photogravure Media Development
and Printing Limited, Grande-Bretagne
Imprimé et relié à Hong Kong par
Hung Hing Offset Printing Company Ltd

Sommaire

Introduction

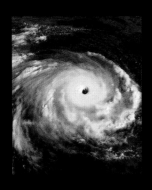
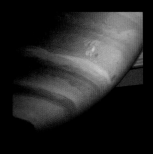

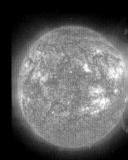

Très peu de personnes ont eu la possibilité d'explorer l'espace extra-atmosphérique. Désormais, vous pouvez vous aussi entreprendre ce fabuleux voyage à travers l'espace et le temps.

En tournant les pages de cette encyclopédie richement illustrée, vous apprendrez comment fonctionnent les fusées et les télescopes ; vous découvrirez ce que c'est que travailler et vivre dans l'espace, tandis que les mystères de l'ultime frontière se dévoileront à vous.

Vous voyagerez ensuite de notre petite planète bleue jusqu'à des mondes étranges, aux atmosphères empoisonnées, dissimulant des océans ou abritant d'énormes volcans. Puis vous mettrez le cap hors de la Voie lactée pour contempler les nuages, les étoiles et les galaxies multicolores dispersées dans tout l'Univers.

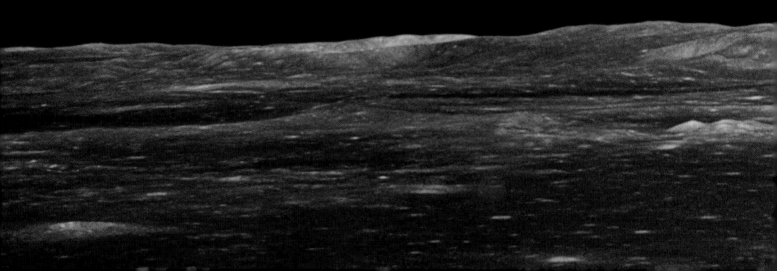

Illustrée d'images superbes captées par de puissants télescopes, cette encyclopédie fourmillant d'informations étonnantes constitue une précieuse référence pour vos recherches autant qu'un beau livre dans lequel se plonger.

Grâce à cet ouvrage, vous ne regarderez plus jamais le ciel nocturne et l'Univers comme avant !

Peter Bond

◉ **Ce symbole vous invite à vous rendre aux pages indiquées pour en savoir plus sur un sujet.**

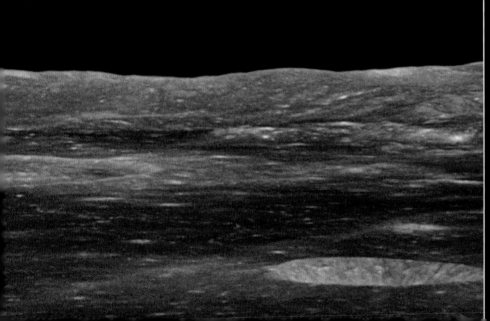

▲ LES PAGES THÉMATIQUES *développent un sujet (* ◉ *p. 72-73) à l'aide de nombreux encadrés et photographies, et, souvent, d'une chronologie.*

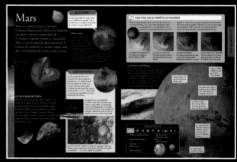

▲ UNE PRÉSENTATION DÉTAILLÉE *factuelle et chiffrée, des objets du Système solaire, ici Mars (* ◉ *p. 128-129), permet de tout savoir sur leur structure, leur composition et leurs traits principaux.*

▲ DES DOSSIERS *approfondissent certains sujets, par exemple les télescopes (* ◉ *p. 18-19), à l'aide de fiches détaillées.*

▲ DES PHOTOS EN DOUBLE PAGE *offrent, dans chaque chapitre, un gros plan sur des aspects particuliers, tels les sursauts stellaires (* ◉ *p. 216-217).*

OBSERVER
L'UNIVERS

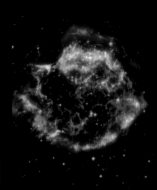

Nous vivons sur une planète minuscule au sein d'un vaste Univers. Découvrir ce qu'il y a «ailleurs» a toujours été un grand défi pour l'homme; tout a commencé en regardant simplement le ciel.

INFOS +

■ Aux États-Unis, toute personne qui vole à une altitude de plus de 100 km, à bord d'une fusée ou d'un vaisseau spatial, reçoit un badge appelé « ailes d'astronaute ».

■ En Europe, on appelle ceux qui voyagent dans l'espace des « spationautes », les Américains les nomment « astronautes », voyageurs des astres. Les Russes les appellent « cosmonautes », voyageurs du cosmos. Le mot chinois est « taïkonautes », voyageurs du « grand vide ».

■ Une personne qui sort dans l'espace sans combinaison protectrice ne peut pas respirer. Elle dispose de 10 secondes pour rentrer en lieu sûr avant de s'évanouir.

L'espace

Nous habitons une petite planète bleue, la Terre. Sa surface est faite d'eau liquide et de roche et elle est entourée d'une enveloppe d'air, l'atmosphère. L'espace commence au sommet de l'atmosphère. C'est une région incroyablement vaste, silencieuse et en grande partie vide, mais qui possède des propriétés stupéfiantes.

◄ ESPACE EXTRA-ATMOSPHÉRIQUE *Même loin des étoiles et des planètes, l'espace contient des particules de poussière disséminées ou quelques atomes d'hydrogène.*

AU BORD DE L'ESPACE

L'atmosphère terrestre ne finit pas soudainement : elle s'amincit à mesure qu'on s'éloigne du sol. La plupart des spécialistes font commencer l'espace extra-atmosphérique à 100 km. Pourtant, même au-delà de cette altitude, on trouve une couche d'air très mince, appelée exosphère. De l'hydrogène et d'autres gaz légers s'échappent de cette partie la plus externe de l'atmosphère terrestre dans l'espace.

Espace extra-atmosphérique

10 000 km

100 km

Plus noir que noir

Sur les photos prises depuis l'espace, notre planète apparaît entourée de noir. Les planètes comme la Terre brillent parce qu'elles reflètent la lumière du Soleil. Les étoiles brillent parce qu'elles génèrent d'énormes quantités d'énergie en brûlant leur combustible interne. L'espace apparaît noir parce que rien n'y produit ou n'y réfléchit de la lumière.

◄ EXOSPHÈRE *Cette couche supérieure de l'atmosphère s'étend jusqu'à 10 000 km au-dessus de la Terre.*

◄ L'ATMOSPHÈRE *protège la surface de la Terre des rayonnements dangereux et de la pleine chaleur du Soleil. La nuit, elle empêche au contraire la chaleur de s'échapper dans l'espace.*

DANS LE VIDE

Le vide se définit par l'absence d'air ou de gaz.
Sur Terre, l'air transporte la chaleur d'un endroit
à un autre. Dans l'espace, il n'y a pas d'air pour
redistribuer la chaleur, aussi le côté d'un vaisseau
spatial éclairé par le Soleil est-il très chaud, alors
que le côté plongé dans l'obscurité est très froid.
Avant leur lancement, les vaisseaux spatiaux sont
testés dans un caisson de vide thermique pour
vérifier qu'ils résisteront aux
températures spatiales extrêmes.

Soleil

📷 INSTANTANÉ

Tout ce qui se déplace dans l'espace à une
vitesse régulière n'a pas de poids. C'est pour
cela que les objets flottent dans les vaisseaux
et que les astronautes peuvent soulever
d'énormes satellites. L'impesanteur disparaît
quand le vaisseau ralentit ou accélère.

Chaud

▶ TOURNEBROCHE
*Un lent mouvement
de rotation empêche
qu'une partie
quelconque du
vaisseau spatial
chauffe ou
refroidisse trop.*

Froid

▲ ÉCHAPPER
À LA GRAVITÉ
*La navette spatiale
utilise tout le
combustible contenu
dans ses deux
propulseurs d'appoint
rien que pour
s'affranchir de la gravité
et gagner l'espace
extra-atmosphérique.*

Décoller
La gravité terrestre retient les corps et les objets
au sol. Pour la surmonter et se mettre en
orbite, une fusée doit atteindre 28 000 km/h :
c'est la vitesse de libération. Il faut beaucoup
de combustible pour fournir l'énergie
nécessaire. Pour gagner la Lune et les planètes,
un vaisseau spatial doit voyager à une vitesse
encore plus grande : 40 000 km/h.

La *Terre* dans l'espace

La Terre, notre foyer, nous semble très vaste. Se rendre en avion de l'autre côté du globe nécessite toute une journée ; un tour du monde à la voile demande de nombreuses semaines. Pourtant, la Terre n'est qu'un petit point dans l'immensité de l'Univers. Un extraterrestre qui traverserait notre galaxie ne remarquerait sans doute même pas notre planète.

TERRE ET LUNE

La plus proche voisine de la Terre est la Lune, seul satellite naturel de notre planète. La Lune est bien plus petite que la Terre. Son diamètre représente environ un quart de celui de la Terre, laquelle pourrait contenir 50 Lunes. Bien qu'elle semble assez proche, la Lune se trouve à environ 384 000 km de distance. Un vaisseau spatial habité met trois jours pour faire le voyage de la Terre à la Lune.

LE SYSTÈME SOLAIRE

La Terre n'est qu'un des nombreux objets qui tournent autour de l'étoile que nous appelons Soleil. La « famille » du Soleil se compose de huit planètes, de cinq planètes naines, de centaines de lunes, de millions de comètes et d'astéroïdes, et de quantité de gaz et de poussière. Tout cela constitue le Système solaire. Les quatre petites planètes les plus proches du Soleil sont faites de roches alors que les quatre planètes plus lointaines, beaucoup plus grosses, sont surtout formées de gaz. Le Système solaire est énorme : il a fallu douze ans à la sonde Voyager pour atteindre Neptune, la planète la plus extérieure.

LE GROUPE LOCAL

La Voie lactée est l'une des plus grandes galaxies d'un amas de quelque 45 galaxies appelé Groupe local. La plupart de ces galaxies n'ont pas de forme bien définie. Les deux galaxies les plus proches de la Voie lactée sont les Grands et les Petits Nuages de Magellan. Situées à environ 200 000 années-lumière, elles sont facilement observables à l'œil nu depuis l'hémisphère Sud de la Terre.
La plus grosse galaxie du Groupe local est Andromède, une énorme galaxie spirale, assez semblable à la Voie lactée. Elle se trouve à quelque 3 millions d'années-lumière, dans la constellation d'Andromède.

L'UNIVERS

L'Univers englobe tout ce qui existe : toutes les étoiles, les planètes, les galaxies et l'espace entre elles. Il contient des millions d'amas galactiques : en fait, où que l'on dirige les télescopes, le ciel est encombré de galaxies. Les scientifiques estiment qu'il y a environ 10 mille milliards de milliards d'étoiles dans l'Univers : plus qu'il n'y a de grains de sable sur toutes les plages de la Terre.

LA VOIE LACTÉE

Notre Système solaire est situé dans une grande galaxie en forme de spirale appelée Voie lactée. Le Soleil n'est qu'une étoile parmi les 100 milliards d'autres, au moins, que contient cette galaxie ; il se trouve à quelque 30 000 années-lumière de son centre. La Voie lactée est large d'environ 100 000 années-lumière. Un vaisseau spatial voyageant à la vitesse de la lumière (300 000 km/s) mettrait 100 000 ans pour la traverser.
La Voie lactée est si vaste que les étoiles y sont très éloignées les unes des autres. La plus proche du Soleil en est distante de plus de 4 années-lumière.

EN BREF

■ Un avion de chasse à réaction mettrait plus d'un million d'années pour atteindre l'étoile la plus proche.
■ Une année-lumière représente la distance parcourue par la lumière en un an, soit près de 9 500 milliards de km.
■ Nul ne sait quelle est la taille de l'Univers, car nous ne pouvons en voir les bords – s'il y en a. En revanche, nous savons que l'Univers observable est large d'au moins 93 milliards d'années-lumière.
■ L'Univers n'a pas de centre.

CERCLES D'ÉTOILES

Cette photo en pose longue a été prise à la fin de l'été en Colombie-Britannique, au Canada. Les cercles de lumière correspondent aux sillages des étoiles de l'hémisphère Nord. En fait, les étoiles ne bougent pas, mais la position de l'appareil photographique change à mesure que la Terre tourne sur son axe de rotation.

Idées anciennes

Les peuples de l'Antiquité croyaient que la Terre était l'endroit le plus vaste et le plus important de tout l'Univers et que tout tournait autour d'elle. Ces idées ne commencèrent à changer, très lentement, qu'après l'introduction de la lunette astronomique au début du XVIIe siècle.

UNE CONCEPTION GÉOCENTRIQUE

Observant le Soleil, la Lune et les étoiles avec attention, les hommes de l'Antiquité pouvaient constater que ces astres se déplaçaient d'est en ouest dans le ciel : ils semblaient tourner autour d'une Terre immobile. Pendant des milliers d'années, l'humanité a cru que la Terre était au centre de l'Univers. Le principal problème était que cette conception ne permettait pas d'expliquer les mouvements de certaines planètes : parfois, Mars ou Jupiter paraissaient immobile ou même semblaient reculer.

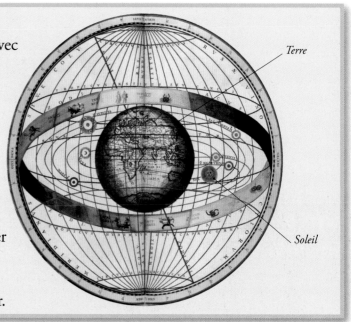

Terre

Soleil

UNE TERRE PLATE OU RONDE ?

Tenez-vous au bord de la mer et regardez l'horizon. Il semble plat. Longtemps, les humains ont cru que la Terre était plate et que, si on allait trop loin vers l'horizon, on tombait dans le vide. Mais peu à peu, ils réalisèrent que la Terre était ronde. La nature en donne plusieurs indices :

■ L'ombre que la Terre projette sur la Lune lors d'une éclipse de Lune est courbe et non droite.
■ Un navigateur faisant cap plein nord ou sud voit les étoiles apparaître et disparaître sur l'horizon. Sur une Terre plate, il verrait toujours les mêmes étoiles.
■ Un navire voguant vers l'horizon paraîtrait simplement rapetisser si la Terre était plate. En réalité, la coque disparaît avant le sommet des mâts.

▼ TERRE EN VUE ! *Tandis que le bateau approche de l'île, le marin voit d'abord le sommet des montagnes. Puis, le bateau franchissant la courbe, les terres basses apparaissent.*

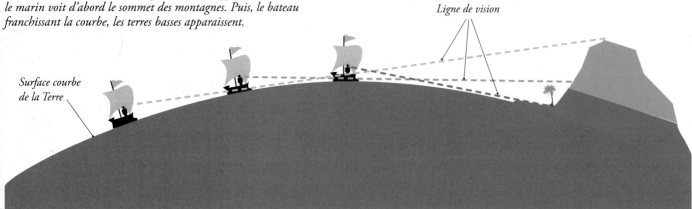

Ligne de vision

Surface courbe de la Terre

LES ORBITES

Pour les Grecs de l'Antiquité, le cercle était la forme parfaite. Il leur semblait logique que les planètes se déplacent le long de cercles. Mais les mesures montrèrent que les mouvements des planètes dans le ciel n'obéissaient pas à cette théorie. On ajouta des petits cercles aux plus grands cercles. Hélas, cela ne fonctionnait pas non plus. Le mystère fut résolu en 1609 quand Johannes Kepler, astronome et mathématicien allemand, établit que les planètes suivaient des orbites elliptiques (ovales).

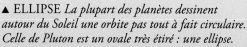

▶ *Johannes Kepler*

▲ ELLIPSE *La plupart des planètes dessinent autour du Soleil une orbite pas tout à fait circulaire. Celle de Pluton est un ovale très étiré : une ellipse.*

📷 EN VEDETTE

Le polonais Nicolas Copernic (1473-1543) fut le premier des astronomes modernes à comprendre que le Soleil – non la Terre – était au centre du Système solaire. Ses idées n'étaient pas admises.

◀ *Éclipse de Lune*

▶ IL L'AVAIT PRÉDIT
Hipparque fut le premier à développer une méthode de prédiction des éclipses solaires et lunaires.

Un astronome éblouissant

Hipparque de Nicée (v. 190 av. J.-C.-v. 120 av. J.-C.) était un des plus grands astronomes grecs de l'Antiquité. Il découvrit que la Terre tournait sur elle-même sur un axe incliné, ce qui expliquait la succession des saisons. Il calcula la distance de la Terre à la Lune en comparant des observations d'éclipse solaire partielle et totale. Il établit que la Lune suivait une orbite elliptique et que sa vitesse variait. Il classa les étoiles connues par ordre d'éclat et indiqua leur position sur la première carte des étoiles.

LE CALENDRIER

Si les civilisations anciennes n'avaient pas de télescopes, elles disposaient d'instruments pour mesurer les angles et pouvaient calculer la position du Soleil et des étoiles. Leurs monuments étaient bâtis en fonction du mouvement du Soleil, qui servait de base au calendrier. La pyramide maya de Kukulcán, à Chichén Itzá, au Mexique, compte 365 marches, une pour chaque jour de l'année.

▲ LA PYRAMIDE DE KUKULCÁN *Ce temple fut bâti en l'honneur du dieu-serpent Kukulcán. À certains moments de l'année, le Soleil projette une ombre en forme de serpent.*

Télescopes

Ce que nous savons de l'espace a été découvert grâce aux lunettes astronomiques et aux télescopes, qui permettent d'observer des objets lointains. Ces instruments optiques collectent la lumière émanant du plus profond de l'espace mais sont limités par la taille des miroirs et des lentilles.

► L'OBSERVATOIRE YERKES *fut financé par l'homme d'affaires Charles T. Yerkes, qui avait fait fortune en développant les transports à Chicago.*

LUNETTE ASTRONOMIQUE

Les premiers instruments grossissants étaient des lunettes astronomiques, qui utilisent des lentilles pour courber et focaliser la lumière. La plus grande lunette, construite en 1897, observe toujours les étoiles à l'observatoire Yerkes, dans le Winsconsin, aux États-Unis.

▼ LA LUNETTE YERKES
Construite en 1897, la lunette Yerkes est équipée d'une lentille de 1 m de diamètre et pèse 5,5 tonnes, autant qu'un éléphant d'Afrique.

Lentille principale

Oculaire

Lentilles secondaires

Lunette

La lunette utilise une lentille en verre convexe (bombée) pour collecter et focaliser la lumière entrante. Un oculaire grossit l'image. Le problème des lentilles est qu'elles sont lourdes. Trop grandes, elles tendent à se distordre, ce qui déforme l'image. La taille et la puissance des lunettes s'en trouvent limitées.

Oculaire

Miroir secondaire

Miroir principal

Télescope

Un miroir concave (creux) focalise la lumière vers un miroir plus petit. Ce dernier renvoie le faisceau lumineux vers un oculaire grossissant. Les miroirs étant plus légers que les lentilles, les télescopes peuvent être beaucoup plus grands et plus puissants que les lunettes.

ENCORE PLUS GRAND

Bien que les télescopes puissent être bien plus grands que les lunettes astronomiques, ils posent eux aussi des problèmes dès que le miroir dépasse 8 m de diamètre. Les astronomes résolvent cette difficulté en assemblant plusieurs miroirs pour en obtenir un très grand. Chaque segment de miroir est contrôlé par un ordinateur qui ajuste sa position avec une précision plus fine qu'un cheveu humain.

Miroir, miroir…

Certains télescopes utilisent du métal liquide en guise de miroir. Du mercure ou de l'argent est répandu dans un récipient tournant très vite, jusqu'à former une mince couche réflectrice. Les miroirs liquides ne permettent d'observer qu'à la verticale. Si on les inclinait, le liquide coulerait !

LES PREMIERS INSTRUMENTS

La première lunette fut conçue par un opticien néerlandais, Hans Lippershey, en 1608. C'était un simple tube dans lequel était placée une paire de lentilles en verre. Ayant entendu parler de l'invention de Lippershey, l'astronome italien Galilée fabriqua aussitôt une lunette astronomique améliorée, avec un grossissement supérieur.

▲ HANS LIPPERSHEY *aurait eu l'idée de sa lunette en regardant deux jeunes garçons jouer avec des lentilles.*

▶ LES DESSINS DE GALILÉE *En 1610, Galilée avait conçu une lunette encore plus puissante. Il s'en servit pour étudier le Soleil (👁 p. 208), consignant ses observations dans une série de dessins.*

◀ LE TÉLESCOPE DE NEWTON *Le savant anglais Isaac Newton mit au point le premier télescope opérationnel en 1668.*

Télescopes *géants*

Le télescope Hale du mont Palomar fit sensation lorsqu'il fut achevé en 1948. Avec son miroir de 5 m de diamètre, c'était alors le plus grand et le plus puissant jamais construit. Les progrès de la technologie ont permis de fabriquer des instruments pourvus de miroirs larges de 10 m. Des télescopes avec des miroirs de plus de 30 m sont en projet.

MAIS ENCORE ?

Pour obtenir les meilleures images, les télescopes sont installés en altitude, au-dessus des nuages et dans un air plus ténu. Les montagnes reculées constituent des sites idéals, car il n'y a pas de pollution lumineuse urbaine. Le Mauna Kea, un volcan éteint d'Hawaii, abrite plusieurs télescopes.

Télescopes Keck

- **Taille du miroir principal** 9,80 m
- **Situation** Mauna Kea, Hawaii
- **Altitude** 4 145 m

Jusqu'en 2009, les télescopes jumeaux Keck étaient les plus grands télescopes optiques au monde. Ils corrigent les effets déformants de l'atmosphère grâce à des miroirs qui changent de forme plus de 1 000 fois par seconde.

Télescopes Gemini

- **Taille du miroir principal** 8,10 m
- **Situation** Nord : Mauna Kea, Hawaii
Sud : cerro Pachón, Chili
- **Altitude** Nord : 4 213 m
Sud : 2 722 m

Les télescopes jumeaux Gemini sont situés de part et d'autre de l'équateur. Ils peuvent ainsi, à eux deux, observer la quasi-totalité des ciels des hémisphères Nord et Sud. Ils sont reliés par une connexion Internet spéciale très rapide.

Very Large Telescope (VLT) Array

- **Taille du miroir principal** 8,20 m
- **Situation** Cerro Paranal, Chili
- **Altitude** 2 635 m

Le VLT est formé de 4 télescopes de 8,20 m et de 4 autres télescopes mobiles de 1,80 m. Ces instruments travaillent ensemble : un système de miroirs souterrains combine les faisceaux lumineux focalisés par chaque télescope.

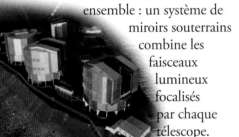

Large Binocular Telescope (LBT)

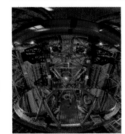

- **Taille du miroir principal** 8,40 m
- **Situation** Mont Graham, Arizona, É.-U.
- **Altitude** 3 260 m

Le LBT est pourvu de 2 miroirs principaux d'un diamètre de 8,40 m, montés côte à côte. Il collecte autant de lumière qu'un miroir de 11,80 m de diamètre. C'est actuellement le télescope individuel le plus grand et le plus puissant au monde.

Télescope Hale

- **Taille du miroir principal** 5 m
- **Situation** Mont Palomar, Californie, É.-U.
- **Altitude** 1 700 m

Plus de soixante ans après sa mise en service, le télescope Hale demeure le deuxième plus grand télescope à miroir d'un seul tenant. Les miroirs plus grands tendent à se gauchir sous leur propre poids, ce qui déforme l'image captée.

European Extremely Large Telescope (E-ELT)

- **Taille du miroir principal** 42 m
- **Situation** Cerro Amazones, Chili
- **Altitude** 2 762 m

Ce nouveau télescope révolutionnaire devrait entrer en service en 2018. Il collectera 15 fois plus de lumière que les plus grands télescopes fonctionnant aujourd'hui. Une de ses missions sera de localiser des planètes semblables à la Terre, orbitant autour d'autres étoiles.

Thirty Meter Telescope (TMT)

- **Taille du miroir principal** 30 m
- **Situation** Mauna Kea, Hawaii
- **Altitude** 4 050 m (non confirmé)

Le TMT, d'un coût de plus de 200 millions d'euros, devrait être achevé en 2018. Il comportera 1 miroir principal de 30 m de diamètre, constitué de 492 segments hexagonaux. Il pourra collecter près de 10 fois plus de lumière qu'un télescope Keck. Les astronomes utiliseront le TMT pour observer la formation et le développement de nouvelles galaxies.

Voir la *lumière*

La lumière, le phénomène le plus rapide de l'Univers, est une onde énergétique qui se déplace à environ 1 milliard de km/h. Elle peut aller de New York à Paris en deux centièmes de seconde : même pas le temps d'un clin d'œil !

Voir la lumière
Si vous regardez un faisceau lumineux, il paraît blanc. Mais quand cette lumière blanche frappe un prisme de verre, elle se décompose en un arc-en-ciel. On appelle spectre visible les différentes couleurs, ou longueurs d'onde, de la lumière, car nos yeux les perçoivent.

▲ LA LUMIÈRE BLANCHE *contient un mélange de toutes les longueurs d'onde du spectre visible.*

▲ QUAND UN FAISCEAU *de lumière blanche frappe la surface d'un prisme, il s'incurve. Mais chaque longueur d'onde est courbée dans une proportion un peu différente, ce qui provoque la décomposition de la lumière en son spectre de couleurs.*

VAGUES D'ÉNERGIE

Les scientifiques classent les nombreux types d'ondes énergétiques selon leur longueur d'onde. Celle-ci représente la distance entre le sommet d'une onde et celui de la suivante. Plus l'énergie d'une onde est grande, plus cette distance est courte. On appelle spectre électromagnétique la gamme complète d'ondes.

RAYONS GAMMA	RAYONS X	ULTRAVIOLETS (UV)

▲ *Les rayons gamma ont les plus courtes longueurs d'onde. Ils sont libérés en sursaut intense lorsqu'une étoile massive explose en supernova.*

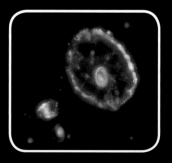

▲ *Le blanc brillant bordant la galaxie de la Roue de charrette correspondrait à des étoiles à neutrons et à des trous noirs émettant de puissants rayons X.*

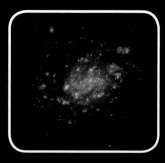

▲ *Ces taches bleues dans la galaxie NGC 300 indiquent des régions de formation stellaire. Les étoiles nouvelles émettent surtout des ultraviolets.*

▶ EN MESURANT
*l'énergie de la lumière,
on peut connaître
la température des
objets. La nébuleuse
du Boomerang est
l'objet le plus froid
de l'espace, à 1 kelvin
(1 K).*

La spectroscopie

Cette technique utilise
la couleur pour
déterminer la composition
et la température des étoiles.
Chaque élément chimique,
lorsqu'il traverse un prisme
spécifique, produit un motif particulier de lignes
noires ou colorées. En examinant ces motifs,
les scientifiques peuvent identifier les éléments
présents et mesurer l'énergie des atomes.

Utiliser le spectre

Si nous ne pouvons pas voir toutes
les longueurs d'onde, nous pouvons
néanmoins les détecter et découvrir
ainsi des choses qui nous sont
habituellement invisibles. Tous les
types de matière rayonnent de
l'énergie et peuvent donc être
détectés par des télescopes
sensibles à différentes
parties du spectre
électromagnétique.

▶ COMME *toutes
les étoiles, le Soleil
a une empreinte
spectrale unique.*

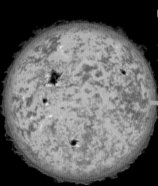

SPECTRE
D'ABSORPTION

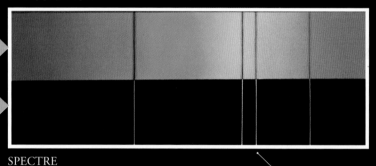

*Le spectre
d'absorption révèle
des raies noires.*

*Le spectre
d'émission révèle
des raies colorées.*

SPECTRE
D'ÉMISSION

*Les atomes émettent ou absorbent
du rayonnement à des longueurs
d'onde spécifiques, ce qui
engendre les raies.*

LONGUEUR D'ONDE

*Les couleurs que
nous voyons font
partie du spectre visible.*

RAYONNEMENT VISIBLE

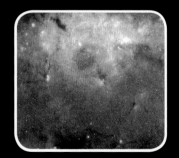

▲ *La lumière visible du Soleil
ne représente qu'une part infime
de l'énergie qu'il rayonne. Nous
percevons aussi la lumière
infrarouge, sous forme de chaleur.*

INFRAROUGE

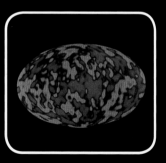

▲ *L'infrarouge permet aux
astronomes de voir à travers
la poussière de la Voie lactée.
Ils ont ainsi découvert des
bébés étoiles jamais observés.*

MICRO-ONDES

▲ *La chaleur subsistant du big
bang a été détectée grâce aux
micro-ondes. Sa température
n'est que de 2,7 K au-dessus du
zéro absolu (le froid maximal).*

ONDES RADIO

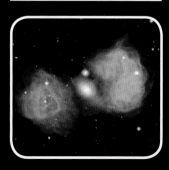

▲ *Le trou noir massif au centre
de la galaxie Fornax A est une
puissante source d'ondes radio
(en orange), de longueur d'onde
maximale.*

Astronomie *infrarouge*

Les couleurs de l'arc-en-ciel – violet, indigo, bleu, vert, jaune, orange et rouge – nous sont familières. Ces couleurs composent le spectre visible. La lumière infrarouge, ou chaleur, se trouve au-delà de l'extrémité rouge de ce spectre. Si nous ne pouvons pas la voir, nous pouvons la capter au moyen de télescopes spéciaux, qui révèlent des objets habituellement cachés par les nuages de poussière.

LE POINT CHAUD DE SATURNE

Les images en infrarouge de Saturne y révèlent un « point chaud » : la première calotte polaire chaude connue. Il y fait 8 à 10 °C de plus qu'à l'équateur. Une tempête large de plusieurs milliers de kilomètres tourbillonne sans cesse au-dessus de ce pôle Sud.

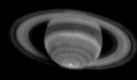

◄ SATURNE EN INFRAROUGE
Les zones les plus pâles correspondent aux températures les plus élevées.

UNE GALAXIE TRÈS LOINTAINE FACILEMENT OBSERVABLE

Messier 81, aussi appelée galaxie de Bode, est une galaxie spirale située dans la constellation boréale de la Grande Ourse. À environ 12 millions d'années-lumière de la Terre, M81 est facilement observable à l'aide de jumelles ou d'une petite lunette. En lumière infrarouge, ses bras spiraux se dessinent mieux, car ils contiennent de la poussière chauffée par de toutes jeunes étoiles, chaudes et massives.

LE TÉLESCOPE SPATIAL SPITZER

La lumière infrarouge émanant de l'espace est presque entièrement absorbée par l'atmosphère terrestre. Aussi installe-t-on les télescopes infrarouges sur de hauts sommets, à bord d'avions ou de satellites. Le télescope spatial Spitzer est l'un des plus puissants. Il lui a fallu dix-huit heures et plus de 11 000 clichés pour composer l'image ci-dessous de la galaxie Andromède.

▲ UN ŒIL DANS LE CIEL
Cette image en infrarouge de la nébuleuse de l'Hélice révèle un nuage brillant de poussière, entourant une étoile mourante.

📷 EN VEDETTE

Frederick William Herschel (1738-1822) était un astronome d'origine allemande. En utilisant un prisme pour décomposer la lumière solaire et un thermomètre pour mesurer la température, il a prouvé l'existence d'une forme invisible de lumière, émettant de la chaleur, qui a été nommée infrarouge, « en deçà du rouge ».

▲ VOICI LA GALAXIE
d'Andromède telle que nous la voyons en lumière visible. L'image infrarouge (au-dessus) détaille mieux les bras spiraux. Leur structure est très inégale, ce qui suggère qu'Andromède aurait été affectée dans le passé par des collisions avec ses deux galaxies satellites.

🔍 COUP D'ŒIL SUR LA CONSTELLATION D'ORION

À l'œil nu, on peut distinguer les étoiles qui forment les contours de la constellation d'Orion. On peut voir aussi la tache brillante de la nébuleuse d'Orion, sous la ceinture d'Orion. Cette nébuleuse est une pouponnière stellaire, où naissent des étoiles. La même constellation observée avec un télescope infrarouge révèle un énorme nuage de poussière et des taches brillantes là où la poussière est chauffée par de jeunes étoiles. Celles-ci sont trop chaudes pour être observables directement en infrarouge.

▲ LUMIÈRE VISIBLE
Les étoiles de la constellation d'Orion

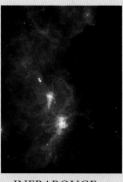

▲ INFRAROUGE
Nuages de poussière brillants entourant Orion

Messages des *étoiles*

L'ingénieur américain Karl Jansky découvrit les ondes radio émanant de l'espace en 1931, grâce à une antenne bricolée. Les scientifiques utilisent ces ondes pour étudier divers objets célestes et tenter de contacter des formes de vie extraterrestre.

LA RADIOASTRONOMIE

La radioastronomie étudie les objets de l'espace produisant des ondes radio. Ces dernières sont semblables aux ondes lumineuses mais elles se trouvent au-delà du spectre visible. Elles sont détectées par des radiotélescopes puis converties en images visibles.

Nombre de 1 à 10, indiquant comment nous comptons.

Symboles des éléments chimiques constitutifs de la vie terrestre.

Molécule d'ADN – le «plan de construction» de la vie terrestre

Un être humain et la population de la Terre

Position de la Terre dans le Système solaire

Symbole représentant le télescope d'Arecibo

▲ IL Y A QUELQU'UN ?
Le télescope d'Arecibo a transmis ce message codé dans l'espace en 1974. Il n'y a toujours pas eu de réponse.

Star de cinéma
Le télescope d'Arecibo apparaît dans *Contact*, un film sur le premier contact avec une vie extraterrestre, ainsi que dans *Goldeneye*, un James Bond.

Arecibo
Le plus grand radiotélescope est installé à Arecibo, dans l'île antillaise de Porto Rico. Son réflecteur parabolique mesure 305 m de diamètre. Il est placé dans une dépression creusée dans une colline. L'antenne réceptrice est suspendue à 137 m au-dessus de lui. Bien que le réflecteur soit fixe, sa situation à proximité de l'équateur lui permet d'observer une vaste région du ciel.

TÉLESCOPES EN RÉSEAU

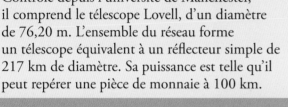

MERLIN

- **Réflecteurs** Tailles variées
- **Situation** Divers sites, R.-U.

MERLIN est un réseau de 7 réflecteurs répartis à travers le Royaume-Uni. Contrôlé depuis l'université de Manchester, il comprend le télescope Lovell, d'un diamètre de 76,20 m. L'ensemble du réseau forme un télescope équivalent à un réflecteur simple de 217 km de diamètre. Sa puissance est telle qu'il peut repérer une pièce de monnaie à 100 km.

VLBA

- **Réflecteurs** 25 m
- **Situation** Hawaii, États-Unis continentaux, Antilles

Le VLBA (Very Long Baseline Array) est un système de 10 radiotélescopes. Leur puissance combinée équivaut à celle d'un réflecteur de plus de 8 000 km de diamètre. La précision du VLBA peut être comparée à celle d'un lecteur qui se trouverait à New York et lirait un journal à Los Angeles (à près de 4 000 km de distance).

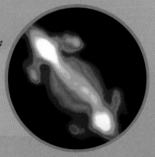

Sur cette image radio, on voit qu'une ceinture de rayonnement entoure Jupiter.

Le réflecteur principal renvoie le signal vers un réflecteur secondaire.

Le réflecteur secondaire concentre les signaux dans le récepteur.

Jupiter appelle la Terre…

Les premiers signaux radio émanant d'une planète lointaine ont été reçus de Jupiter en 1955. Depuis, il a été démontré que toutes les planètes gazeuses génèrent des ondes radio. Des signaux radio peuvent rebondir sur les planètes rocheuses et les astéroïdes.

Très grand réseau

Le VLA (Very Large Array) est l'un des plus importants observatoires de radiastronomie. Situé au Nouveau-Mexique, aux États-Unis, il réunit 27 réflecteurs, de 25 m de diamètre chacun, disposés en Y. Chaque bras du Y est long d'environ 21 km et le pied de 19 km. La combinaison de tous les réflecteurs est équivalente à une antenne géante de 36 km de diamètre.

Les réflecteurs se déplacent le long de rails, ce qui permet de modifier leur position.

Rayons invisibles

La lumière ultraviolette, les rayons X et gamma sont des rayonnements électromagnétiques, invisibles, émis par des objets extrêmement chauds. La plupart étant absorbés par l'atmosphère terrestre, on utilise pour les détecter des télescopes embarqués sur des ballons-sondes, des fusées ou des sondes spatiales.

INSTANTANÉ

Certains sursauts de rayons gamma sont si brillants qu'on peut les voir même à l'œil nu. L'un d'eux a été repéré en mars 2008 dans la constellation du Bouvier, à pas moins de 7,5 milliards d'années-lumière de nous !

◀ LE BALLON, *fait de plastique fin, mesurait 110 m de diamètre : il aurait pu contenir 2 Boeing 767!*

@ ▶▶
Rayon invisible

▲ CE TÉLESCOPE *a été emporté par un ballon-sonde au-dessus du cercle Arctique. Comme le Soleil, à cette latitude, ne se couche pas de tout l'été, les scientifiques pouvaient l'observer toute la journée.*

Dans les airs
Bien qu'il ne soit resté en l'air que six jours, ce ballon gonflé à l'hélium, élément d'un projet baptisé Sunrise, a offert aux astronomes un aperçu unique, en lumière ultraviolette, de la manière dont les champs magnétiques solaires se forment. Il a emporté un grand télescope solaire à 37 km d'altitude, loin des effets perturbateurs de l'atmosphère terrestre.

LES SURSAUTS GAMMA
Les sursauts de rayons gamma sont provoqués par l'effondrement d'étoiles massives qui, ayant brûlé tout leur combustible, se transforment en étoiles à neutrons ou en trous noirs.

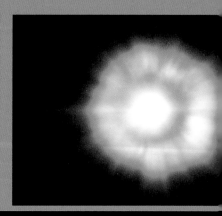

Rayons gamma *Rayons invisibles*

INTEGRAL

Le laboratoire spatial INTEGRAL est équipé de détecteurs extrêmement sensibles capables d'observer des objets simultanément en rayons X et gamma et en lumière visible. Lancé en 2002, il fait le tour de la Terre en trois jours, guettant les sursauts gamma, les explosions de supernovae et les trous noirs.

▶ INTEGRAL, *qui se sert de la Terre comme d'un bouclier contre les rayonnements des trous noirs lointains, a découvert des rayons gamma et X émanant de notre galaxie. Ce pourrait être des signaux émis par des étoiles à neutrons et des trous noirs.*

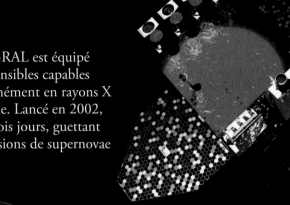

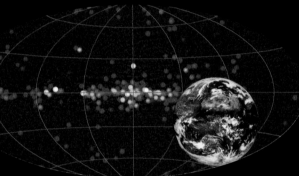

SDO

L'Observatoire de dynamique solaire (SDO en anglais) observe le Soleil en continu, dans différentes longueurs d'onde, en particulier à l'extrémité des rayons X. Les chercheurs étudient les données collectées pour mieux évaluer l'impact de l'activité solaire sur la vie terrestre.

LES RAYONS X DE LA LUNE

Les scientifiques ont eu la surprise de découvrir que même des objets plutôt froids, comme la Lune, émettent de faibles rayons X. Ces rayons sont produits lorsque les rayons X émanant du Soleil bombardent la surface de la Lune (ci-dessous la face visible) et excitent les atomes des roches lunaires.

LE SOLEIL

L'observation au moyen d'un télescope en lumière ultraviolette (UV) des taches sombres dispersées sur la surface du Soleil révèlent des éruptions solaires, chaudes et explosives.

Image optique

Image en rayons X

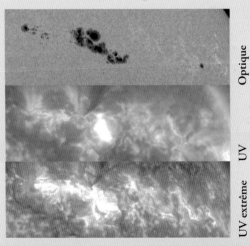

Optique

UV

UV extrême

Rayons X

Rayons ultraviolets (UV)

Rayons visibles

Télescope *spatial* Hubble

Le télescope spatial Hubble est le plus célèbre des observatoires dans l'espace. Depuis qu'il a été placé en orbite terrestre basse par la navette Discovery en avril 1990, Hubble a envoyé une impressionnante quantité de données et des images incroyablement détaillées d'objets spatiaux.

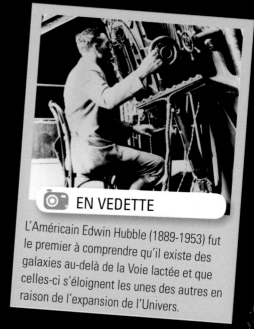

EN VEDETTE

L'Américain Edwin Hubble (1889-1953) fut le premier à comprendre qu'il existe des galaxies au-delà de la Voie lactée et que celles-ci s'éloignent les unes des autres en raison de l'expansion de l'Univers.

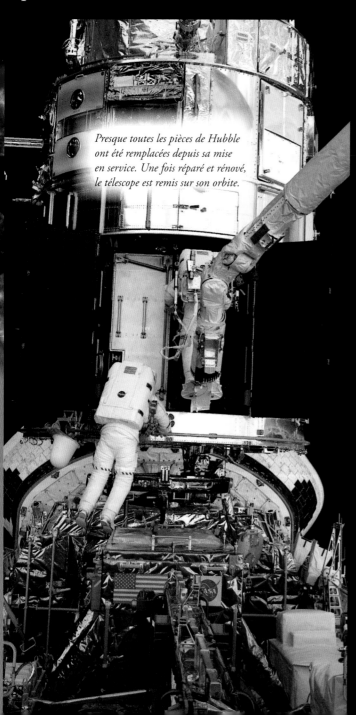

Presque toutes les pièces de Hubble ont été remplacées depuis sa mise en service. Une fois réparé et rénové, le télescope est remis sur son orbite.

MISSIONS DE MAINTENANCE

Hubble est le seul télescope conçu pour être entretenu dans l'espace. Une navette vient se placer à côté du télescope, s'en empare grâce à un bras robotisé et le dépose dans sa soute. Les astronomes peuvent y effectuer des réparations et remplacer certains instruments.

Une vue brouillée

Les premières images envoyées par Hubble après son lancement manquaient de netteté. Le problème a fini par être identifié sous la forme d'un miroir incorrectement poli : les bords étaient trop plats… d'environ un cinquantième de l'épaisseur d'un cheveu humain ! Tout s'est arrangé trois ans plus tard lorsque les astronautes ont installé des lentilles correctrices.

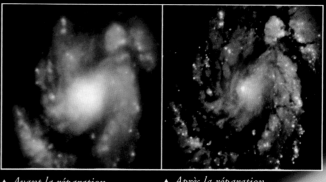

▲ *Avant la réparation*   ▲ *Après la réparation*

Un œil dans l'Univers

Hubble a pris des images de la Lune, de Pluton et de toutes les planètes du Système solaire à l'exception de Mercure (trop proche du Soleil). Il a aussi envoyé des clichés stupéfiants de nuages de poussière où des étoiles meurent et naissent, ainsi que de milliers de galaxies. La photo de droite montre la nébuleuse du Papillon, un nuage de gaz et de poussières éjecté par une étoile mourante. Elle a été prise par la caméra la plus récente et la plus performante de Hubble, installée en 2009.

Miroir secondaire

Trajectoire de la lumière

Le volet est refermé pour empêcher la lumière émanant du Soleil, de la Terre et de la Lune de pénétrer dans le télescope.

Miroir principal : les problèmes dus à ce miroir ont été résolus par des « verres » correcteurs.

Module abritant les instruments

Panneaux solaires : une partie de l'électricité générée par ces panneaux est stockée dans six batteries et alimente Hubble quand il se déplace dans l'ombre de la Terre.

▲ SATELLITES
Hubble communique avec la Terre via le Système satellite de suivi et de relais des données (TDRSS) de la Nasa.

📷 EN VEDETTE

Lyman Spitzer (1914-1997) a formulé l'idée d'envoyer un télescope dans l'espace et a contribué à la conception et à la mise au point du télescope spatial Hubble.

HUBBLE EN BREF

- **Longueur** 13,20 m
- **Diamètre** 2,40 m
- **Poids** 11 110 kg
- **Date de lancement** 24 avril 1990
- **Coût au lancement** 1 milliard €
- **Orbite** 569 km au-dessus de la Terre
- **Vitesse** 28 000 km/h

▲ LES SIGNAUX DU TDRSS *arrivent au terminal de White Sands Ground, au Nouveau-Mexique (É.-U.).*

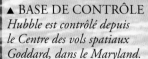

▲ BASE DE CONTRÔLE
Hubble est contrôlé depuis le Centre des vols spatiaux Goddard, dans le Maryland.

SORCIÈRES ET GÉANTES

La nébuleuse de la Tête de sorcière se trouve dans
la constellation de l'Éridan, à bonne distance de
la Terre : 900 années-lumière. Nez pointu, menton
en avant, la sorcière de l'espace apparaît bleue
dans la lumière réfléchie par Rigel, une étoile
supergéante (qu'on ne voit pas sur cette image).

▲ UN ŒIL SUR NOUS *En infrarouge, le centre de la galaxie spirale NGC 1097 évoque un œil. Une petite galaxie compagnon est prise dans ses bras, sur la gauche.*

▲ LUMIÈRE STELLAIRE *Pismis 24, un amas ouvert, contient trois des étoiles massives les plus brillantes connues. D'autres étoiles se forment dans la nébuleuse du bas.*

▲ FOURMI EXTRATERRESTRE *Le « corps » de la nébuleuse de la Fourmi est fait de deux lobes de gaz brûlant éjectés à plus de 1 000 km/s par une étoile mourante.*

▲ BUBBLE *La jeune étoile HH46/47 souffle deux jets de gaz chaud qui, en heurtant les poussières et les gaz entourant l'étoile, forment d'énormes bulles.*

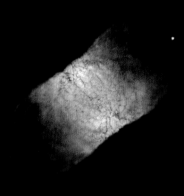

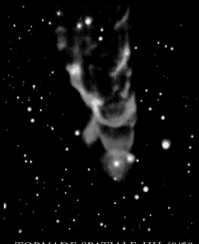

▲ CYLINDRE *La nébuleuse de la Rétine a une forme inhabituelle, en cylindre. Du gaz chaud s'échappe de chaque bout et de la poussière assombrit les parois.*

▲ TORNADE SPATIALE *HH 49/50 est un jet tourbillonnant de poussière et de gaz éjecté d'une jeune étoile (en haut, hors cadre). Il est long de 0,3 année-lumière.*

Observatoires *spatiaux*

La plupart des particules et des rayonnements de haute énergie émis par les objets de l'espace sont filtrés par la couche d'air entourant la Terre. L'agitation de l'atmosphère provoque aussi des scintillements et des clignotements gênants. Il est plus facile d'observer ces objets depuis des observatoires situés eux-mêmes dans l'espace.

XMM-Newton peut collecter des rayons X faibles indétectables par Chandra.

Chandra

NASA – Agence spatiale des États-Unis

- **Nommé en l'honneur** du Prix Nobel de physique Subrahmanyan Chandrasekhar
- **Identité** Observatoire en rayons X
- **Lancement** Juillet 1999
- **Équipé de** 4 miroirs cylindriques nichés les uns à l'intérieur des autres
- **Orbite** Fait le tour de la Terre en 65 h sur une orbite elliptique entre 10 000 et 139 000 km d'altitude

Chandra détecte les rayons X émanant des régions chaudes de l'Univers, telles que les étoiles explosées, les amas galactiques et les bordures des trous noirs, ou ceux qu'émettent les particules juste avant de tomber dans un trou noir. Les premiers rayons X qu'il a enregistrés provenaient du trou noir supermassif au centre de la Voie lactée.

▲ *Chandra vole 200 fois plus haut que Hubble.*

XMM-Newton

ESA – Agence spatiale européenne

- **Nommé en l'honneur** d'Isaac Newton, physicien anglais du XVIIᵉ siècle. XMM sont les initiales anglaises de «miroirs multiples à rayons X».
- **Identité** Observatoire en rayons X
- **Lancement** Décembre 1999
- **Équipé de** 3 télescopes à rayons X contenant chacun 58 miroirs concentriques nichés les uns dans les autres
- **Orbite** Fait le tour de la Terre en 48 h sur une orbite elliptique comprise entre 7 000 km et 114 000 km d'altitude

Les rayons X traversant les miroirs optiques ordinaires, les télescopes à rayons X sont équipés de miroirs incurvés imbriqués les uns dans les autres, déviant les rayons vers des détecteurs.

▲ *M82, galaxie à sursaut de formation d'étoiles*

Télescope spatial Spitzer

NASA – Agence spatiale des États-Unis

- **Nommé en l'honneur** de l'astrophysicien américain Lyman Spitzer
- **Identité** Télescope infrarouge
- **Lancement** Août 2003
- **Équipé de** 1 miroir de 85 cm de diamètre et de 3 instruments à refroidissement cryogénique
- **Orbite** Spitzer décrit une orbite inhabituelle qui l'éloigne progressivement de la Terre. Cela lui permet d'observer sans interruption une grande partie du ciel.

Ce télescope capte la lumière de certains des objets les plus froids de l'Univers, tels les galaxies poussiéreuses et les nuages de poussières entourant les étoiles, où se forment des étoiles et des planètes.

▲ *Le bouclier solaire de Spitzer le protège de la chaleur du Soleil et du rayonnement infrarouge de la Terre.*

COUP D'ŒIL SUR UN NUAGE MULTICOLORE

Chaque observatoire spatial met en lumière différents aspects des objets célestes. Voici Cassiopée A, le rémanent de supernova le plus jeune que l'on connaisse dans la Voie lactée. Situé à 10 000 années-lumière, ce nuage qui se dilate rapidement serait le vestige d'une étoile massive ayant explosé en supernova vers 1680.

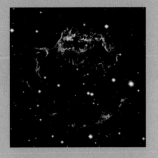

▲ IMAGE OPTIQUE DE HUBBLE *En lumière visible, on voit des tourbillons de débris que la chaleur générée par l'onde de choc de l'explosion fait briller.*

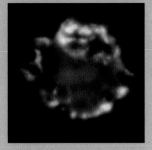

▲ IMAGE INFRAROUGE DE SPITZER *Les gaz chauds, en vert et bleu, et les poussières froides, en rouge, créés par l'explosion, se combinent dans le jaune.*

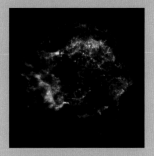

▲ IMAGE EN RAYONS X DE CHANDRA *Le nuage de gaz chauds en expansion est clairement visible : il mesure 10 années-lumière de diamètre !*

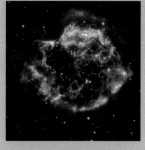

▲ MULTICOLORE *En combinant les images de Hubble (jaune), Spitzer (rouge) et Chandra (vert et bleu), on peut comprendre l'évolution des supernovae.*

Télescope spatial à rayons gamma Fermi
NASA – Agence spatiale des États-Unis

■ **Nommé en l'honneur** du Prix Nobel de physique italien Enrico Fermi, pionnier de la physique des hautes énergies
■ **Identité** Observatoire en rayons gamma
■ **Lancement** Juin 2008
■ **Équipé de** 1 télescope à large champ et de 1 moniteur des sursauts de rayons gamma
■ **Orbite** Fait le tour de la Terre en 95 minutes, à 550 km d'altitude

Ce télescope a été mis au point par les États-Unis, la France, l'Allemagne, l'Italie, le Japon et la Suède. Le satellite s'oriente de lui-même pour observer de nouveaux rayons gamma.

▶ *Ce télescope a découvert de nombreux pulsars (👁 p. 228).*

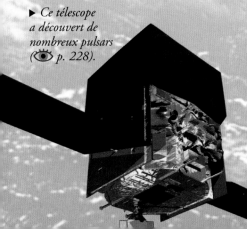

Télescope Herschel
ESA – Agence spatiale européenne

■ **Nommé en l'honneur** de Frederick William Herschel, l'astronome germano-britannique qui découvrit la lumière infrarouge et la planète Uranus
■ **Identité** Télescope infrarouge
■ **Lancement** Mai 2009
■ **Équipé de** 1 miroir de 3,50 m et de 3 instruments à refroidissement cryogénique
■ **Orbite** Herschel opère à 1,5 million de km de la Terre, dans une direction opposée au Soleil

Capable de détecter une large gamme de longueurs d'onde et de sonder les nuages denses et froids de poussière avec une finesse inégalée, Herschel a pour mission d'étudier la formation et l'évolution des premières galaxies.

▲ *Les instruments sont refroidis à l'hélium.*

Télescope spatial James Webb
NASA – Agence spatiale des États-Unis

■ **Nommé en l'honneur** d'un ancien chef de la NASA
■ **Identité** Télescope spatial optique et infrarouge. Considéré comme le successeur du télescope spatial Hubble
■ **Lancement** 2014
■ **Équipé de** 1 miroir principal de 6,50 m de diamètre, le plus grand jamais lancé dans l'espace
■ **Orbite** À 1,5 million de km du côté de la Terre plongé dans la nuit

Les États-Unis, l'Europe et le Canada construisent actuellement ce télescope destiné à l'étude des objets les plus faibles et les plus lointains de l'Univers.

Bouclier solaire

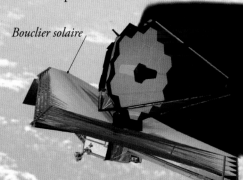

▲ *Le bouclier est grand comme un court de tennis.*

Étranges observatoires

Les scientifiques utilisent aujourd'hui toutes sortes d'instruments bizarres pour observer l'Univers. En voici quelques-uns, parmi les plus inhabituels qu'on puisse trouver sur la planète.

▲ CES CONTENEURS *anodins abritent un équipement extrêmement sensible, dédié à l'étude du Soleil.*

GONG
The Global Oscillation Network Group

- **Situation** Six stations autour du monde (Californie, Hawaii, Australie, Inde, Canaries et Chili)
- **Fonction** Étude des ondes sonores du Soleil

Ces observatoires étudient les ondes sonores qui circulent à l'intérieur du Soleil, en partant des petits séismes survenant à sa surface. Ces séismes excitent des millions d'ondes sonores nous renseignant sur l'intérieur du Soleil.

LIGO
The Laser Interferometer Gravitational-Wave Observatory

- **Situation** 3 détecteurs dans l'État de Washington et en Louisiane (É.-U.)
- **Équipé de** tubes longs de 4 km, contenant des faisceaux laser et des miroirs, formant un observatoire disposé en L
- **Fonction** Quête d'ondes gravitationnelles

Les ondes gravitationnelles seraient des rides dans l'espace-temps, peut-être provoquées par la collision de trous noirs ou l'explosion de supernovae, ou générées dans la jeunesse de l'Univers. À ce jour, aucune n'a encore été repérée.

▲ *Si une onde gravitationnelle traversait la Terre, la lumière des rayons laser circulant dans les tubes en serait affectée.*

Télescope du pôle Sud
The Arcminute Cosmology Bolometer Array Receiver

- **Situation** Station de recherche Amundsen-Scott, pôle Sud
- **Équipé de** 1 télescope de 10 m de diamètre
- **Fonction** Étude du rayonnement micro-ondes de fond cosmique

Durant l'hiver antarctique, la lumière du Soleil n'atteint pas le pôle Sud : il y fait noir le jour comme la nuit. Et la sécheresse de l'air y est idéale pour traquer les infimes variations du rayonnement résiduel du big bang.

▼ *Le télescope doit être refroidi à une température d'un quart de degré au-dessus du zéro absolu (–273 °C).*

▶ LE SOFIA 747SP *peut maintenir son télescope pointé de manière stable sur un objet dans le ciel, même lorsque l'avion subit des turbulences.*

SOFIA
The Stratospheric Observatory for Infrared Astronomy

■ **Situation** Flanc gauche du fuselage d'un Boeing 747SP modifié
■ **Équipé de** 1 télescope de 2,50 m de diamètre
■ **Fonction** Observation du ciel en lumière visible et infrarouge

Cet avion effectuera des vols au-dessus des nuages et de la partie la plus turbulente de l'atmosphère, à une altitude comprise entre 11 et 14 km, sur une durée allant jusqu'à huit heures. On espère que les observations de SOFIA répondront à certaines questions sur la création de l'Univers. Sa mission devrait durer vingt ans.

SNO
Sudbury Neutrino Observatory

▶ *La roche protège les détecteurs du rayonnement cosmique.*

■ **Situation** À 2 km sous terre, dans une mine de nickel en service, à Sudbury, dans l'Ontario (Canada)
■ **Équipé de** 1 réservoir d'« eau lourde » de 12 m de diamètre, entouré de 9 400 détecteurs
■ **Fonction** Étude des particules de haute énergie (neutrinos) émanant du cœur du Soleil et des explosions stellaires

Les neutrinos passent en général inaperçus lorsqu'ils traversent la Terre, mais leur collision avec des atomes d'eau lourde produit des éclairs lumineux, captés par les détecteurs entourant le réservoir.

ALMA
Atacama Large Millimeter/submillimeter Array

■ **Situation** Un haut plateau du désert chilien de l'Atacama, à 5 000 m d'altitude
■ **Équipé de** 66 antennes – au moins – réparties sur une distance de 18,5 km
■ **Fonction** Étudie des gaz et des poussières dans l'Univers froid

▲ D'ÉNORMES VÉHICULES *transportent les antennes géantes jusqu'à leurs positions.*

Les 66 antennes, dont le diamètre atteint jusqu'à 12 m, peuvent fonctionner comme un seul télescope géant. Le climat sec et l'atmosphère ténue régnant à cette altitude offrent des conditions parfaites pour avoir une vue claire du rayonnement infrarouge et micro-onde dans l'espace.

OBSERVER L'UNIVERS

UN UNIVERS
VIOLENT

Très dynamique, sans cesse changeant, l'Univers contient tout ce qui existe : toute la matière, du plus petit atome au plus gros amas galactique, mais aussi le vide de l'espace et chaque seconde de temps.

Qu'est-ce que l'*Univers* ?

L'Univers englobe tout ce qui existe. Même le temps en fait partie. Nul ne sait quelle est la taille de l'Univers, ni où il commence et où il finit. La lumière émise par les étoiles et les galaxies peut mettre des milliards d'années pour parvenir jusqu'à notre petite planète : nous voyons donc l'Univers tel qu'il était il y a des milliards d'années. Mais les informations fournies par la lumière nous permettent de comprendre comment l'Univers a commencé et comment il pourrait prendre fin.

ANNÉES-LUMIÈRE

◀ NOUS POUVONS *savoir à quoi ressemblait le tout jeune Univers en utilisant différents types de télescope.*

Les télescopes sont comme des machines à remonter le temps : ils nous montrent les étoiles et les galaxies lointaines, dont ils captent la lumière, telles qu'elles étaient lorsque cette lumière a commencé son voyage. Une année-lumière correspond à la distance parcourue par la lumière en une année : soit environ 9 500 milliards de kilomètres. La lumière venant des galaxies les plus éloignées que nous pouvons observer a mis 13 milliards d'années pour nous parvenir. Ces galaxies nous apparaissent telles qu'elles étaient bien avant la naissance du Soleil et de la Terre.

Lumière !
La lumière voyage dans le vide spatial à 300 000 km/s. À une telle vitesse, les ondes lumineuses pourraient faire sept fois le tour du monde en une seule seconde.

L'UNIVERS DU FUTUR

Les scientifiques ont longtemps cru que l'attraction gravitationnelle exercée par les étoiles et les galaxies allaient ralentir l'expansion de l'Univers. Des observations récentes suggèrent au contraire que celle-ci s'accélère. Si c'est bien le cas, les galaxies vont continuer à s'éloigner les unes des autres. Il ne naîtra plus d'étoiles, les trous noirs disparaîtront et l'Univers deviendra vide, noir, froid et sans vie.

Nous pouvons observer et mesurer la hauteur, la largeur et la profondeur de l'espace. Le temps constitue une quatrième dimension. L'Univers pourrait avoir au moins six autres dimensions cachées. Celles-ci s'enroulent les unes dans les autres et sont infiniment petites.

Étoile

Terre

▲ À MESURE QUE *les objets s'éloignent de nous, leur spectre lumineux change, ce qui nous permet de calculer leur vitesse.*

Mesurer les distances

Parce que l'Univers est un espace en expansion, qui s'étire, les ondes de lumière émises par n'importe quel objet spatial s'étirent aussi. Les raies noires apparaissant dans le spectre lumineux de cet objet se déplacent vers l'extrémité rouge. En mesurant l'ampleur de ce décalage vers le rouge, les astronomes peuvent calculer à quelle distance se trouvent les différentes galaxies et à quelle vitesse elles s'éloignent de nous. Les galaxies les plus anciennes, qui s'éloignent le plus rapidement, révèlent les plus grands décalages vers le rouge.

La forme de l'Univers

Il est difficile d'imaginer que l'espace a une forme. Pourtant, il en a une! Pour les scientifiques, la forme de l'Univers dépend de la densité de sa matière. Selon leurs calc si cette densité est supérieure à une valeur critique, l'Univers est fermé. Si elle est inférieure, l'Univers est ouvert. En fait, les observations des sondes spatiales ont mont que l'Univers est très proche de la densité critique : les scientifiques le décrive donc comme plat. Un Univers complèteme plat n'a pas de bord ; son expansion est infinie.

Fermé

Ouvert

Plat

◀ LES PLANÈTES, *les étoiles, les poussières et les gaz ne constituent qu'une petite part de l'Univers. Celui-ci est surtout formé de matière noire et d'énergie sombre, invisibles et mystérieuses (⦾ p. 62-63).*

Notre Univers est-il le seul ou en existe-t-il d'autres, invisibles ? Certains scientifiques pensent qu'il pourrait y avoir de nombreux autres Univers. Certains pourraient obéir à des lois physiques différentes et avoir des dimensions autres que celles du nôtre. Il serait même possible, en théorie, de connecter notre Univers à un autre par un trou noir tourbillonnant. Toutefois, aucun autre Univers ne pouvant affecter celui dans lequel nous vivons, il est impossible de prouver que d'autres Univers existent.

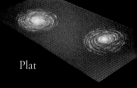

La *naissance* de l'Univers

Les scientifiques pensent que l'Univers est né dans une gigantesque boule de feu il y a environ 13,7 milliards d'années. Le big bang fut le début du temps et de l'espace, comme de la matière et de l'énergie.

INFLATION

À l'instant où tout a commencé, l'Univers était extraordinairement petit, chaud et dense. À l'intérieur de la boule de feu, l'énergie se transformait en matière et en antimatière. Puis l'Univers commença à gonfler et à refroidir. Pendant une infime fraction de seconde, l'expansion fut lente puis l'Univers s'est dilaté, régulièrement, dans toutes les directions. Cette expansion pourrait être en train de s'accélérer.

▼ DES RAYONS X, *en bleu et violet, sont générés par les collisions de matière et d'antimatière survenant à mesure que des particules de haute énergie s'échappent du pulsar blanc situé au centre de l'image.*

1 L'Univers, infiniment petit, commence à gonfler, atteignant la taille d'un pamplemousse. L'énorme quantité d'énergie libérée déclenche la formation de matière et d'antimatière.

BIG BANG

Temps	0,1 seconde
Température	Boule de feu

Quarks   Électrons

▲ PARMI LES PARTICULES *les plus abondantes dans l'Univers actuel figurent les quarks et les électrons. Ils constituent les briques élémentaires de tous les atomes.*

Matière et antimatière

Immédiatement après le big bang, d'énormes quantités d'énergie se transformèrent en particules de matière et en leur contraire, des particules d'antimatière. Quand ces deux types de particules se rencontrent, elles se détruisent mutuellement. Si ces particules avaient été créées en nombre égal, elles se seraient éliminées les unes les autres. Tout ce que nous voyons dans l'Univers actuel est surtout constitué de matière. Il semble donc que, pour une raison inconnue, le big bang a engendré un peu plus de matière que d'antimatière.

Pas de premier

Il n'y a pas « d'avant » le big bang, parce que le temps et l'espace n'existaient pas. Après le big bang, l'espace commença à se dilater et le temps à s'écouler. Mais lequel fut le premier ? Aucun des deux ne pouvait exister sans que l'autre existe aussi !

LES TROIS PREMIÈRES MINUTES

Pendant les trois premières minutes, l'Univers refroidit jusqu'à une température inférieure à 1 milliard de kelvins. Dans le même temps, il grandissait, d'une taille plus petite qu'un atome de plusieurs milliards de fois à la taille de notre galaxie de la Voie lactée.

2 L'Univers est grand comme un terrain de football. La collision d'innombrables particules de matière et d'antimatière génère encore plus d'énergie.

3 L'Univers gonfle soudainement et commence à refroidir. De nouvelles particules, dont les quarks et les électrons, se forment.

4 L'Univers est encore trop chaud pour que se forment des atomes, mais les quarks commencent à s'agréger en particules plus lourdes, surtout des protons et des neutrons.

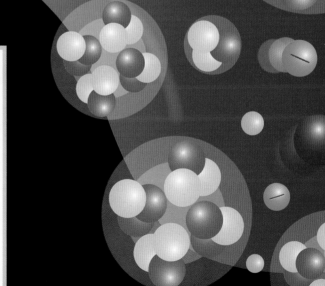

2×10^{-43} secondes	3×10^{-35} secondes	4×10^{-7} secondes	3 minutes
10^{32} K	10^{27} K	10^{14} K	10^8 K

▲ *K est le symbole du kelvin, une unité de température utilisée par les astronomes. 0 K vaut −273 °C. Rien, dans l'Univers, ne peut atteindre une température plus basse.*

VERS LES ATOMES

Proton · Neutron · Noyau d'hélium

Les protons et les neutrons sont des particules rassemblant trois quarks. Lorsqu'ils furent en quantité suffisante dans l'Univers, ils commencèrent à former des noyaux atomiques très simples, à la base des atomes d'hydrogène et d'hélium. La plupart des étoiles sont faites de ces deux types d'atomes, presque tous créés dans les trois premières minutes après le big bang.

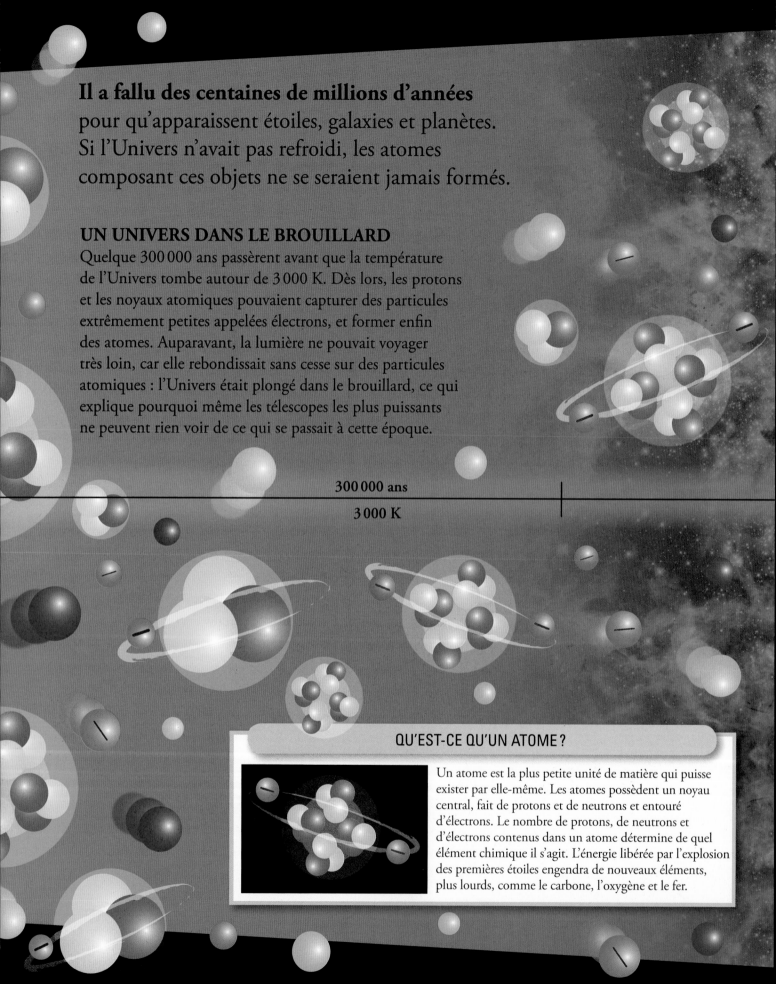

Il a fallu des centaines de millions d'années
pour qu'apparaissent étoiles, galaxies et planètes.
Si l'Univers n'avait pas refroidi, les atomes
composant ces objets ne se seraient jamais formés.

UN UNIVERS DANS LE BROUILLARD

Quelque 300 000 ans passèrent avant que la température
de l'Univers tombe autour de 3 000 K. Dès lors, les protons
et les noyaux atomiques pouvaient capturer des particules
extrêmement petites appelées électrons, et former enfin
des atomes. Auparavant, la lumière ne pouvait voyager
très loin, car elle rebondissait sans cesse sur des particules
atomiques : l'Univers était plongé dans le brouillard, ce qui
explique pourquoi même les télescopes les plus puissants
ne peuvent rien voir de ce qui se passait à cette époque.

300 000 ans

3 000 K

QU'EST-CE QU'UN ATOME ?

Un atome est la plus petite unité de matière qui puisse
exister par elle-même. Les atomes possèdent un noyau
central, fait de protons et de neutrons et entouré
d'électrons. Le nombre de protons, de neutrons et
d'électrons contenus dans un atome détermine de quel
élément chimique il s'agit. L'énergie libérée par l'explosion
des premières étoiles engendra de nouveaux éléments,
plus lourds, comme le carbone, l'oxygène et le fer.

PREMIÈRES ÉTOILES

Quelque 200 millions d'années après le big bang, des nuages d'hydrogène et d'hélium s'accumulaient, avant de s'effondrer sous l'action de la gravitation. Ils formèrent des amas d'atomes, de plus en plus compacts et chauds, jusqu'à brûler : les premières étoiles étaient nées. Elles explosèrent vite, contribuant à la naissance d'autres étoiles.

LE DÉBUT DES GALAXIES

Assez vite après l'apparition des premières étoiles, la gravitation et la matière noire réunirent des nuages denses de gaz et des jeunes étoiles, donnant le jour à de petites galaxies. Puis celles-ci entrèrent en collision, fusionnant en galaxies plus grandes.

FORCES FONDAMENTALES

Le big bang a aussi créé quatre forces fondamentales : gravitation, force électromagnétique, force nucléaire faible et force nucléaire forte. La gravitation maintient les objets spatiaux en orbite. La force électromagnétique lie les atomes composant les solides, les liquides et les gaz. La force nucléaire faible détermine l'éclat des étoiles, la force nucléaire forte maintient la cohésion des protons et des neutrons dans les noyaux des atomes.

La gravitation maintient la Lune en orbite autour de la Terre.

200 millions d'années	500 millions d'années	Présent
100 K	10 K	2,7 K

▲ LE RAYONNEMENT *fossile du big bang marque le point à partir duquel l'Univers était assez froid pour que des atomes se forment.*

Braises rougeoyantes du big bang

Du big bang ne nous parvient aucune lumière. Mais nous détectons la faible lueur d'un rayonnement fossile qui couvre le ciel. Ce « rayonnement micro-onde de fond cosmologique » montre à quoi ressemblait l'Univers 300 000 ans après le big bang. Cette carte révèle des rides un peu plus chaudes ou plus froides. Les premières galaxies se sont probablement développées à partir des taches de gaz plus froides et plus denses (en bleu).

LA MACHINE À BIG BANG

Les scientifiques essaient d'en savoir plus sur l'Univers tel qu'il était immédiatement après le big bang en construisant sur Terre d'énormes machines. La plus récente et la plus perfectionnée est le Grand collisionneur de hadrons (LHC). Cet accélérateur de particules installé en Suisse vise à recréer le big bang en précipitant des faisceaux de protons les uns contre les autres, 800 millions de fois par seconde. La collision des faisceaux est censée engendrer un grand nombre de nouvelles particules et offrir, peut-être, une reconstitution de l'Univers dans ses tout premiers moments.

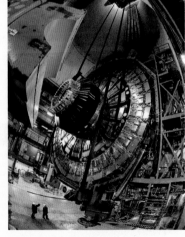

100 milliards de galaxies

L'Univers compte au moins 100 milliards de galaxies, de vastes systèmes stellaires liés par la gravitation. Les premières galaxies sont nées un peu moins de 1 milliard d'années après le big bang et la naissance de l'Univers.

GÉANTES ET NAINES

Certaines galaxies contiennent des centaines de milliards d'étoiles. D'autres sont beaucoup plus petites, abritant parfois moins d'un million d'étoiles. Il y a bien plus de petites galaxies que de galaxies géantes, alors même que les galaxies naines ont tendance à être englouties, au fil du temps, par leurs voisines plus grosses. Notre galaxie, la Voie lactée, compte environ 200 milliards d'étoiles.

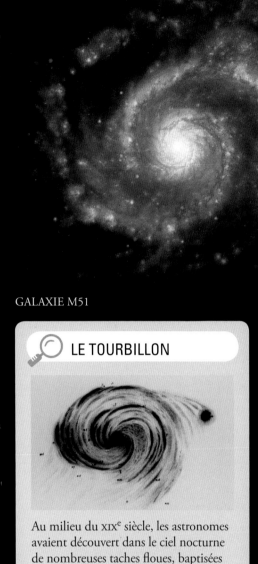

▲ M51, *la galaxie du Tourbillon, est distante d'environ 30 millions d'années-lumière.*

GALAXIE M51

Lumières combinées

Pour déterminer la nature d'une galaxie, il faut l'observer dans différentes longueurs d'onde. La vue ci-dessus de M51 combine des images prises par quatre télescopes spatiaux. L'une a révélé des rayons X émis par des trous noirs et des étoiles à neutrons ainsi que la lueur émanant des gaz chauds interstellaires (en violet). Les instruments infrarouge et optique ont mis en évidence les étoiles, les gaz et les poussières dans les bras spiraux (en rouge et en vert). Les jeunes étoiles chaudes produisant de grandes quantités d'ultraviolets apparaissent bleues.

LE TOURBILLON

Au milieu du XIXe siècle, les astronomes avaient découvert dans le ciel nocturne de nombreuses taches floues, baptisées nébuleuses. Pour en savoir plus sur celles-ci, William Parsons construisit le télescope Birr, de 1,80 m de diamètre. Ce qui était alors le plus grand télescope du monde révéla la galaxie du Tourbillon (ou M51), dont Parsons fit ce dessin en 1845.

Cette image due à Hubble est celle de I Zwicky 18, une galaxie naine à quelque 60 millions d'années-lumière.

I ZWICKY 18

GALAXIES GAZEUSES

Certaines galaxies, bien que très grandes, sont presque entièrement formées de gaz et apparaissent dans le ciel comme de vagues taches. Malin 1 contient assez de gaz pour constituer 1 000 galaxies comme la Voie lactée. Elle semble tout juste avoir commencé à fabriquer des étoiles. Son disque, large mais faible, est six fois plus grand que la Voie lactée. Une galaxie ordinaire, plus proche, est visible en bas de l'image.

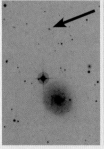

La flèche indique Malin 1.

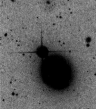

Elle se distingue mieux sur cette image retraitée.

CHAMP PROFOND *Durant dix jours, en octobre 1998, le télescope Hubble s'est focalisé sur une toute petite région de l'espace, s'étendant jusqu'à 12 milliards d'années-lumière. Parmi les milliers de galaxies dévoilées figurent de nombreuses spirales, comme la Voie lactée, mais aussi des galaxies elliptiques et d'autres déformées par des collisions.*

La *formation* des galaxies

Les observatoires actuels permettent aux astronomes de remonter au tout début de l'Univers. Ces observations lointaines révèlent des galaxies floues, impliquées dans de violentes collisions. Les premières galaxies se seraient-elles formées ainsi, il y a des milliards d'années ?

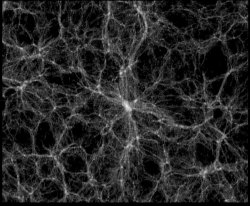

▲ TEST *Ce modèle informatique montre la matière s'agrégeant en filaments par gravitation. Les premières galaxies se forment dans ces filaments.*

QUE SE PASSE-T-IL ?

Selon une première théorie, les galaxies résulteraient de l'effondrement d'énormes nuages de gaz et de poussières. Une seconde théorie avance que les étoiles s'assemblent en groupes de plus en plus importants, puis en galaxies et enfin en amas galactiques.

Forme changeante

De nombreuses galaxies forment d'abord de petites spirales puis deviennent des ellipses plus grandes, le plus souvent après une collision. Les galaxies ne se heurtent pas de plein fouet : il y a assez d'espace entre les étoiles d'une galaxie pour qu'une autre galaxie puisse la croiser. Cela n'en change pas moins la forme de la galaxie concernée.

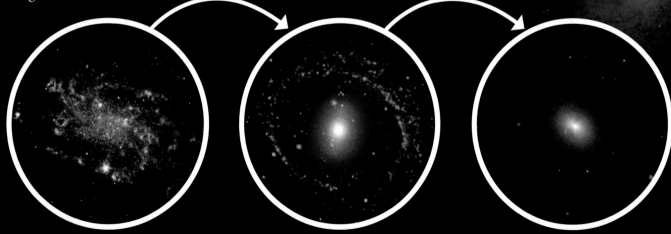

▲ JEUNESSE *NGC 300 est une jeune galaxie spirale engendrant quantité d'étoiles.*

▲ ADOLESCENCE *Avec l'âge, la galaxie crée de moins en moins d'étoiles.*

▲ VIEILLESSE *Les galaxies elliptiques, pauvres en gaz, abritent de vieilles étoiles.*

DÉBUTS D'UNE SPIRALE

Certains scientifiques suggèrent que les galaxies spirales sont nées, dans le jeune Univers, de la rotation et de l'effondrement de nuages d'hélium, d'hydrogène et de poussières, provoqués par la gravitation.

▲ RÉUNION *Des nuages de poussières, de gaz et d'étoiles sont attirés les uns vers les autres par la gravitation.*

▲ ROTATION *La gravitation fait tourner les nuages effondrés. Des étoiles se forment et tournent autour du centre de la masse.*

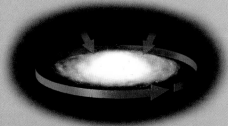

▲ APLATISSEMENT *En tournant sur lui-même, le nuage s'aplatit en un disque galactique de poussières, de gaz et d'étoiles.*

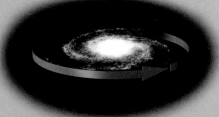

▲ FORMATION DE BRAS *Le disque continue sa rotation, ce qui provoque la formation de bras spiraux.*

Bizarrerie

L'objet de Hoag ne ressemble à aucune autre galaxie, même irrégulière. Il est formé d'un anneau dominé par des amas de jeunes étoiles bleues, qui entoure un noyau jaune d'étoiles plus anciennes.

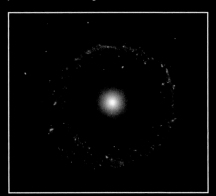

▲ ANNEAU BLEU *L'anneau pourrait être constitué des vestiges d'une autre galaxie, passée trop près.*

◄ FUMÉE *La galaxie du Cigare est une galaxie irrégulière où la formation d'étoiles est intense. Les jeunes galaxies produisent davantage d'étoiles que les plus vieilles.*

LES TYPES DE GALAXIES

Il existe trois grands types de galaxies. Celles-ci sont classées en fonction de leur forme et de la disposition des étoiles qu'elles contiennent.

- Les **galaxies irrégulières**, sans forme définie, sont riches en gaz et en poussières, ainsi qu'en étoiles bleues, chaudes. Elles résultent souvent d'une collision intergalactique.
- Les **galaxies elliptiques**, rondes à ovales, ou en forme de cigare, abritent en général de très vieilles étoiles, rouges et jaunes, que ne séparent que peu de gaz et de poussières.
- Les **spirales** sont des disques de gaz et de poussières, dont partent des traînées (les bras).

▲ IRRÉGULIÈRE *On observe parfois une ébauche de bras spiraux.*

▲ ELLIPTIQUE *Faute de gaz, aucune nouvelle étoile ne s'y forme.*

▲ SPIRALE *Elle effectue un tour sur elle-même en plusieurs millions d'années.*

UN SOMBRERO DANS L'ESPACE

À 28 millions d'années-lumière de la Terre,
dans la constellation de la Vierge, se trouve
une galaxie spirale au noyau très brillant, renflé
et inhabituellement large. Celui-ci est entouré
d'une bande sombre, inclinée, de poussières.
La galaxie du Sombrero, qu'on voit ici de côté,
doit ce nom à sa forme de chapeau mexicain.

La Voie *lactée*

Nous habitons une petite planète tournant autour d'une étoile insignifiante, dans une minuscule région d'une énorme galaxie spirale : la Voie lactée. Celle-ci, née il y a plus de 10 milliards d'années, devrait vivre encore plusieurs milliards d'années.

Bras de Norma

Bras du Sagittaire

Bras du Centaure

Centre galactique

Barre galactique

Bras de Persée

Bras d'Orion

Notre Soleil

Le rayon laser pointe le centre exact de la Voie lactée.

Étoiles dévoilées

Loin des lumières urbaines, on peut voir une bande faiblement lumineuse qui traverse le ciel nocturne. Les astronomes de l'Antiquité baptisèrent cette bande « Voie lactée », car elle évoque une traînée de lait répandue dans le ciel. Ils n'avaient aucune idée de sa nature. L'énigme fut résolue quand, en 1610, Galilée tourna sa lunette vers la Voie lactée et découvrit qu'elle était formée de milliers d'étoiles.

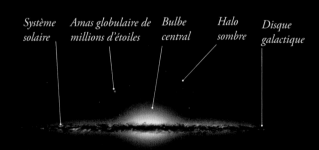

Système solaire *Amas globulaire de millions d'étoiles* *Bulbe central* *Halo sombre* *Disque galactique*

▲ QUELLE EST SA TAILLE ? *La Voie lactée est large d'environ 100 000 années-lumière mais n'est épaisse que de 2 000 années-lumière sur ses bords. L'essentiel de sa masse semble dû à la mystérieuse matière noire (⊙ p. 62-63).*

UNE GALAXIE SPIRALE

La Voie lactée est une spirale barrée : elle ressemble aux soleils des feux d'artifice qui semblent déployer des bras incurvés en tournant sur eux-mêmes. Notre galaxie tourne aussi sur elle-même, et ses étoiles se déplacent autour de son centre. Notre Soleil, situé à environ 28 000 années-lumière du centre, effectue un tour de la galaxie tous les 220 millions d'années. Les étoiles plus proches du centre mettent moins de temps.

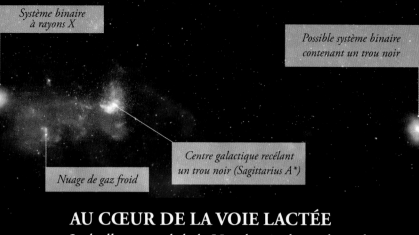

Système binaire
à rayons X

Possible système binaire
contenant un trou noir

Centre galactique recélant
un trou noir (Sagittarius A*)

Nuage de gaz froid

*Le Soleil n'est qu'une des
quelque 200 milliards
d'étoiles de la Voie lactée.
La plupart se trouvent
dans le bulbe central mais
les cinq bras abritent des
étoiles plus jeunes, parmi
des nuages de poussières.
Un trou noir supermassif
occupe le centre.*

AU CŒUR DE LA VOIE LACTÉE

Le bulbe central de la Voie lactée, large de seulement
600 années-lumière, est un endroit mystérieux.
Il concentre un dixième du gaz que contient la galaxie
et abrite des milliards d'étoiles. Parmi celles-ci figurent
des vestiges de supernovae et des sources brillantes de
rayons X, dont des systèmes binaires (des paires d'objets)
qui dissimuleraient des trous noirs.

SGR A*

Le monstre caché
Au centre de notre galaxie
est tapi un trou noir
contenant environ quatre
millions de fois plus
de matière que le Soleil.
Sagittarius A* (ou
SGR A*), ainsi appelé
car il est situé dans la
constellation du
Sagittaire, est, pour
le moment, assoupi :
il engendre plusieurs
milliards de fois moins
d'énergie que les trous
noirs géants des autres
galaxies.

▲ PASSÉ ACTIF *Les échos lumineux
d'un sursaut de rayons X, vieux de
300 millions d'années, suggèrent que
SGR A* était plus actif dans le passé.*

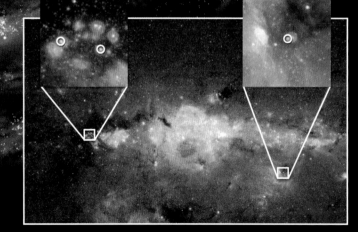

Bébés étoiles
Le cœur de la galaxie est encombré d'étoiles, de
poussières et de gaz et balayé par de violents vents
stellaires : ces puissantes ondes de choc rendent difficiles
la naissance d'étoiles. On ignore encore comment
celles-ci peuvent se former. Ce n'est qu'en 2009 que
l'observatoire en infrarouge Spitzer, ayant percé les
poussières épaisses, a découvert dans cette région trois
étoiles, âgées de moins d'un million d'années, encore
nichées dans leurs cocons de poussières et de gaz.

Courants de vieilles étoiles
Les astronomes ont découvert
trois étroits courants d'étoiles,
montant en arc au-dessus de la
galaxie. Ces courants, distants
de 13 000 à 130 000 années-
lumière de la Terre, s'étirent
sur la plus grande partie du ciel
de l'hémisphère Nord. Le plus
grand serait formé des vestiges
d'une galaxie naine entrée en
collision avec la Voie lactée.

Les *Nuages* de Magellan

Dans le ciel de l'hémisphère Sud, on peut voir, en plus de la Voie lactée, les deux Nuages de Magellan. Ces derniers sont en général considérés comme des galaxies satellites, liées par la gravitation à la Voie lactée. Mais les chercheurs ont récemment suggéré que ces Nuages ne feraient que passer dans notre voisinage.

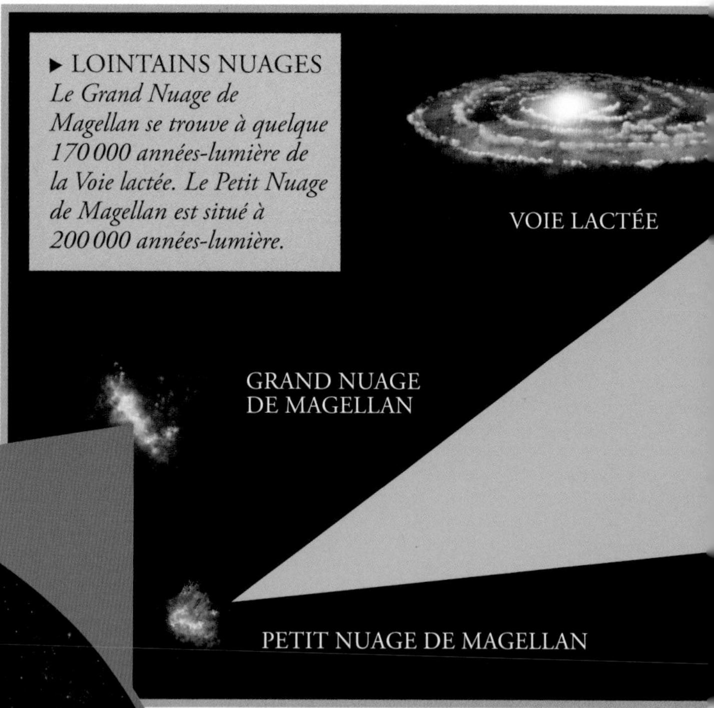

▶ LOINTAINS NUAGES
Le Grand Nuage de Magellan se trouve à quelque 170 000 années-lumière de la Voie lactée. Le Petit Nuage de Magellan est situé à 200 000 années-lumière.

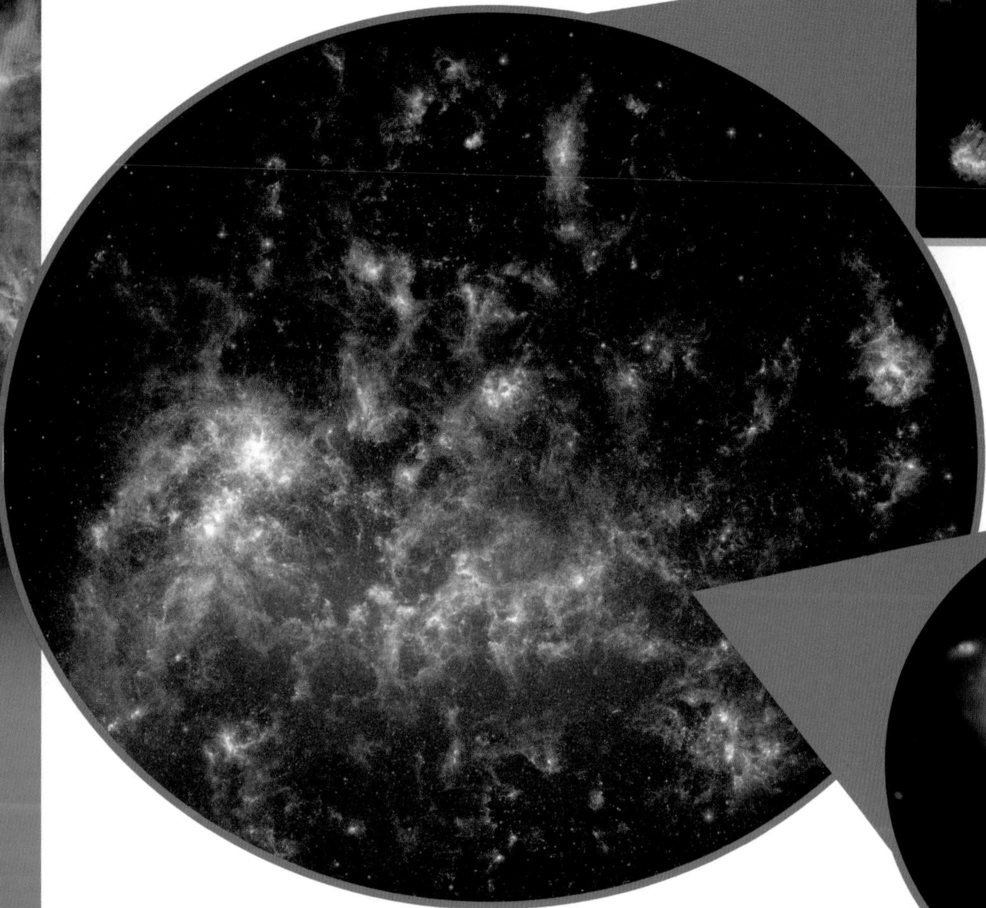

VOIE LACTÉE

GRAND NUAGE DE MAGELLAN

PETIT NUAGE DE MAGELLAN

◀ GROS PLAN *Couvrant un tiers environ du Grand Nuage de Magellan, cette image prise par l'observatoire en infrarouge Spitzer révèle près d'un million d'objets. Les étoiles anciennes apparaissent en bleu, les poussières chauffées par les étoiles en rouge.*

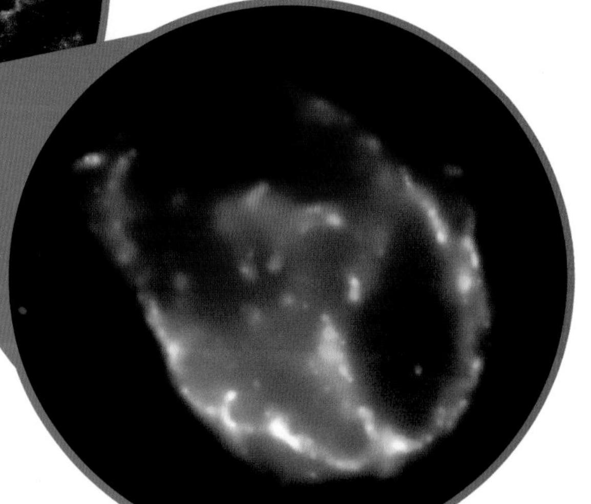

LE GRAND NUAGE DE MAGELLAN

Le Grand Nuage de Magellan est situé dans les constellations de la Dorade et de la Table. Sa masse représente environ 100 milliards de fois celle du Soleil et il est large de 25 000 à 30 000 années-lumière. Il est classé comme galaxie irrégulière malgré une barre centrale et des indices de bras spiraux. Il pourrait avoir été une galaxie spirale avant de se transformer sous l'action gravitationnelle de la Voie lactée.

Nuages colorés

Les Nuages de Magellan abritent de nombreux nuages de gaz chauds colorés et en expansion. Ce sont les vestiges de supernovae, des étoiles massives ayant explosé il y a des milliers d'années.

◀ QUI ÉTAIT…? *Les Nuages de Magellan portent le nom d'un navigateur portugais du XVIᵉ siècle, Fernand de Magellan. Il fut l'un des premiers Européens à voir ces objets dans le ciel austral.*

▶ POUPONNIÈRE D'ÉTOILES *Cette image en fausses couleurs montre une partie de la nébuleuse de la Tarentule. Dans cette région parcourue de crêtes, de vallées poussiéreuses et de flux de gaz brillant en lumière ultraviolette, naissent de nouvelles étoiles.*

Le Petit Nuage de Magellan

Le Petit Nuage de Magellan est l'un des objets les plus lointains qu'on puisse observer à l'œil nu. D'un diamètre visible d'environ 15 000 années-lumière, cette galaxie naine irrégulière contient moins de poussières et de gaz que le Grand Nuage de Magellan. Mais elle comporte encore plusieurs régions de formation stellaires (en rouge, ci-dessus) et contient plusieurs centaines de millions d'étoiles. Sa masse est environ sept fois celle du Soleil.

La nébuleuse de la Tarentule

30 Doradus doit à son apparence d'araignée son nom de nébuleuse de la Tarentule. Située à 170 000 années-lumière, cette région de formation stellaire s'étend sur environ 1 000 années-lumière au sein du Grand Nuage de Magellan. Elle abrite des étoiles très chaudes, parmi les plus massives que l'on connaisse. Si elle était aussi proche de la Terre que la nébuleuse d'Orion (à 1 500 années-lumière), 30 Doradus serait visible le jour et occuperait un quart du ciel.

 LE COURANT MAGELLANIQUE

Les Nuages de Magellan et la Voie lactée sont reliés par un long et inhabituel ruban d'hydrogène : le «courant magellanique». Visible seulement dans les ondes radio, ce courant s'étire sur un peu plus de la moitié du tour de la Voie lactée. Il pourrait être formé de matière arrachée aux Nuages de Magellan quand ceux-ci traversèrent le halo de la Voie lactée. Selon une autre théorie, il aurait été créé lorsque les deux Nuages passèrent l'un près de l'autre, ce qui aurait déclenché des sursauts massifs de formation stellaire. Les puissants vents stellaires et les explosions de supernovae engendrés par ces sursauts auraient projeté l'hydrogène vers la Voie lactée.

SOLEIL

GRAND NUAGE DE MAGELLAN

PETIT NUAGE DE MAGELLAN

Des découvertes récentes ont mis en évidence dans le courant des gaz fraîchement expulsés par les Nuages.

Le *Groupe* local

La Voie lactée n'est pas esseulée dans l'espace : elle appartient à un amas galactique appelé Groupe local. Celui-ci contient au moins 45 galaxies. Il s'en ajoute d'autres sur ses bordures.

ANDROMÈDE

La galaxie Andromède (M31) est notre plus grande voisine galactique. Le disque de cette galaxie spirale s'étire sur environ 260 000 années-lumière, soit deux fois et demie la largeur de la Voie lactée. Un faisceau lumineux parti d'une extrémité d'Andromède parviendrait à l'autre extrémité 260 000 années plus tard.

NOS VOISINES

Les galaxies du Groupe local se situent toutes à moins de 3 millions d'années-lumière de la Voie lactée. Elles forment deux petits ensembles, organisés autour des deux plus grandes galaxies : la Voie lactée et Andromède. Il est possible que, dans quelques milliards d'années, celles-ci entrent en collision et fusionnent.

▶ EN GROUPE *Voici quelques-unes des plus grandes galaxies du Groupe local.*

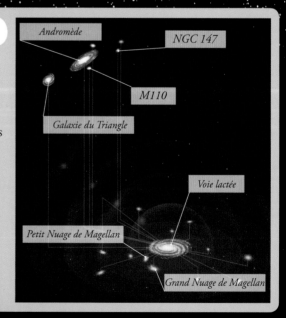

Andromède

NGC 147

M110

Galaxie du Triangle

Voie lactée

Petit Nuage de Magellan

Grand Nuage de Magellan

Le cœur brûlant d'Andromède

Au cœur d'Andromède, un nuage de gaz chauds émet des rayons X. Ceux-ci proviendraient d'un système binaire, qui serait formé d'une étoile à neutrons ou d'un trou noir arrachant de la matière à une étoile ordinaire. Quand cette matière est entraînée vers le partenaire dévorant, elle s'échauffe par friction, atteignant jusqu'à 10 millions de degrés, ce qui produit des rayons X.

▶ VUE DE CHANDRA
Cette image due à l'observatoire en infrarouge Chandra montre le centre d'Andromède. Les rayons X de faible énergie apparaissent en rouge, ceux d'énergie moyenne en vert et les rayons X de haute énergie en bleu.

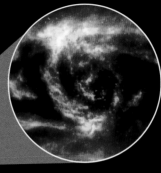

▲ COLLISION ANCIENNE
Des anneaux de poussières, au sein d'Andromède, attestent que cette galaxie a été impliquée dans une violente collision frontale avec la galaxie Messier 32 (M32), il y a plus de 200 millions d'années.

INSTANTANÉ

Sur cette image en ultraviolet et infrarouge de M33, on remarque que certaines régions extérieures de cette galaxie contiennent beaucoup de jeunes étoiles (points bleus) et très peu de poussières.

Galaxies naines

On a, à ce jour, découvert plusieurs dizaines de galaxies naines dans le Groupe local. La plupart sont très petites et faibles. Derrière les poussières et les étoiles proches du plan de la Voie lactée se trouve une galaxie naine irrégulière : IC 10 est la plus proche galaxie à sursaut stellaire connue. Bien que sa lumière soit affaiblie par les poussières, on peut voir la lueur rouge émanant des régions de cette galaxie où se forment des étoiles.

La galaxie du Triangle

M33, ou galaxie du Triangle, est la troisième plus grande galaxie du Groupe local. Cette galaxie en spirale, dont le disque est assez incliné vers la Terre, mesure plus de 50 000 années-lumière de largeur. Ce serait un satellite de la galaxie Andromède. Comme cette dernière, M33 sert d'étalon cosmique aux astronomes pour établir l'échelle des distances dans l'Univers.

AU CŒUR DE LA VOIE LACTÉE

Au centre de notre galaxie, des centaines de milliers d'étoiles occupent une zone du ciel pas plus large qu'une Lune pleine. L'infrarouge révèle (en jaune) des régions de formation d'étoiles et des nuages de poussières (en rouge). Les rayons X dévoilent les gaz très chauds et les émissions des trous noirs.

▼ BINAIRE BRILLANTE *Cette étoile binaire est une source majeure de rayons X. Il s'agit probablement d'une étoile massive autour de laquelle orbite une étoile à neutrons ou un trou noir.*

▲ ÉTOILE DU PISTOLET *Dix millions de fois plus lumineuse que le Soleil, c'est la plus brillante de la galaxie.*

▲ SAGITTARIUS A*
Ce trou noir supermassif est au centre de notre galaxie. Ses éruptions passées ont nettoyé la zone environnante de ses gaz.

Collision de galaxies

Les galaxies sont pour la plupart séparées par des millions d'années-lumière. Certaines, toutefois, sont assez proches pour que la gravitation les regroupe en amas. Les membres d'un amas galactique peuvent s'attirer si fort qu'ils entrent en collision.

LE QUINTETTE DE STEPHAN

On appelle Quintette de Stephan un groupe de galaxies qui semblent se heurter les unes les autres. Quatre d'entre elles se trouvent à environ 280 millions d'années-lumière de la Terre ; la cinquième est plus proche de nous. NGC 7318b traverse le groupe principal à près de 310 millions de km/h. Cela crée une onde de choc qui échauffe les gaz intergalactiques et libère des rayons X (région en bleu).

La galaxie spirale NGC 7319 contient un quasar (👁 p. 60-61).

NGC 7318a (à droite) est face à NGC 7318b (à gauche).

NGC 7320 est plus proche de la Terre que les autres membres du Quintette.

RECONSTITUTION

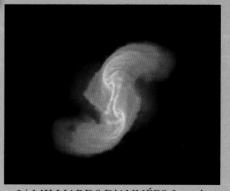

▲ COLLISION VIRTUELLE *Les collisions intergalactiques se déroulent sur des milliards d'années. Voici une simulation par ordinateur.*

▲ 6 MILLIARDS D'ANNÉES *Depuis la première rencontre des deux galaxies spirales, la gravitation leur a arraché de longues queues.*

▲ 24 MILLIARDS D'ANNÉES *Les galaxies, qui s'étaient séparées dans l'intervalle, se retrouvent, l'une coupant à travers l'autre.*

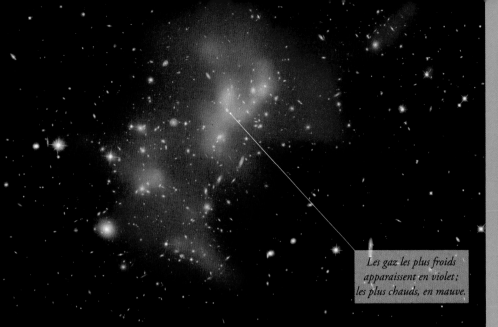

Les gaz les plus froids apparaissent en violet; les plus chauds, en mauve.

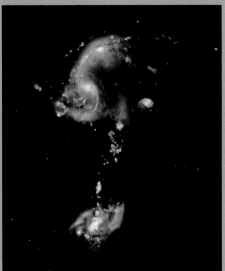

▲ ARP 194 *Dans la partie haute du groupe ARP 194, deux galaxies sont en cours de fusion. Une coulée bleue d'étoiles, de gaz et de poussières semble établir un lien avec une troisième galaxie, dans le bas de l'image. Celle-ci est en fait beaucoup plus lointaine et n'est pas reliée à la coulée.*

Collision d'amas galactiques

Le stade ultime de la collision intergalactique implique plusieurs amas. La plus grosse collision observée à ce jour consiste en l'empilement de quatre amas, baptisé MACS J0717. Ce courant de galaxies, de gaz et de matière noire est long de 13 millions d'années-lumière. Il se déplace dans une région déjà encombrée de matière, provoquant des collisions répétées. Quand les gaz de deux amas, ou plus, se heurtent, le gaz chaud ralentit. Les galaxies, ralentissant beaucoup moins, finissent par dépasser le gaz.

Vue déformée

Certains amas galactiques agissent comme des verres grossissants. Leur puissante force de gravitation déforme l'espace autour d'elles. La lumière provenant de galaxies ou de quasars plus éloignés s'en trouve courbée. On observe alors des arcs multiples et des images déformées de l'objet distant, évoquant un mirage dans l'espace.

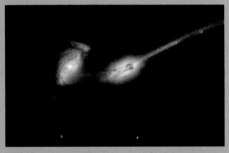

▲ LES SOURIS *Surnommées «les Souris» en raison de leurs «queues» d'étoiles et de gaz, les deux galaxies NGC 4676, en interaction, finiront par s'unir en une seule et énorme galaxie. Les Souris se trouvent à 300 millions d'années-lumière de la Terre, dans la constellation de la Chevelure de Bérénice.*

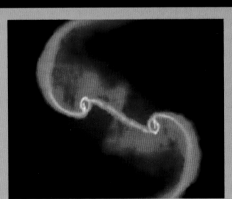

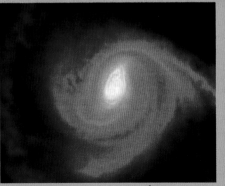

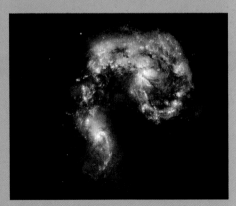

▲ 26 MILLIARDS D'ANNÉES *Les régions centrales sont réunies et les deux galaxies finissent par se joindre.*

▲ 30 MILLIARDS D'ANNÉES *Les deux galaxies spirales fusionnent en une galaxie elliptique massive.*

▲ LES ANTENNES *Voici la plus jeune paire de galaxies en collision, et la plus proche. La première rencontre remonte à 200 ou 300 millions d'années : elle avait créé des «queues», évoquant des antennes d'insecte. La collision, qui se poursuit, donnera, dans le futur, naissance à des milliards d'étoiles*

Galaxies actives

L'Univers compte de nombreuses galaxies actives. Si la nôtre est aujourd'hui tranquille, d'autres génèrent énormément d'énergie. Chacune a en son centre un trou noir supermassif, exerçant une forte attraction. C'est la centrale énergétique de la galaxie.

Un puissant champ magnétique expulse du trou noir des jets très rapides.

Le disque de gaz chauds émet des rayonnements, dont des rayons X.

UNE ROUE EN MOUVEMENT

Une galaxie active ressemble à une roue. Le trou noir central forme le moyeu. Sa gravité attire poussières, étoiles et gaz, qui s'agrègent dans un disque en rotation. Un puissant champ magnétique entoure le trou noir : il en éjecte des particules, évoquant l'axe de la roue.

Types d'activité

On distingue quatre types de galaxies actives : les radiogalaxies, les galaxies de Seyfert, les blazars et les quasars (contraction d'objets quasi stellaires). Les radiogalaxies (ci-dessus, Cygnus A) émettent les ondes radio les plus puissantes de l'Univers. Elles sont présentes partout dans l'Univers alors que blazars et quasars se trouvent à des milliards d'années-lumière.

Radio poussiéreuse

La radiogalaxie la plus proche de la Terre est Centaurus A, un des premiers objets extérieurs à la Voie lactée à avoir été identifié comme une source d'ondes radio, de rayons X et gamma. Un anneau de poussières, sombre et épais, masque les régions centrales de cette galaxie elliptique. Les deux panaches de signaux radio (en bleu pâle), engendrés par une collision avec une galaxie spirale, sont longs de 200 millions d'années-lumière.

📷 INSTANTANÉ

Cette image de la radiogalaxie elliptique M87, prise par le télescope spatial Hubble, révèle un jet brillant d'électrons à grande vitesse, expulsés du noyau. Ce jet est produit par un trou noir de 3 milliards de masses solaires.

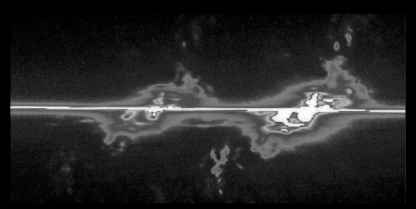

Galaxies de Seyfert

Une galaxie de Seyfert est alimentée en énergie par un trou noir central de plusieurs millions de masses solaires. La matière piégée tombe en spirale dans le trou noir mais une partie en est éjectée à grande vitesse, en jets. Cette image de NGC 4151, la galaxie de Seyfert la plus brillante, offre une vue latérale des jets expulsés.

Spirale de Seyfert

Avec deux bras spiraux brillants et des bandes de poussières sombres dans le voisinage du noyau, M106 ressemble à une galaxie spirale ordinaire. Son noyau est toutefois très lumineux dans les longueurs d'onde radio et X, qui révèlent aussi deux bras spiraux de gaz s'insérant entre les bras principaux. Les astronomes ont également découvert des jets jumeaux courant sur toute la longueur de la galaxie. M106 est en fait une galaxie de Seyfert, alimentée par de vastes quantités de gaz chauds qu'attire un trou noir central massif.

LES BLAZARS

Un blazar se distingue des autres galaxies actives par le fait que la quantité d'énergie qu'il émet varie rapidement d'un jour à l'autre. Il se présente aussi à l'observation sous un angle différent. De la Terre, on voit d'abord les jets, orientés dans notre direction, puis le disque.

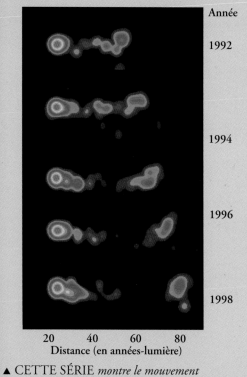

Année

1992

1994

1996

1998

20   40   60   80
Distance (en années-lumière)

▲ CETTE SÉRIE *montre le mouvement de la matière expulsée par le blazar 3C 279. Ce mouvement paraît plus rapide que la lumière. C'est bien sûr une illusion.*

Quasars

Comme les blazars, les quasars sont les noyaux brillants de galaxies très lointaines. Ils sont similaires aux galaxies de Seyfert mais beaucoup plus lumineux, au point que leur lumière masque la galaxie plus faible qui les entoure. Les quasars génèrent assez d'énergie pour être 1 000 milliards de fois plus brillants que le Soleil.

▲ CODE COULEURS
En lumière visible, M106 ne dévoile que ce qui est en jaune. Le bleu est révélé en rayons X, le rouge dans l'infrarouge, et le violet dans les ondes radio.

Matière noire

La matière noire est le plus grand mystère de l'Univers. Les astronomes peuvent dire qu'il existe de la matière invisible dans l'espace interstellaire, car celle-ci exerce une force gravitationnelle assez puissante pour courber la lumière des étoiles qui voyage vers la Terre. Mais ils ignorent à quoi elle ressemble ou de quoi elle est faite.

▲ PIÈCES MANQUANTES
À ce jour, nous ignorons presque tout de la matière noire, mais les scientifiques sont en quête de particules subatomiques qui pourraient nous aider à compléter l'image que nous avons de l'Univers.

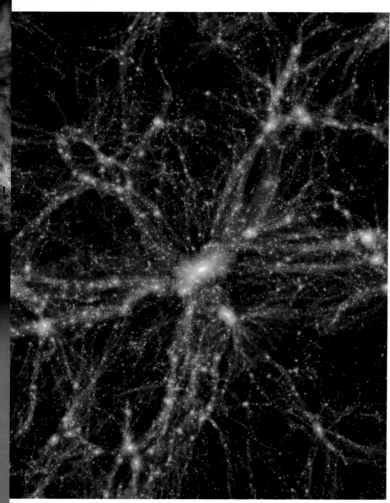

CARTOGRAPHIE

Cette simulation montre comment la matière noire est distribuée dans l'Univers. Les régions jaunes correspondent aux concentrations maximales de matière noire. Elles exercent une attraction suffisante pour faire s'agréger la matière visible et créer des galaxies.

UNE ÉNIGME

L'Univers est constitué à 5 % de matière ordinaire, dont la force gravitationnelle ne saurait suffire à lier les galaxies. Les astronomes savent donc qu'il doit exister un autre type de matière, invisible. La matière noire n'est pas faite d'atomes, elle ne réfléchit aucun type de rayonnement mais il apparaît qu'elle représente un quart de la matière contenue dans l'Univers.

ATOME

Énergie sombre

Les astronomes pensent qu'en plus de la matière noire, l'Univers est rempli d'énergie sombre. En fait, il en serait composé à 70 %. Si les scientifiques suspectent l'existence d'une telle énergie, c'est parce que quelque chose provoque l'expansion de l'Univers à une vitesse toujours plus grande. On ignore toutefois ce qu'est cette énergie et d'où elle vient.

L'amas de la Balle

L'amas de la Balle s'est formé à la suite d'une collision de deux amas galactiques, l'un ayant déchiré l'autre en son milieu, comme le ferait une balle de fusil. Lors de la collision, la matière ordinaire de l'amas (en rose, ci-contre) a été freinée par une force d'attraction. La matière noire a en revanche poursuivi son mouvement, sans ralentir, ce qui a créé une aura qui courbe la lumière (en bleu).

Vue sur l'invisible

L'anneau de matière noire entourant le centre de cet amas galactique lointain n'est pas directement visible. Mais sa gravité est telle qu'elle trahit sa présence en courbant la lumière provenant des galaxies distantes.

◀ LES ASTRONOMES *pensent que cet anneau de matière noire aurait été engendré par une collision entre deux amas galactiques.*

DÉCOLLAGE

En 1942, un missile V2 effectuait avec succès le premier vol suborbital. Comment les fusées, malgré leur poids énorme, parviennent-elles à décoller? Quels autres engins avons-nous envoyé dans l'espace?

Le troisième
étage place sur
orbite la capsule
habitée par
un équipage ou
la charge utile.

Le deuxième
étage prend
le relais après
le largage
du premier.

Le premier
étage renferme
les moteurs et
le combustible
nécessaire
au lancement
de la fusée.

Secrets de fusée

Une fusée est un lanceur servant à transporter des astronautes ou une charge utile (telle qu'un satellite) jusque dans l'espace extra-atmosphérique. Elle doit atteindre 28 000 km/h environ pour surmonter la gravité terrestre et se placer en orbite. La poussée nécessaire est obtenue par la combustion de produits chimiques.

DÉCOLLAGE

Tous les objets sur Terre sont attirés vers le sol par la gravité. Les gaz chauds expulsés des moteurs d'une fusée exercent une poussée s'opposant à la gravité, ce qui propulse la fusée vers le haut. On doit à Isaac Newton l'explication de ce phénomène : à toute action (ici la poussée des gaz) correspond une réaction égale mais de direction opposée (la propulsion de la fusée).

▲ LOI DE NEWTON *Le décollage des fusées obéit à la troisième loi sur le mouvement formulée par Isaac Newton.*

POUSSÉE

GRAVITÉ

◄ À ÉTAGES
Chaque étage d'une fusée comporte des moteurs. Quand ceux-ci ont brûlé tout leur combustible, l'étage se détache.

LISTE DES FUSÉES

■ **R-7 Semyorka** (Russie) Cette fusée, un missile modifié, lança Spoutnik 1, le premier satellite artificiel.
■ **Vostok** (Russie) Elle envoya le premier homme dans l'espace, Iouri Gagarine, en 1961.
■ **Saturn V** (É.-U.) La plus grande et la plus puissante fusée emporta les premiers hommes sur la Lune, en 1969.
■ **Titan** (É.-U.) 368 fusées Titan ont lancé des vols habités ou envoyé des sondes sur cinq planètes, dont Mars.
■ **Soyouz** (Russie) Cette famille de fusées, en service depuis 1966, dessert la Station spatiale internationale.
■ **Ariane** (Europe) Cinq types d'Ariane ont transporté des satellites et des sondes dans l'espace.

MOTEURS ET COMBUSTIBLE

■ **Il existe deux types de moteurs-fusées :** les uns utilisent des combustibles (ergols) solides, les autres des combustibles liquides. Les petites fusées utilisent le plus souvent le premier type ; les plus grandes combinent ergols liquides et solides.

■ **Les propulseurs d'appoint** sont des moteurs additionnels servant à fournir une poussée supplémentaire au décollage. Ils sont ensuite largués.

■ **Les propulseurs d'appoint à ergols solides** (ci-dessous) sont comme les feux d'artifice : ils ne s'éteignent qu'une fois tout le combustible brûlé.

Combustible   Enveloppe   Surface de combustion

Oxygène liquide nécessaire à la combustion du combustible

Tuyère

■ **Les moteurs à ergols liquides** (ci-contre) sont plus compliqués : le combustible et le comburant (permettant la combustion) doivent être stockés dans des réservoirs séparés puis mis en contact dans une chambre de combustion. C'est là que le combustible brûle, ce qui produit des gaz d'échappement chauds.

Hydrogène liquide

Chambre de combustion

Apportez votre oxygène

Les fusées doivent emporter leur combustible mais aussi leur oxygène, sans lequel les substances chimiques servant de combustible ne peuvent brûler. Sur Terre, l'oxygène est naturellement présent dans l'air. Mais il n'y en a pas assez dans l'espace pour permettre la combustion. Cette dernière engendre des gaz chauds qui s'échappent à grande vitesse par des tuyères, ce qui produit la poussée requise.

▲ TEST *Les moteurs à ergols liquides de la fusée RS-68 produisent des gaz d'échappement presque transparents.*

Les tuyères peuvent être orientées de façon à modifier la direction de vol.

Propulseur d'appoint

▲ QUATRE *propulseurs d'appoint entourent l'étage principal de Soyouz. Plus les gaz s'échappent vite des tuyères, plus la fusée vole rapidement.*

DÉCOLLAGE

3, 2, 1... et Soyouz TMA-16 décolle en direction de la Station spatiale internationale. Ses quatre propulseurs d'appoint ont brûlé durant 2 minutes, produisant un panache de feu aveuglant et un bruit assourdissant. À l'intérieur de la capsule bien fermée, les trois membres d'équipage n'ont perçu qu'un bourdonnement sourd. Après 8 minutes et demie, les étages de la fusée se sont séparés et le vaisseau Soyouz a atteint l'orbite terrestre basse, à 200 km de la Terre.

La *navette* spatiale

Premier vaisseau spatial réutilisable, la navette spatiale américaine décolle comme une fusée mais revient sur Terre à la manière d'un planeur. Elle transporte un équipage et une cargaison. Lancée pour la première fois en 1981, elle a effectué plus de 130 missions, dont des lancements de satellites et la construction de stations spatiales.

FICHE D'IDENTITÉ

La navette se compose d'un orbiteur pourvu d'ailes qui transporte l'équipage et la cargaison, de deux propulseurs d'appoint blancs et d'un réservoir orange. Le réservoir et les propulseurs sont largués durant l'ascension. Seul l'orbiteur rejoint l'espace, puis revient sur Terre. Le réservoir est le seul élément qui ne soit pas réutilisable.

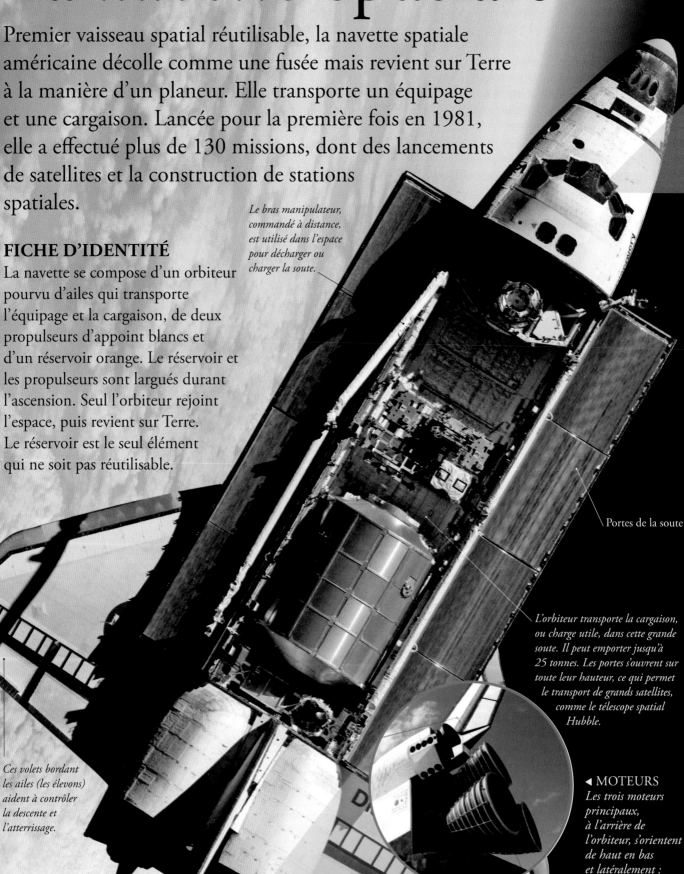

Le bras manipulateur, commandé à distance, est utilisé dans l'espace pour décharger ou charger la soute.

Portes de la soute

L'orbiteur transporte la cargaison, ou charge utile, dans cette grande soute. Il peut emporter jusqu'à 25 tonnes. Les portes s'ouvrent sur toute leur hauteur, ce qui permet le transport de grands satellites, comme le télescope spatial Hubble.

Ces volets bordant les ailes (les élevons) aident à contrôler la descente et l'atterrissage.

◄ MOTEURS
Les trois moteurs principaux, à l'arrière de l'orbiteur, s'orientent de haut en bas et latéralement : ils servent ainsi de gouvernail.

L'équipage

Sur une mission classique, la navette emporte de cinq à sept membres d'équipage : un commandant, un pilote, des scientifiques et parfois un mécanicien navigant. Tous voyagent dans le compartiment à l'avant de l'orbiteur, où se trouvent le poste de pilotage et la cabine où vit l'équipage.

La navette spatiale a subi deux catastrophes majeures.

▲ CHALLENGER *se désintégra 73 secondes après son lancement, en 1986. L'équipage fut tué dans l'explosion, provoquée par les gaz d'un propulseur.*

▲ COLUMBIA *se brisa lors de sa rentrée dans l'atmosphère terrestre en 2002, en raison d'une surchauffe de l'aile gauche. Les sept membres de l'équipage périrent.*

Le début du voyage

La navette est lancée depuis le Centre spatial Kennedy, en Floride, aux États-Unis. Le décollage est assuré par les deux propulseurs d'appoint et les trois moteurs principaux, alimentés en hydrogène et oxygène liquides à partir du réservoir externe. Deux minutes environ après le décollage, les propulseurs sont largués et retombent sur Terre. Quand la navette atteint son orbite, les moteurs principaux sont coupés et le réservoir vide abandonné : il brûle en tombant dans l'atmosphère.

▼ RETOUR *Atlantis déploie son parachute à l'atterrissage (photo de 2009).*

▲ AMERRISSAGE
Les deux propulseurs d'appoint retombent dans l'océan Atlantique, au large de la Floride. Ils sont récupérés par bateau, afin de pouvoir être réutilisés.

EN BREF

- L'orbiteur est long de 37 m et a une envergure de 24 m.
- Seuls 5 orbiteurs à l'épreuve de l'espace ont été construits : Columbia, Challenger, Discovery, Atlantis et Endeavour.
- Une mission classique dure de 12 à 16 jours.
- Le réservoir de la navette contient environ 2 millions de litres de combustible.
- Lors du retour dans l'atmosphère, la surface de l'orbiteur atteint une température dépassant 1 500 °C.
- La navette peut accélérer de 0 à 27 500 km/h en moins de 8 minutes.

L'atterrissage

L'orbiteur quitte son orbite grâce à son système de propulsion orbitale. Le dessous de l'appareil, protégé par des tuiles en céramique, rentre le premier dans l'atmosphère : l'échauffement produit par la friction avec l'air, qui freine la navette, est énorme. Un parachute freine à nouveau la navette quand elle se pose, sur une longue piste.

Bases spatiales

Les tout premiers sites de lancement étaient situés sur des bases militaires aux États-Unis et en Union soviétique. Ils demeurent les principaux centres de lancement américains et russes. Mais d'autres pays, comme la France, la Chine et l'Inde, ont construit, ou construisent, des bases spatiales.

▲ LA PREMIÈRE *aire de lancement construite à Baïkonour, en Union soviétique, fut utilisée pour placer Spoutnik 1, puis Iouri Gagarine (ci-dessus) en orbite.*

▼ CETTE FUSÉE, *ici dans le bâtiment d'assemblage du Centre spatial Kennedy, est la première Saturn V qui ait été lancée. Elle a servi pour la mission Apollo 4.*

LE SITE IDÉAL

Parce qu'il est dangereux de faire décoller des fusées au-dessus de régions très peuplées, les bases de lancement sont situées dans des endroits reculés. Un site proche de la mer, comme le cap Canaveral en Floride, est propice. Les fusées montent au-dessus de l'Atlantique, et les éléments largués retombent dans l'eau.

Cap Canaveral (États-Unis)

Cette base de lancement fut d'abord un centre de tirs d'essai de missiles, établi sur une ancienne base de l'aviation. La première fusée y fut lancée en 1950 ; plus de 500 ont suivi. Depuis 1958, les Américains ont fait du cap Canaveral leur premier centre de lancement, le seul pour leurs missions habitées. Le complexe de lancement 39 a été aménagé pour Saturn V, dans les années 1960, sur une île au nord du cap. C'est cette zone qui est appelée Centre spatial Kennedy.

Baïkonour (Russie)
Tous les vols habités et les missions planétaires russes décollent de Baïkonour, un centre des plaines arides du Kazakhstan, État voisin de la Russie. Le «cosmodrome» de Baïkonour comprend plusieurs dizaines d'aires de lancement, neuf stations de suivi et une aire d'essai longue de 1 500 km. Les essais de missiles et de fusées y ont débuté en 1955.

Plesetsk (Russie)
Bien plus de missiles et de fusées – plus de 1 500 – ont décollé de Plesetsk que de tout autre endroit dans le monde. Situé à proximité du cercle polaire arctique, à quelque 800 km au nord-est de Moscou, Plesetsk est un centre majeur d'essai de missiles et de lancement de fusées depuis 1957. Il a longtemps été un site «top secret» : le gouvernement soviétique n'avoua son existence qu'en 1983.

DÉCOLLAGE

▲ LA BASE *de lancement de Plesetsk est située dans une région de forêts et de lacs. Quelque 40 000 membres du personnel et leurs familles habitent la ville voisine de Mirny.*

▶ LES FUSÉES
Ariane 5 décollent de Kourou. Elles emportent des charges pour l'Agence spatiale européenne.

Kourou (Agence spatiale européenne)
Principal «port spatial» européen depuis juillet 1966, la base de Kourou, en Guyane française, est idéalement située à proximité de l'équateur. Les conditions météorologiques sont favorables toute l'année et la rotation terrestre peut être utilisée au mieux pour la poussée, lors des lancements sur orbite équatoriale. Une nouvelle aire de lancement a été récemment construite pour le lanceur russe Soyouz.

Jiuquan (Chine)
Établie dans le désert de Gobi, à 1 600 km à l'ouest de Pékin, cette base est en service depuis 1960. En 1970, une fusée Longue Marche-1 emportait dans ses soutes depuis Jiuquan le satellite Mao-1 : la Chine fut le cinquième pays à placer un satellite artificiel en orbite. Les vaisseaux habités Shenzhou décollent aujourd'hui de ce centre, mais les lancements ne peuvent être que de direction sud-est pour éviter le survol de la Russie et de la Mongolie.

Odyssey (Sea Launch company)
La plateforme Odyssey est le site de lancement le plus surprenant. Un satellite est d'abord préparé en Californie, puis il est chargé dans une fusée Zénith qui est transférée jusqu'à cette plateforme. Odyssey navigue alors pendant 11 à 12 jours jusqu'à un site proche de l'équateur, en plein Pacifique, d'où la fusée est lancée.

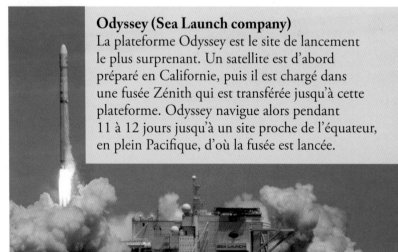

Lancement d'*Ariane 5*

Lancée depuis le centre spatial de Kourou, en Guyane française, la fusée Ariane 5 peut placer en orbite géostationnaire deux satellites d'un poids total de 9 tonnes. La fusée et les satellites sont assemblés et préparés dans les installations du complexe de lancement Ariane.

LE COMPLEXE DE LANCEMENT

Le complexe de lancement Ariane 3 (ELA-3) a été construit dans les années 1990 pour la fusée européenne Ariane 5. Chaque année, de huit à dix fusées en décollent. Une campagne de lancement dure vingt jours. Le centre de contrôle est abrité dans une enceinte conçue pour supporter l'impact de la retombée d'éléments de fusée ; il comporte deux salles de contrôle de lancement indépendantes.

▼ L'ATTERRISSEUR *Philae est chargé sur la sonde Rosetta, prête à partir pour la comète Tchourioumov-Guerassimenko 5* (👁 *p. 157*).

▼ UN PROPULSEUR *d'appoint à combustible solide arrive dans le bâtiment d'intégration pour être fixé sur une fusée Ariane 5.*

▲ L'ÉTAGE PRINCIPAL, *qui contiendra le combustible liquide, est positionné et la tuyère fixée.*

Les étages de la fusée

Les étages d'Ariane 5 sont assemblés dans le bâtiment d'intégration du lanceur, haut de 58 m. L'étage principal est placé sur une table de lancement mobile. Puis les deux propulseurs à combustible solide sont fixés de chaque côté de cet étage, au sommet duquel vient se placer l'étage supérieur. La table de lancement et la fusée sont ensuite transférées dans le bâtiment d'assemblage final (haut de 90 m).

Préparation de la charge utile

Les satellites sont préparés pour le lancement dans un vaste bâtiment, où peuvent être manipulés cinq satellites à la fois. Le bâtiment comporte deux zones spéciales pour les manipulations dangereuses, comme le chargement du combustible, très inflammable. Une fois prête pour le lancement, la charge utile est transférée vers le bâtiment d'assemblage final pour être fixée sur la fusée.

◄ UNE FUSÉE *Ariane 5 se compose d'un étage principal, de deux propulseurs d'appoint et d'un étage supérieur. Elle est haute de près de 52 m.*

► LE CHÂTEAU D'EAU *fournit l'eau pulvérisée sur les carneaux (qui canalisent les jets de gaz brûlés) et autour de la table de lancement. Il contient environ 1,5 million de litres d'eau.*

L'assemblage final

Dans le bâtiment d'assemblage final, le satellite est fixé au sommet de la fusée et recouvert d'un bouclier, ou coiffe, destiné à le protéger durant le lancement. Puis l'étage supérieur de la fusée et le système de contrôle d'attitude sont approvisionnés en combustible. Une douzaine d'heures avant le lancement, la table de lancement et la fusée sont acheminées jusqu'à la zone de lancement.

▲ LA CHARGE UTILE *est manipulée et placée au sommet de la fusée par une grue mobile spéciale.*

► LA FUSÉE *est déplacée sur un tracteur à chenilles.*

La zone de lancement

Les opérations les plus dangereuses se déroulant dans cette zone, elle se trouve à 2,8 km des autres installations. L'étage principal de la fusée y est approvisionné en hydrogène et en oxygène liquides. Puis le moteur principal et les propulseurs sont allumés : la fusée décolle. Trois tranchées, ou carneaux, creusées dans les fondations en béton canalisent les jets de gaz brûlés. Pendant le décollage, la zone est arrosée d'eau pour minimiser les effets du bruit et de la chaleur.

Satellites artificiels

On appelle satellite un objet qui tourne autour
d'une planète. Il existe des satellites naturels,
à l'exemple des lunes, et des satellites artificiels,
comme les satellites de communication et
les stations spatiales. Les satellites artificiels
actuels sont bien plus compliqués que le premier
à avoir été lancé.

*Quatre antennes
transmettaient
les signaux radio
de Spoutnik 1.*

C'EST BON DE PARLER

De nombreux satellites artificiels
servent aux communications :
à retransmettre des émissions télévisées,
des signaux de téléphone mobile, des images
des nuages ou d'autres informations utiles
à la science. L'ensemble des signaux sont émis
et reçus grâce à des antennes paraboliques
installées au sol comme à bord du satellite.

Spoutnik 1

Lancé le 4 octobre 1957, le satellite soviétique
Spoutnik 1 fut le tout premier à être placé en orbite
autour de la Terre. Cette boule d'aluminium de
58 cm de diamètre, équipée d'antennes filaires
longues de 3 m, cessa d'émettre ses «bips» au bout
de 21 jours. Mais elle demeura en orbite pendant
92 jours avant de se consumer en rentrant dans
l'atmosphère le 4 janvier 1958.

◄ AU LASER
*L'orbite précise de
certains satellites est
vérifiée au moyen
de rayons laser, qui
viennent rebondir
sur eux.*

JAMAIS EN PANNE D'ÉNERGIE

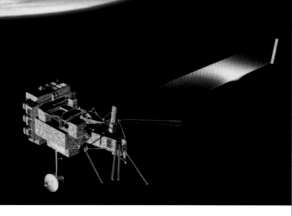

■ Les satellites doivent s'autoalimenter en énergie. Ils sont
en général équipés de grands panneaux truffés de cellules
sensibles à la lumière du Soleil. Ces panneaux solaires,
longs de plusieurs mètres, sont repliés au lancement.
■ Les cellules solaires fournissent plusieurs kilowatts
d'électricité mais perdent en efficacité en vieillissant.
■ Les panneaux peuvent être orientés pour capter
le maximum de lumière solaire. Quand un satellite
se déplace dans l'ombre, il est alimenté par des batteries
rechargeables.

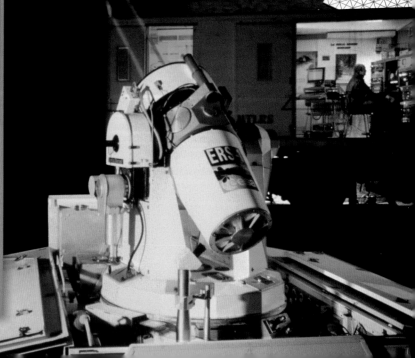

Le module de service, appelé aussi « bus », contient les principaux systèmes, y compris les batteries, les propulseurs et l'équipement informatique. Les antennes, les panneaux solaires et les équipements d'observation ou de communication permettant au satellite de faire son travail sont fixés sur ce module de service.

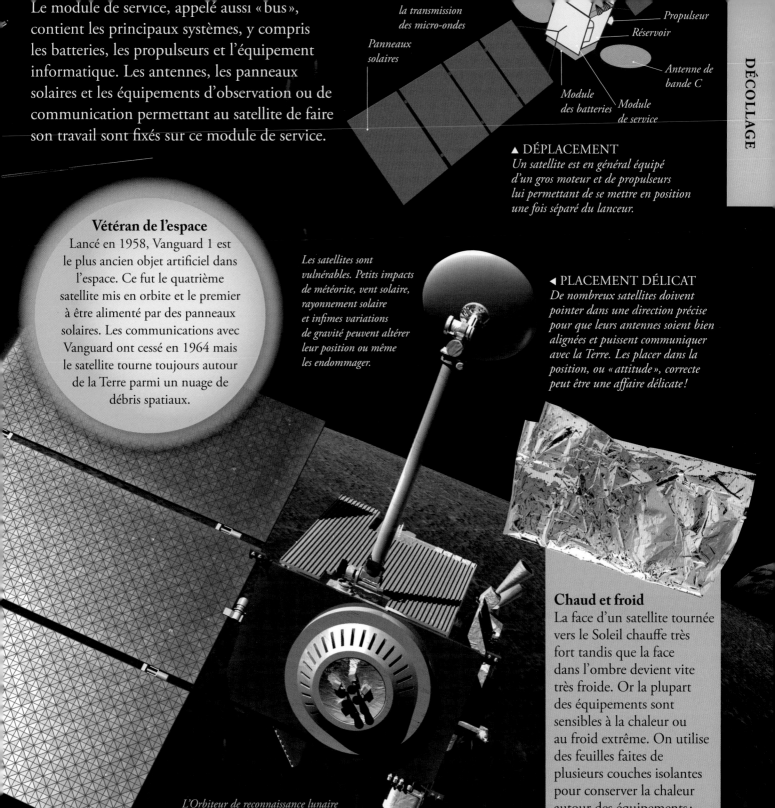

la transmission
des micro-ondes

Panneaux
solaires

Propulseur

Réservoir

Module
des batteries

Module
de service

Antenne de
bande C

▲ DÉPLACEMENT
Un satellite est en général équipé d'un gros moteur et de propulseurs lui permettant de se mettre en position une fois séparé du lanceur.

Vétéran de l'espace
Lancé en 1958, Vanguard 1 est le plus ancien objet artificiel dans l'espace. Ce fut le quatrième satellite mis en orbite et le premier à être alimenté par des panneaux solaires. Les communications avec Vanguard ont cessé en 1964 mais le satellite tourne toujours autour de la Terre parmi un nuage de débris spatiaux.

Les satellites sont vulnérables. Petits impacts de météorite, vent solaire, rayonnement solaire et infimes variations de gravité peuvent altérer leur position ou même les endommager.

◄ PLACEMENT DÉLICAT
De nombreux satellites doivent pointer dans une direction précise pour que leurs antennes soient bien alignées et puissent communiquer avec la Terre. Les placer dans la position, ou « attitude », correcte peut être une affaire délicate !

Chaud et froid
La face d'un satellite tournée vers le Soleil chauffe très fort tandis que la face dans l'ombre devient vite très froide. Or la plupart des équipements sont sensibles à la chaleur ou au froid extrême. On utilise des feuilles faites de plusieurs couches isolantes pour conserver la chaleur autour des équipements ; des radiateurs permettent au contraire de l'évacuer.

L'Orbiteur de reconnaissance lunaire de la Nasa est une sonde spatiale automatique. Placée sur une orbite à 50 km de la Lune, elle étudie

Des milliers de satellites, de types et de tailles variés, ont été envoyés dans l'espace depuis Spoutnik 1, en 1957. La plupart sont placés en orbite terrestre basse, entre 200 et 2 000 km d'altitude. Ils effectuent une révolution – un tour complet de la Terre – en 90 minutes environ.

Un observateur météo
Certains satellites météorologiques, comme les Météosat de l'Agence spatiale européenne, occupent une orbite géostationnaire : positionnés à 36 000 km d'altitude, ils effectuent une révolution en 24 heures et surplombent donc toujours le même endroit sur Terre. Ils peuvent ainsi observer les changements de temps.

PRÉVISIONS MÉTÉOROLOGIQUES

Les satellites offrent une vue très détaillée des systèmes météorologiques. Leurs informations servent à la prévision météorologique qui, elle, n'est pas toujours si précise ! Sur cette image de la Nasa, le cyclone tropical Gonu traverse la mer d'Oman. Il avait été annoncé qu'il pénétrerait à l'intérieur des terres, ce qu'il ne fit pas.

▲ CE MÉTÉOSAT *surveille l'Afrique de l'Ouest. Placé à l'aplomb de l'équateur, il se déplace au rythme de la rotation terrestre.*

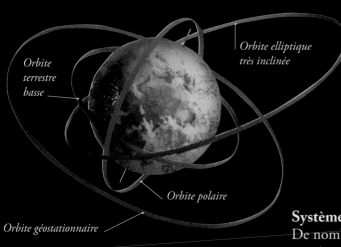

Orbite terrestre basse

Orbite elliptique très inclinée

Orbite polaire

Orbite géostationnaire

LES SATELLITES DE NAVIGATION

■ Plusieurs constellations de satellites servent à la navigation. Le système le plus connu, et le plus utilisé est le Système de positionnement mondial, ou GPS selon les initiales anglaises.

■ Le GPS mobilise 24 satellites, placés sur 6 orbites, qui se croisent à 24 000 km d'altitude. Il y a presque toujours 3 ou 4 satellites au-dessus de l'horizon local.

■ Le système russe Glonass est semblable au GPS.

■ Le système européen Galileo devrait être opérationnel en 2014.

Les types d'orbite

De nombreux satellites météorologiques et de communication sont positionnés à l'aplomb de l'équateur, soit en orbite terrestre basse, soit en orbite géostationnaire, plus lointaine. Placés en orbite polaire de basse altitude, les satellites peuvent étudier très finement la planète, qui tourne au-dessous d'eux. Les satellites d'observation terrestre et les observatoires astronomiques se situent sur des orbites inclinées très elliptiques.

Système de navigation

De nombreux véhicules terrestres et avions sont équipés de systèmes de navigation et de localisation par satellites qui indiquent la route à suivre sur une carte électronique. Ces systèmes déterminent la position du véhicule grâce aux signaux reçus simultanément de quatre satellites.

▶ SYSTÈME GALILEO *Ce système européen de navigation par satellites, à l'étude, utilisera 30 satellites placés sur trois orbites circulaires inclinées.*

Observation terrestre

De nombreux satellites servent à étudier la surface de la Terre. Leurs images nous renseignent sur l'usage des terres, les courants océaniques ou encore la pollution atmosphérique. Ils peuvent produire des images en 3D à partir des vues d'un même lieu sous différents angles. Certains peuvent voir des objets de moins de 50 cm de largeur et même lire les titres d'un journal. Les satellites radar sont capables de voir le sol de nuit ou par temps très nuageux.

Les satellites de télécommunications

En 1962, les premiers signaux télévisés étaient transmis en direct entre les États-Unis et la France. Les satellites actuels transmettent les émissions de centaines de chaînes de télévision numérique vers les paraboles des particuliers. Nous pouvons assister aux événements se déroulant partout dans le monde, tandis que les téléphones satellitaires permettent d'appeler quelqu'un en plein désert.

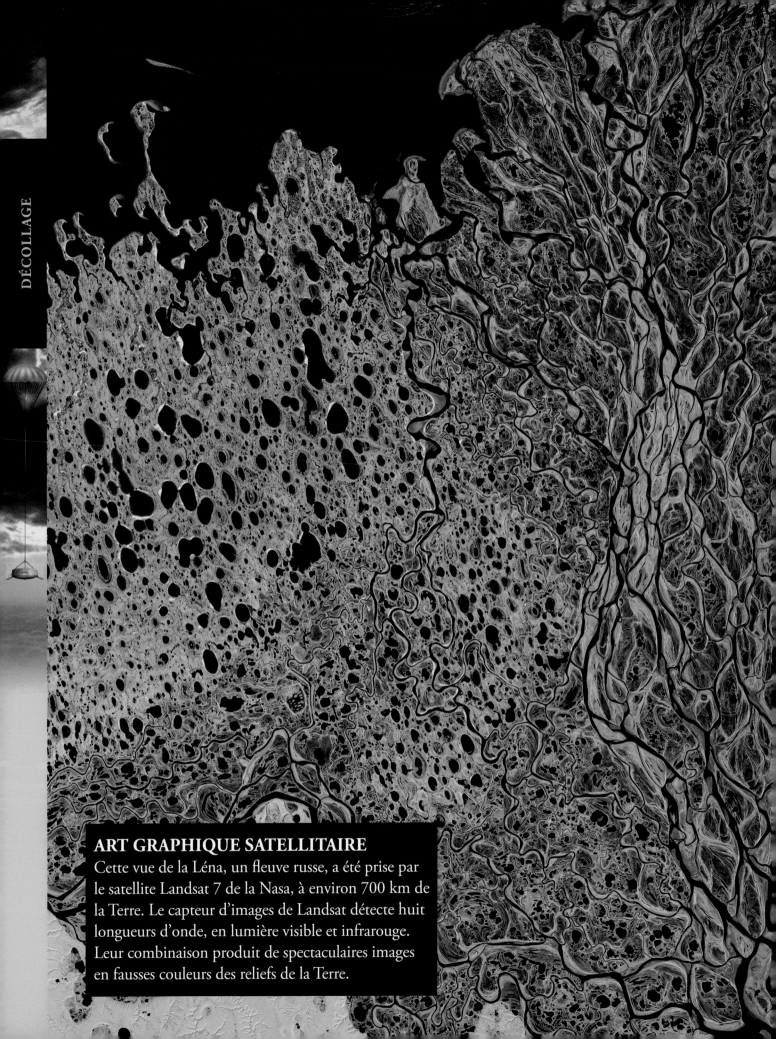

ART GRAPHIQUE SATELLITAIRE

Cette vue de la Léna, un fleuve russe, a été prise par le satellite Landsat 7 de la Nasa, à environ 700 km de la Terre. Le capteur d'images de Landsat détecte huit longueurs d'onde, en lumière visible et infrarouge. Leur combinaison produit de spectaculaires images en fausses couleurs des reliefs de la Terre.

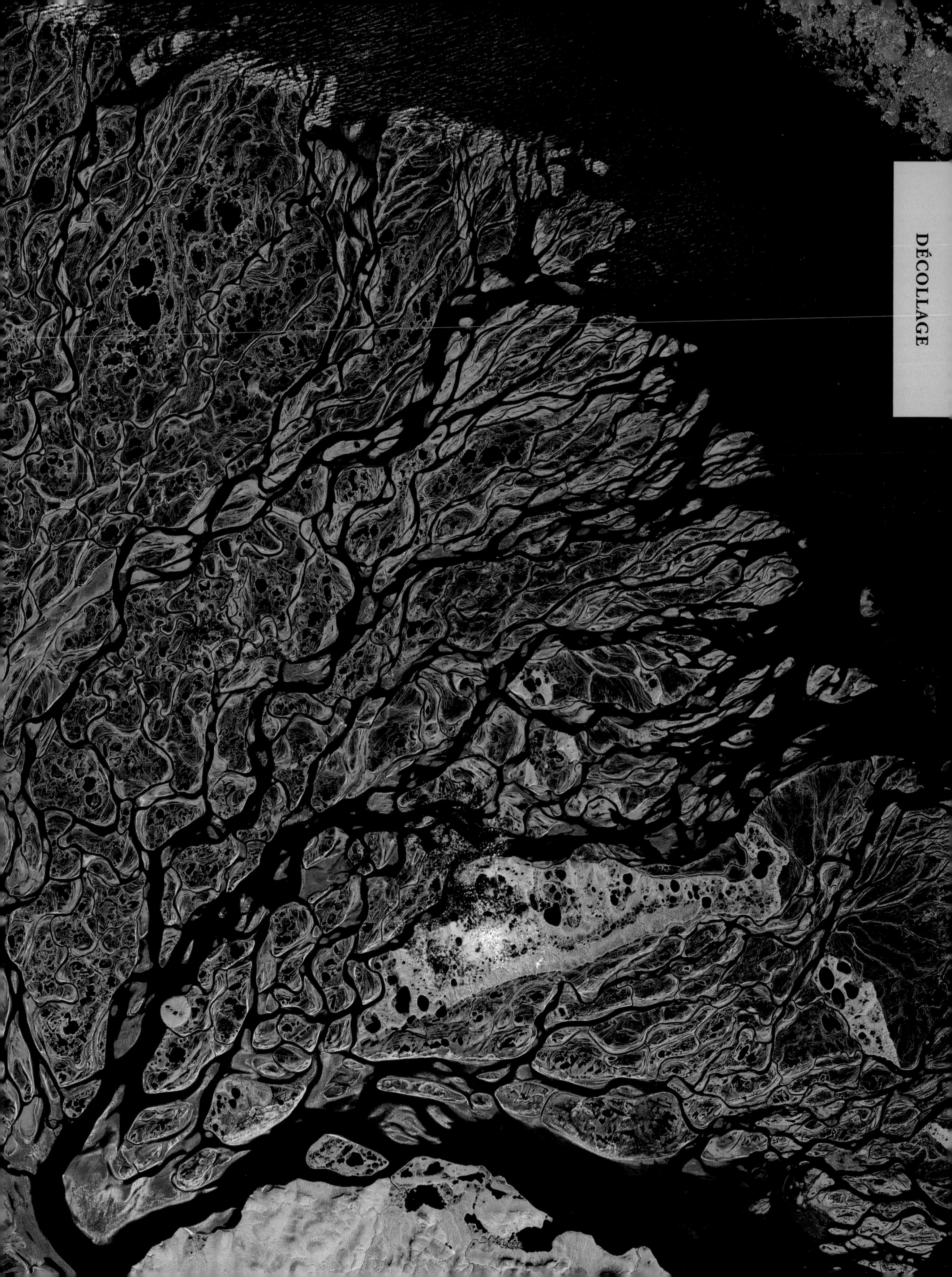

LUNA 3 *prit 29 images en 40 minutes, photographiant 70 % de la face cachée de la Lune, jusqu'alors jamais observée.*

Sondes spatiales

Dans les années 1950 et 1960, l'Union soviétique et les États-Unis lançaient les premières sondes – des engins spatiaux inhabités – vers la Lune, Vénus et Mars. Aujourd'hui, les sondes ont visité le Soleil, toutes les planètes du Système solaire, des lunes, des astéroïdes et des comètes.

La face cachée de la Lune

En janvier 1959, la sonde soviétique Luna 1 fut le premier engin spatial à survoler la Lune. En octobre de la même année, Luna 3 envoyait les toutes premières images de la face cachée de la Lune. La sonde avait été placée sur une orbite terrestre elliptique de façon à pouvoir passer derrière la Lune, à 6 200 km de sa surface. La caméra embarquée put ainsi dévoiler cette face inconnue, révélant que les « mers » y sont rares.

À L'ÉCOUTE DES SONDES

Les sondes transmettent leurs données vers la Terre sous forme d'ondes radio, dans les bandes de très haute fréquence. Ces informations sont captées par les antennes de suivi des stations au sol.

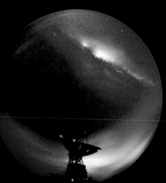

▲ LA VOIE LACTÉE *surplombant une antenne de suivi des sondes*

Mars

Phobos, l'une des deux lunes de Mars

PREMIER ORBITEUR PLANÉTAIRE

Lancée en mai 1971 vers son orbite martienne, la sonde américaine Mariner 9 envoya des images d'énormes volcans, d'un vaste réseau de canyons, de lits de fleuves asséchés, ainsi que des photographies en gros plan des deux lunes de Mars.

Première mission pour Vénus

Les sondes Mariner furent les premières que les Américains envoyèrent vers d'autres planètes. Mariner 2, lancée le 2 juillet 1962, survola Vénus à une distance de 34 838 km le 14 décembre. Elle scruta la planète pendant 42 minutes, révélant que cette dernière est enveloppée de nuages froids, tandis que sa surface atteint une température d'au moins 425 °C.

▲ MARINER 2
La structure conique, en magnésium et en aluminium, était équipée de deux panneaux solaires et d'une antenne.

Voyage vers Jupiter

Pioneer 10 décolla en mars 1972. Ce fut le premier engin spatial à traverser la ceinture d'astéroïdes (entre juillet 1972 et février 1973) et à atteindre Jupiter. La sonde envoya des images en gros plan de cette planète avant de poursuivre son voyage vers l'extérieur du Système solaire, croisant l'orbite de Neptune en mai 1983. Le dernier signal reçu date de 2003. Pioneer 10 se dirige vers l'étoile Aldebaran, dans la constellation du Taureau… mais il lui faudra plus de 2 millions d'années pour l'atteindre !

DÉCOLLAGE

▶ ZONE MANQUANTE
Mariner 10 ne put observer cette région de Mercure.

En route pour Mercure

Mariner 10 fut la première sonde à exploiter la gravité d'une planète extraterrestre, Vénus, pour modifier sa trajectoire, le 5 février 1974. Elle effectua surtout le premier survol de Mercure, le 29 mars 1974. Il fut suivi de deux autres, dans les mois suivants. La sonde livra quelque 12 000 images de la planète, dévoilant une surface abondamment cratérisée, assez semblable à celle de notre Lune.

INFOS +

■ Pioneer 10 quitta la Terre à la vitesse record de 51 670 km/h. Ce fut l'engin spatial le plus rapide.

■ Pioneer 10 demeura l'objet artificiel le plus éloigné dans le Système solaire jusqu'au 17 février 1998, quand il fut détrôné par Voyager 1.

■ Ayant quitté Vénus, les sondes Vega 1 et 2 passèrent à proximité de la comète de Halley en mars 1986.

Ballons-sondes planétaires

Lancées en décembre 1984, les sondes soviétiques Vega 1 et 2 larguèrent dans l'atmosphère de Vénus deux ballons pourvus d'une enveloppe en Teflon, portant chacun un atterrisseur et des instruments. Les deux ballons résistèrent environ 46 heures, envoyant des données sur les nuages et les vents, tandis que les atterrisseurs exploraient la basse atmosphère et la surface rocheuse.

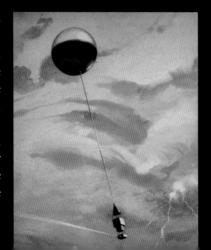

Vega 1 et 2 embarquaient chacune une antenne parabolique, des caméras et un sondeur infrarouge.

Débris spatiaux

Quelque 900 satellites sont actuellement en service, pour la plupart autour de la Terre. Ils volent à travers une mer de débris spatiaux qui ne cesse de s'étendre. Elle est constituée d'objets de la taille d'une voiture aussi bien que de particules de poussière et de peinture.

▼ ANNEAU EXTERNE
Il est surtout composé de débris de satellites de communication.

▶ ORBITE TERRESTRE BASSE *Environ 70 % des débris encombrent l'orbite terrestre basse, qui s'étend jusqu'à 2 000 km d'altitude. Les débris sont plus concentrés aux hautes latitudes, à l'aplomb des régions polaires.*

OÙ METTRE LES DÉBRIS?

Près de 19 000 pièces de plus de 10 cm de largeur et des millions de fragments plus petits tournent autour de la planète. La majorité de ces débris gravite en orbite terrestre basse, mais un deuxième anneau s'est formé à 36 000 km d'altitude, sur une orbite utilisée surtout par les satellites de communication. Cet anneau se remplit si vite que, avant d'être mis hors service, les satellites sont aujourd'hui propulsés vers un «dépotoir» plus éloigné.

Une météorite… artificielle
Normalement, les débris qui tombent dans l'atmosphère terrestre se consument, tels des étoiles filantes artificielles. Mais il arrive qu'un objet atteigne le sol presque intact. Ce réservoir d'une fusée Delta 2 a atterri au Texas en 1997.

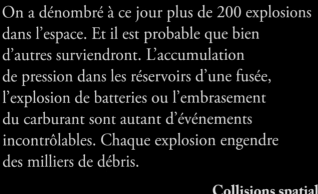

EXPLOSIONS NON CONTRÔLÉES

On a dénombré à ce jour plus de 200 explosions dans l'espace. Et il est probable que bien d'autres surviendront. L'accumulation de pression dans les réservoirs d'une fusée, l'explosion de batteries ou l'embrasement du carburant sont autant d'événements incontrôlables. Chaque explosion engendre des milliers de débris.

DÉCOLLAGE

Collisions spatiales

La première collision avérée entre deux objets imposants fut enregistrée en 1996, quand le satellite français Cerise fut endommagé par un fragment d'une fusée Ariane. En 2009, deux satellites, Cosmos 2252 et Iridium 33, se sont heurtés de plein fouet (ci-dessus). L'explosion qui a suivi a produit un nuage massif, comptant peut-être 100 000 morceaux.

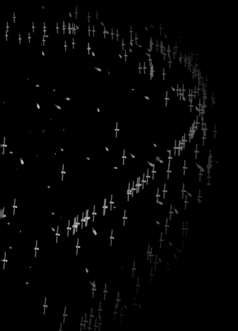

Le satellite Cerise fut heurté par un fragment d'une fusée Ariane, lequel endommagea gravement le système de stabilisation du satellite.

▲ PETIT FRAGMENT
Ce fragment d'environ 5 cm est assez gros pour endommager sérieusement un vaisseau spatial.

Des risques pour la navette spatiale

La navette spatiale, comme tous les vaisseaux habités, vole en orbite terrestre basse, où abondent les débris. L'armée américaine piste les gros fragments et émet une alerte s'il y a risque de collision : la navette s'éloigne. Mais les petits impacts sont inévitables. En 2005, les hublots de la navette avaient été heurtés 1 634 fois, en 54 missions, par des débris spatiaux et de petites météorites.

◄ HUBLOT ABÎMÉ
Les hublots en verre de la navette doivent être souvent remplacés à cause des impacts.

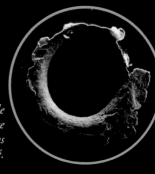

▶ TROUÉ *Un panneau de Solar Max, un satellite surveillant les éruptions solaires, a été percé.*

Nations spatiales

La Russie soviétique et les États-Unis ont longtemps dominé l'exploration spatiale. Puis l'Europe et le Japon ont construit leurs propres satellites et lancé leurs fusées. De nouveaux pays, dont la Chine, l'Inde, le Brésil, la Corée du Sud et Israël, sont prêts à investir beaucoup d'argent dans le développement d'une industrie spatiale.

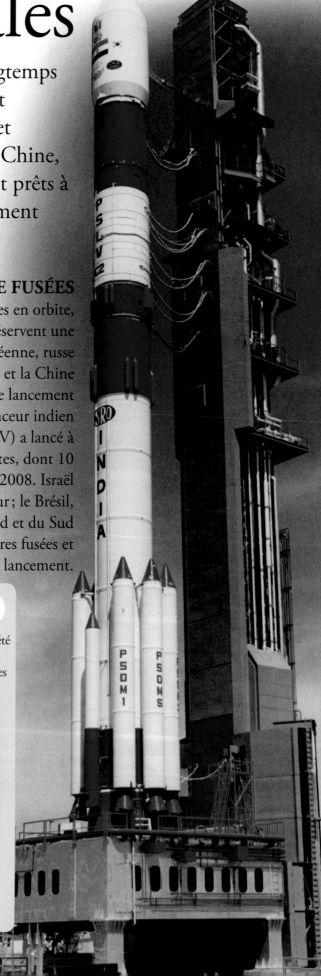

▶▶ EN BREF ▶▶

■ Il suffit de 10 à 30 minutes à une fusée pour placer un satellite en orbite.

■ Les satellites sino-brésiliens peuvent prendre des photographies très détaillées des villes, depuis une altitude de 700 km.

■ D'après le Réseau américain de surveillance spatiale, 900 satellites sont actuellement en service autour de la Terre.

■ Les satellites qui semblent immobiles dans le ciel se déplacent en fait à la vitesse de la rotation terrestre.

FLOTTES DE FUSÉES

Pour mettre leurs satellites en orbite, beaucoup de petits pays réservent une place sur une fusée européenne, russe ou japonaise. L'Inde et la Chine disposent aussi de sites de lancement et de fusées fiables. Le lanceur indien de satellites polaires (PSLV) a lancé à ce jour plus de 40 satellites, dont 10 en une seule fois, en 2008. Israël possède un petit lanceur ; le Brésil, l'Iran, les Corées du Nord et du Sud développent leurs propres fusées et sites de lancement.

🔍 COUP D'ŒIL SUR LA LUNE

En 2009, l'orbiteur lunaire indien Chandrayaan-1, équipé d'instruments de la Nasa, a envoyé des informations indiquant la présence d'eau dans les roches lunaires. La découverte a été étayée par des données collectées auparavant par les sondes américaines Cassini et Deep Impact.

▲ SUR CETTE IMAGE *infrarouge d'un cratère de la face cachée de la Lune, la surface paraît aride.*

▲ MAIS UNE IMAGE *en fausses couleurs de ce même cratère révèle la présence d'eau dans les roches et le sol.*

MISSIONS HABITÉES

Parmi les nouvelles puissances spatiales, seule la Chine a, à ce jour, envoyé des hommes dans l'espace. En 2003, Yang Liwei volait en orbite. En 2005, une deuxième mission emportait deux taïkonautes. Lors de la troisième mission, en 2008, Zhai Zhigang est devenu le premier Chinois à sortir dans l'espace. Il a passé 20 minutes à l'extérieur du module.

▲ LES TROIS TAÏKONAUTES *de la troisième mission spatiale habitée chinoise, Shenzhou-7, ont été fêtés dans leur pays comme des célébrités, avant comme après leur voyage dans l'espace.*

Mission lunaire chinoise

La première mission lunaire chinoise a été lancée en 2007. La sonde automatique Chang'e 1, qui porte le nom de la déesse chinoise de la Lune, a atteint la Lune après quinze jours de voyage. Elle en a cartographié la surface pendant seize mois, avant de s'y écraser de façon programmée.

Des pays comme l'Inde, le Brésil, la Chine et la Corée du Sud ont mis en orbite des satellites pour surveiller la météorologie ou les pollutions, pour identifier des gisements de minerais ou d'autres ressources naturelles, ou bien suivre la répartition entre terres cultivées et zones urbaines. D'autres satellites transportent des équipements de télécommunication ou de navigation.

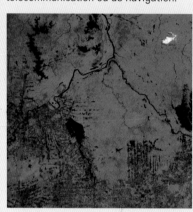

▲ LE CONTRÔLE *environnemental effectué par le satellite sino-brésilien CERBS-1 a mis en évidence les zones de déforestation (en rose) dans la forêt pluviale d'Amazonie.*

▼ L'AGENCE JAPONAISE *d'exploration aérospatiale (JAXA) joue un rôle important dans le domaine spatial. Elle lance ses satellites et ses sondes au moyen de ses propres lanceurs. SELENE a été lancée par la fusée H-IIA.*

LA LUNE EN HAUTE DÉFINITION

En septembre 2007, le Japon lançait son orbiteur SELENE, surnommé Kaguya en référence à une princesse légendaire. Cette mission lunaire, la plus importante depuis Apollo, avait pour objectif d'étudier l'origine et l'évolution de la Lune. Kaguya transportait aussi une caméra vidéo haute définition qui a filmé un spectaculaire lever de Terre sur l'horizon lunaire.

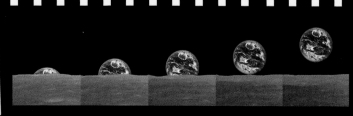

INSTANTANÉ

La sonde SELENE a aussi cartographié en 3D la surface accidentée de la Lune et étudié son champ magnétique. L'orbiteur s'est délibérément écrasé sur la Lune en 2009, après vingt mois d'une mission très fructueuse.

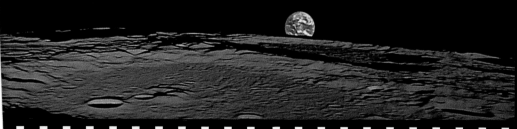

◄ LA VIDÉO *du lever de Terre, mis en ligne sur le site You Tube, a été visionnée par plus de 1 million de personnes.*

Sondes *du futur*

Les sondes automatiques ont déjà parcouru d'énormes distances pour explorer la plus grande partie du Système solaire. Mais les obstacles à l'envoi de missions habitées vers Mars et au-delà n'ont pas encore été levés. Des moyens d'accélérer les voyages spatiaux et d'économiser le carburant sont à l'étude. Pourra-t-on envoyer des équipages dans des mondes lointains, dans un avenir proche?

VÉHICULES ÉLECTRIQUES

Les vaisseaux spatiaux sont très lourds, et leur vol coûteux, parce qu'ils emportent beaucoup de carburant. La propulsion électrique, ou ionique, est plus légère et efficace que les moteurs conventionnels. Un flux de particules chargées électriquement est déclenché dans l'espace. Ces ions subissent une accélération en passant à travers une grille chargée électriquement. La poussée est faible mais suffit à imprimer une très grande vitesse au véhicule.

La sonde lunaire européenne SMART-1 est à propulsion ionique.

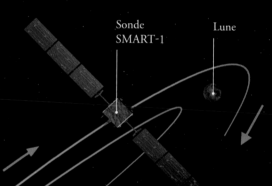

Sonde SMART-1

Lune

Terre

Point où SMART-1 a échappé à la gravité terrestre pour être attirée sur une orbite lunaire

UNE TRAJECTOIRE HABILE

Lancée en 2003, SMART-1 a été le premier véhicule spatial européen à utiliser la gravité de la Lune pour se placer en orbite. La sonde a d'abord tourné en spirale autour de la Terre, sur une orbite de plus en plus large, en recourant à sa propulsion ionique pour transformer une trajectoire circulaire en ellipse. Ayant enfin échappé à la gravité terrestre, elle a été attirée par la Lune sur une nouvelle orbite.

Le Projet Orion visait à explorer Saturne et même à atteindre les étoiles les plus proches. Il n'a jamais décollé.

AÉROFREINAGE

Les véhicules spatiaux brûlent beaucoup de carburant quand ils freinent pour se placer en orbite. Si la planète visée a une atmosphère, ils peuvent toutefois ralentir sans allumer leurs moteurs. L'aérofreinage consiste à entrer et à sortir à plusieurs reprises de la haute atmosphère. Chaque fois que le vaisseau pénètre dans l'atmosphère, la friction le freine. Cette manœuvre peut également servir à changer d'orbite.

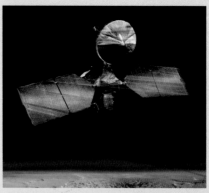

Aérofreinage de Mars Reconnaissance

UNE VRAIE BOMBE !

La NASA avait proposé une alternative aux lourds carburants chimiques avec le projet ORION, mené dans les années 1950 et 1960. Il s'agissait de faire exploser chaque seconde une bombe nucléaire à l'arrière de la fusée, les explosions exerçant une poussée sur un bouclier d'acier, épais de 1 m.

Le risque de radiations nucléaires lié aux explosions était énorme.

La voile IKAROS est large de 20 m mais n'est épaisse que de 0,0075 mm.

PROJET DAEDALUS

La Société interplanétaire britannique avait imaginé, dans les années 1970, un véhicule automatique à deux étages, qui aurait été construit en orbite terrestre. Propulsé par des moteurs à fusion nucléaire – la source d'énergie du Soleil –, Daedalus aurait pu atteindre l'étoile de Barnard (à près de 6 millions d'années-lumière) en cinquante ans. Mais le carburant aurait représenté la quasi-totalité de ses 54 000 tonnes et Daedalus n'en aurait pas eu assez pour freiner puis accélérer. Il aurait survolé l'étoile et continué sur sa lancée.

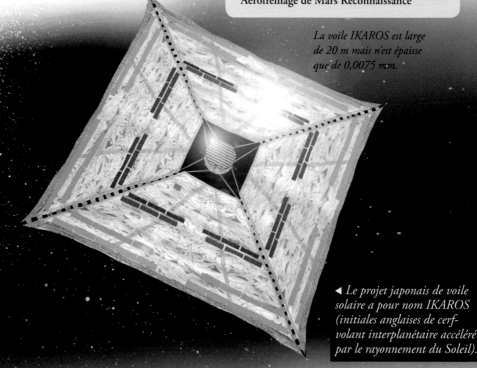

◄ *Le projet japonais de voile solaire a pour nom IKAROS (initiales anglaises de cerf-volant interplanétaire accéléré par le rayonnement du Soleil).*

LES VOILES SOLAIRES

À la base de la voile solaire se trouve le constat que le rayonnement solaire opère une poussée sur les surfaces solides. Si une quantité suffisante de lumière solaire rebondissait sur une grande voile légère, celle-ci pourrait donc propulser un véhicule dans l'espace. La poussée serait certes faible, mais elle serait constante et permettrait au véhicule d'atteindre, à terme, une grande vitesse.

LA CONQUÊTE
SPATIALE

Vivre dans l'espace n'est pas aisé. De l'entraînement physique à la construction d'une station spatiale en orbite, les spationautes ont beaucoup à faire, dans un environnement sans gravité très loin de chez eux.

depuis le XIXᵉ siècle, au développement des vaisseaux spatiaux et à l'exploration de l'espace extra-atmosphérique. Voici quelques-uns de ceux qui ont contribué à changer le cours de l'Histoire.

Les animaux

Dans les années 1940 et 1950, les hommes envoyèrent des animaux dans l'espace pour observer comment l'absence de gravité les affectait. En 1959, deux singes, Able et Miss Baker, furent expédiés à 483 km d'altitude, durant neuf minutes. Ils revinrent sans dommage sur Terre.

Konstantine Tsiolkovski

« La Terre est le berceau de l'humanité : on ne peut pas rester toujours dans son berceau », disait Konstantine Tsiolkovski, un scientifique russe. Il n'était âgé que de 17 ans quand il s'intéressa à l'idée de vols spatiaux, en 1874. Il ne cessa dès lors de formuler des théories sur les fusées, la propulsion par des gaz liquides, les combinaisons pressurisées et les stations orbitales. Ses idées furent utilisées pour explorer l'espace, après sa mort survenue en 1935.

Le vaisseau de Jules Verne est lancé par un énorme canon, la Columbiad. La NASA baptisa Columbia le module de commande qui emporta les premiers hommes sur la Lune, en 1969.

Jules Verne

De la Terre à la Lune et *Autour de la Lune,* des romans de science-fiction écrits au XIXᵉ siècle par le Français Jules Verne (1828-1905), inspirèrent de nombreux pionniers de l'espace, dont Konstantine Tsiolkovski, Robert Goddard et Wernher von Braun.

Robert Goddard

Quand il commença à développer ses idées sur la propulsion des fusées et le vol spatial, les gens prirent le physicien américain Robert Goddard pour un fou. Sa première fusée à combustible liquide décolla de la ferme de sa tante Effie, en 1926. L'objet, long de 3 m, s'éleva de 12,50 m et parcourut 56 m au cours d'un vol de 2,4 secondes. Goddard est aujourd'hui reconnu comme l'un des précurseurs de l'astronautique moderne.

Goddard mena seul de nombreuses expériences sur les fusées dans les années 1920.

J'aurais pu continuer à voler dans l'espace pour toujours.

Gagarine dut s'éjecter en parachute de la capsule, avant l'atterrissage, mais cela resta secret pendant de nombreuses années.

Iouri Gagarine, premier homme dans l'espace

Excellent pilote de chasse, le russe Iouri Gagarine devint cosmonaute en 1959. Le 12 avril 1961, la fusée Vostok l'emportait sur une orbite à 327 km de la Terre. Filant à 28 000 km/h, elle décrivit une seule révolution, en 108 minutes, mais l'événement fit sensation et rendit Gagarine célèbre dans le monde entier.

▼ SEULS ONZE HOMMES *ont marché sur la Lune à la suite de Neil Armstrong, le 20 juillet 1969.*

Wernher von Braun devant les moteurs de la fusée Saturn V.

Neil Armstrong, premier homme sur la Lune

Excellent pilote aussi, l'Américain Armstrong fit son baptême de l'air à six ans. Il obtint son brevet de pilote avant son permis de conduire. Sélectionné comme astronaute par la NASA, en 1962, il fit son premier vol spatial à bord de Gemini 8 en 1966 puis commanda Apollo 11, première mission habitée vers la Lune, en 1969.

Wernher von Braun (1912-1977)

Ingénieur allemand, von Braun se mit au service du régime nazi pour développer les missiles V2 utilisés pendant la Seconde Guerre mondiale. Après guerre, il fut emmené aux États-Unis pour travailler avec l'armée américaine et il mit au point les fusées Saturn V, qui permirent aux Américains de gagner la course à la Lune contre les Russes.

Sergueï Korolev (1907-1966)

L'ingénieur Sergueï Korolev attira l'attention des militaires soviétiques dans les années 1930, par sa participation enthousiaste à des recherches sur les fusées. Il devint dans les années 1940 le «concepteur en chef» du programme spatial soviétique, dont le premier succès fut Spoutnik 1, le premier satellite artificiel. Son identité fut gardée secrète jusqu'à sa mort, en 1966.

Devenir *spationaute*

Des milliers de candidats postulent pour devenir spationautes ; très peu sont sélectionnés. Les élus doivent s'astreindre à des mois d'études et d'entraînement avant de voler dans l'espace. Certains spationautes disent que l'entraînement est plus dur que la mission.

RECRUTONS SPATIONAUTES !

Avez-vous les qualifications requises pour piloter un vaisseau spatial ?
- **Pilote de chasse** d'avions supersoniques
- **Diplôme universitaire** d'ingénieur, de science ou de mathématiques
- **Bonnes conditions physiques et santé**
- **Bonnes relations humaines**
- **Capacité à travailler en équipe**

Pour être spécialiste de mission :
- **Diplôme de haut niveau**
- **Expérience professionnelle** en ingénierie ou profession en rapport avec l'espace

LES RARES ÉLUS

Dans les premières années de l'ère spatiale, les spationautes étaient exclusivement des jeunes pilotes de l'armée, exceptionnellement résistants mentalement et physiquement. Les spationautes subissent aujourd'hui un stress bien moins important au décollage comme lors de la rentrée dans l'atmosphère. Mais ils sont toujours soumis à des examens physiques intensifs.

EN VEDETTE

Le sénateur américain John Glenn détient deux records spatiaux. En 1962, il fut le premier Américain mis en orbite, à bord de Friendship 7, et, en 1998, à l'âge de 77 ans, il devint la personne la plus âgée à voler dans l'espace, à bord de la navette spatiale.

Êtes-vous prêt ?

Chaque pays a son propre calendrier de formation, mais les bases sont les mêmes. L'entraînement dure à peu près deux ans et aborde environ 230 sujets ou disciplines, dont la plongée sous-marine, l'ingénierie spatiale, la maîtrise des langues (anglais et russe), l'art de marcher dans l'espace comme celui de vivre et de travailler dans un environnement à gravité nulle : au total, quelque 1 600 heures de formation. Il faut travailler dur et être complètement impliqué, mais quelle récompense !

JOURNAL DE BORD D'UN SPATIONAUTE EN FORMATION

FÉVRIER

Nous apprenons à piloter un vaisseau spatial sur des simulateurs de vol : décollage, atterrissage, rentrée dans l'atmosphère terrestre… encore et encore. La pratique fait tout !

MARS

Je dois m'entraîner régulièrement dans la salle de gym pour me maintenir en forme : être spationaute est un métier très physique.

AVRIL

J'adore apprendre à piloter l'avion supersonique T-38. La semaine dernière, j'ai dû m'entraîner à sortir d'un T-38 coulé. J'apprends aussi à utiliser le siège éjectable et un parachute.

5, 4, 3, 2, 1… décollage !

Nous avons nagé dans un réservoir où était plongée la réplique d'un vaisseau spatial ! Dans cette sorte d'impesanteur, nous l'avons exploré de fond en comble.

Aujourd'hui, natation !

JUILLET

Pour nous habituer à l'impesanteur, nous avons volé dans un avion capitonné. Le pilote nous a offert les montagnes russes : difficile de ne pas se sentir nauséeux, mais c'est drôle de jouer à Superman !

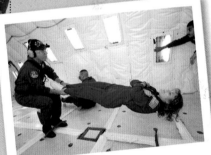

Nous sommes dans « la comète à vomir ».

Entraînement à la survie dans la jungle

OCTOBRE

Nous avons appris les techniques de survie utiles en cas d'atterrissage en catastrophe dans la jungle ou dans un endroit froid. Nous recevons aussi une formation médicale et apprenons à travailler en équipe.

NOVEMBRE

Entraînement en hiver

DÉCEMBRE

Nous avons reçu nos ordres de mission et maintenant, on étudie en classe.

QUELLE CORVÉE !

Pour Michael Lopez-Alegria, astronaute en formation, aux États-Unis, apprendre à se brosser les dents en impesanteur (apesanteur) est encore plus difficile que de survivre en mer. Tirer de l'eau et se débarrasser des ordures sont des éléments compliqués d'une mission.

Sorties spatiales

L'une des expériences les plus dangereuses pour un spationaute est de sortir du vaisseau dans l'espace. Il se trouve alors exposé au manque d'oxygène, au rayonnement, aux températures extrêmes et aux débris spatiaux. Il faut pourtant sortir dans l'espace, pour réparer les équipements, en installer d'autres ou encore pour marcher sur la Lune.

▲ SAS *Pour sortir dans l'espace, les spationautes passent par une salle spéciale, le sas, totalement isolée du reste du vaisseau.*

UNE PROMENADE ?

Aux premiers temps de la conquête spatiale, la compétition était féroce entre l'Union soviétique et les États-Unis. Quand la NASA annonça qu'Ed White allait bientôt effectuer une sortie dans l'espace, les Soviétiques décidèrent de prendre les devants. Alekseï Leonov fit la première sortie en 1965 et frôla la catastrophe : sa combinaison gonfla tant qu'il ne pouvait plus franchir la porte du vaisseau. Il ne parvint à rentrer dans le sas qu'en réduisant la pression dans sa combinaison, ce qui est très risqué !

▲ ED WHITE *fut le premier à utiliser la propulsion autonome pour une sortie.*

▲ SORTIE DANS L'ESPACE *En 1994, les astronautes Carl Meade et Mark Lee testent le système de propulsion autonome SAFER à 240 km d'altitude.*

▲ ROBOTIQUE *On voit ici Mark Lee attaché au bras robotisé du système de manipulation à distance de la navette spatiale Discovery.*

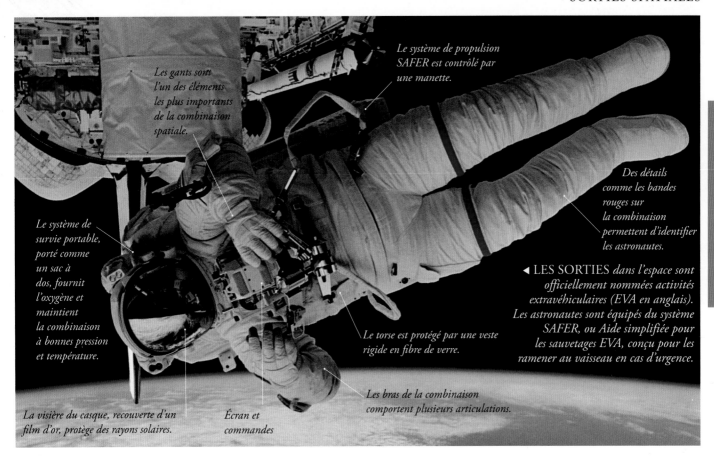

Les gants sont l'un des éléments les plus importants de la combinaison spatiale.

Le système de propulsion SAFER est contrôlé par une manette.

Des détails comme les bandes rouges sur la combinaison permettent d'identifier les astronautes.

Le système de survie portable, porté comme un sac à dos, fournit l'oxygène et maintient la combinaison à bonnes pression et température.

◄ LES SORTIES dans l'espace sont officiellement nommées activités extravéhiculaires (EVA en anglais). Les astronautes sont équipés du système SAFER, ou Aide simplifiée pour les sauvetages EVA, conçu pour les ramener au vaisseau en cas d'urgence.

Le torse est protégé par une veste rigide en fibre de verre.

Les bras de la combinaison comportent plusieurs articulations.

La visière du casque, recouverte d'un film d'or, protège des rayons solaires.

Écran et commandes

Vol autonome

L'une des pires angoisses des spationautes est de dériver accidentellement loin du vaisseau lors d'une sortie extravéhiculaire, et d'être incapable de le rejoindre. Il s'ensuivrait une longue agonie dans le vide spatial. Les spationautes de sortie sont en général arrimés au vaisseau, bien qu'ils utilisent parfois des systèmes permettant un vol autonome.

▶ FAUTEUIL SPATIAL
L'unité de manœuvre autonome a été utilisée pour trois missions de la NASA en 1984.

Réparer et construire

Les spationautes travaillant à l'extérieur du vaisseau se déplacent en s'accrochant aux poignées fixées sur la carlingue. Ils peuvent aussi être amenés sur leur «lieu de travail» par une grue commandée depuis l'intérieur. Leurs casques sont équipés de lampes pour leur permettre de travailler dans le noir.

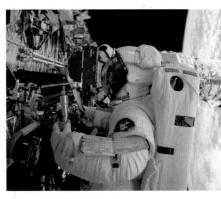

▶ MISSION HUBBLE
L'astronaute Kathryn Thornton corrige les défaillances du télescope spatial Hubble, en 1993 (👁 p. 28-29).

Récupération de satellite

En 1984, les unités de manœuvre autonome furent utilisées pour récupérer deux satellites défaillants, bloqués sur des orbites erronées. Les astronautes Joe Allen et Dale Gardner se dirigèrent vers les satellites et les guidèrent jusqu'à la navette. Les satellites furent rapportés sur Terre pour être réparés. Peu après cette mission, la NASA, ayant des doutes sur la sécurité des «fauteuils volants», y renonça.

▲ APPROCHE Dale Gardner se dirige vers le satellite Westar VI.

▲ MANŒUVRES Gardner et Allen guident Westar vers la navette.

Vivre là-haut

Envoyer des êtres humains dans l'espace exige
de leur fournir des conditions de vie appropriées.
De trois à six personnes vivent simultanément
à bord de la Station spatiale internationale (ISS) ;
il faut donc qu'elle soit bien équipée et confortable
pour des missions pouvant durer jusqu'à six mois.

EN BREF

■ Les vols habités coûtent plus cher que
les sondes automatiques… car il faut
maintenir les spationautes en vie.
■ Il est impossible de laver les vêtements
sales, qui sont donc jetés.
■ Les emballages de la nourriture sont
jetés dans un véhicule annexe qui brûle
en rentrant dans l'atmosphère.
■ L'ISS est approvisionnée en oxygène et en
azote, pour que les spationautes respirent.

LE TEMPS DES LOISIRS

Quand ils ne travaillent pas, les spationautes se détendent
de diverses manières dans l'ISS. Ils communiquent
avec la Terre par liaison vidéo, radio ou email, discutant
avec leurs amis et leur famille aussi bien qu'avec
des radioamateurs et les enfants des écoles qu'ils survolent.

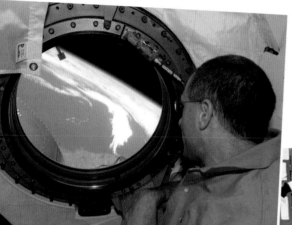

▲ PAR LE HUBLOT *L'un des passe-temps
favoris à bord de l'ISS est de contempler
la Terre par un des hublots.*

▶ C'EST LA RÉCRÉ
*Les spationautes aiment lire,
écouter de la musique, regarder des
DVD ou jouer à des jeux de
société. Certains apportent leurs
instruments de musique : on a
ainsi joué du clavier, de la guitare
et de la trompette en orbite.*

Une toilette de chat

Il n'y a ni lavabo ni douche dans
l'ISS : l'eau ne coule pas en
impesanteur. Pour rester propres,
les spationautes se frottent avec de
l'alcool. Pour leur toilette quotidienne,
ils peuvent aussi utiliser une serviette
humide imprégnée de savon liquide
puis une autre pour se rincer.
Ils se servent de shampoing sans
rinçage et avalent habituellement
leur dentifrice après s'être brossé
les dents.

▲ CONFORT *Les spationautes se sanglent
sur les toilettes, qui aspirent les déchets. Lors des
premières missions, ils collectaient leurs déchets
dans des sacs plastiques au moyen de tuyaux.*

COUP D'ŒIL SUR LA SALLE DE GYM

En impesanteur, le corps perd du muscle et même de l'os. Pour préserver leur masse musculaire, les spationautes à bord de l'ISS effectuent deux fois par jour une heure d'exercice physique. Cela leur évite de s'effondrer en revenant à une gravité normale. Ils disposent de plusieurs appareils dont un tapis roulant flottant, des vélos d'appartement et un appareil pour « soulever » des poids. Ils doivent se sangler sur ces machines pour ne pas flotter. L'équipement le plus récent permet à l'équipage d'effectuer des exercices de résistance (développés-couchés, redressements assis ou accroupissements) dans un milieu en impesanteur.

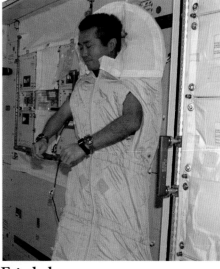

Fais dodo…

Les spationautes peuvent dormir presque partout – au sol, sur un mur ou au plafond – pourvu qu'ils se trouvent près d'un ventilateur. Celui-ci disperse le dioxyde de carbone expiré, évitant le risque de suffocation.

▶ CIRCULATION

Dans l'espace, en l'absence de gravité pour faire s'écouler les fluides corporels vers le bas, la pression sanguine est partout identique dans le corps. Le sang s'accumule donc dans la tête, ce qui provoque des gonflements. L'exercice physique contribue à soulager ce phénomène.

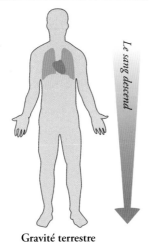

Le sang descend

Le sang se répartit dans le corps

Gravité terrestre　　　Impesanteur spatiale

C'est l'heure d'aller au lit ?

Pas facile de déterminer l'heure à laquelle aller dormir quand on assiste, à bord de l'ISS ou de la navette, à 16 levers et couchers de Soleil par jour ! Le temps de travail et les périodes de sommeil sont définis en fonction de l'heure du centre de contrôle des missions, à Houston, au Texas.

À BOIRE ET À MANGER

■ Les premiers spationautes devaient se nourrir de cubes de la taille d'une bouchée, de poudres lyophilisées et de pâtes, qu'ils aspiraient à l'aide d'une paille !

■ L'ISS propose plus de cent menus, ainsi que des en-cas et des boissons. Une grande partie de la nourriture est lyophilisée : il faut y ajouter de l'eau avant de manger. Tout est conçu pour ne pas devoir être stocké au réfrigérateur.

▲ EN TUBE *Les premiers repas spatiaux ressemblaient à de la bouillie pour bébé.*

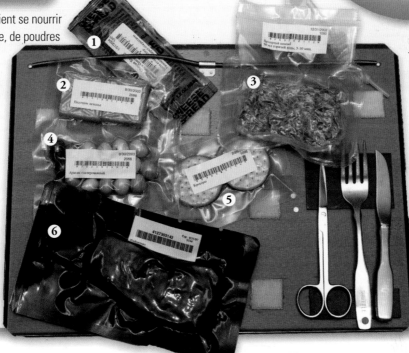

◀ REPAS SOLIDE
Les couverts sont maintenus par des aimants afin qu'ils ne s'envolent pas de la table.

1 *Fromage à tartiner*
2 *Pain*
3 *Épinards à la crème*
4 *Cacahuètes enrobées de sucre*
5 *Biscuits*
6 *Steak de bœuf*

Les animaux *dans l'espace*

Les scientifiques ont d'abord envoyé des animaux en orbite pour observer comment ils supportaient l'impesanteur et autres effets du voyage dans l'espace. S'ils survivaient, peut-être les hommes le pourraient-ils aussi.

LES PIONNIERS DE L'ESPACE

Le succès des vols canins ouvre-t-il la voie aux humains?

◀ ▲ EUX D'ABORD *Strelka et Belka (ci-contre) furent les premiers animaux à revenir vivants d'un vol en orbite, en 1960. En 1966, Vétérok et Ougoliok (ci-dessus) passèrent vingt-deux jours dans l'espace, un record maintenu jusqu'en 1973.*

Laïka, chienne cosmonaute

Laïka fut le premier animal mis en orbite. Pour les scientifiques, les chiens étaient de bons candidats au vol spatial, car ils peuvent rester assis longtemps. Mais Laïka ne survécut pas à l'expérience : elle mourut après environ cinq heures de vol.

▲ LAÏKA *Chien des rues de Moscou, Laïka s'envola à bord de Spoutnik 2, en novembre 1957, après un rapide entraînement. Les Soviétiques remportaient une première victoire dans la course à l'espace.*

Chimpanzés vedettes

Il paraissait logique de mettre nos plus proches parents à l'épreuve de l'espace avant d'y envoyer des hommes. En 1961, Ham était sélectionné par les Américains pour être le premier chimpanzé dans l'espace. Malgré une légère dépressurisation de la capsule, Ham ne souffrit pas du manque d'air grâce à sa combinaison. Il se tira de ce vol de seize minutes juste avec un nez meurtri.

CHRONO DES VOLS ANIMAUX

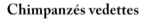

Années 1940		1950		
1947 Des mouches de la cerise effectuent un vol suborbital sur une fusée V2 américaine.	**1948-1950** Cinq vols suborbitaux américains emportent trois singes et deux souris à une altitude de 130 km. Les souris ont survécu.	**1951** Le 20 septembre, une fusée américaine Aerobee propulse le singe Yorick et onze souris à une altitude de 70 km. Yorick est le premier singe à survivre à un vol aux limites de l'espace.	**1957** La chienne Laïka est le premier animal mis en orbite.	**1959** Able, un singe rhésus, et Miss Baker, un singe écureuil, sont les premiers singes à revenir sains et saufs sur Terre après un vol suborbital.

Singes en mission

Envoyer des animaux dans l'espace pose d'évidents problèmes. Les singes des missions soviétiques Cosmos étaient sanglés sur leurs sièges pour leur propre sécurité. Ils avaient été entraînés à presser des tubes délivrant de la nourriture et de la boisson ainsi qu'à actionner des leviers quand une lampe s'allumait, pour se maintenir mentalement alertes.

◄ ANIMAUX À BORD

En 1983, deux singes et dix rats femelles attendant des petits volèrent cinq jours en orbite lors de la mission Cosmos 1514.

L'ÉCLOSION

En 1990, des œufs de caille fécondés sur Terre ont été incubés à bord de la station spatiale russe Mir. Certains ont éclos mais les naissances ont été moins nombreuses qu'elles ne l'auraient été sur Terre.

► POUSSINS SPATIAUX
Les cailles nées à bord de Mir ne survécurent hélas pas longtemps.

Mission TARDIS

Ces tardigrades sont des invertébrés si résistants qu'ils sont presque indestructibles sur Terre. Lors de la Mission TARDIS, menée par l'Agence spatiale européenne, ils sont devenus les premiers animaux à résister à l'impesanteur et au froid de l'espace. Non seulement ils ont survécu gelés, mais ils ont aussi supporté un rayonnement ultraviolet mille fois plus puissant que sur Terre.

Araignées en impesanteur

Sur Terre, les araignées exploitent le vent et la gravité pour bâtir leurs toiles. En 1973, la mission Skylab 3 embarquait deux araignées, baptisées Anita et Arabella, afin de déterminer si elles étaient capables de tisser une toile dans l'espace. Une fois habituées à l'impesanteur, elles ont fabriqué des toiles presque parfaites.

Les araignées déterminent l'épaisseur de la soie utilisée en fonction de leur poids.

L'expérience avait été conçue par une écolière américaine, Judith Miles.

Les scientifiques ont utilisé les données tirées de l'expérience pour mieux comprendre le système nerveux des araignées.

1960		1970	1990	2000	
1960 Les chiennes Strelka et Belka achèvent un vol orbital d'une journée par un parachutage réussi.	**1961** Ham est le premier chimpanzé dans l'espace.	**1973** Skylab 3 embarque Arabella et Anita, deux épeires diadèmes.	**1990** Des grenouilles accompagnent le journaliste Toyohiro Akiyama à bord de Mir.	**2008** La mission Tardis de l'ESA propulse des tardigrades à 270 km d'altitude.	**2009** 4 000 vers annelés décollent à bord de la navette Atlantis en 2009, pour un séjour de onze jours.

LA MAISON S'AGRANDIT

Arrimés par des câbles fins, deux spationautes effectuent une sortie dans l'espace pour fixer un nouveau segment du treillis de la Station spatiale internationale. Ils se livrent à ces travaux de construction tout en survolant la Nouvelle-Zélande, sur une orbite terrestre basse à 340 km d'altitude.

Les premières *stations*

Un véhicule spatial comme la navette ne convient pas pour abriter des spationautes en orbite pendant plusieurs mois. Il faut une structure plus grande : une station spatiale.

◄ SALIOUT 1, *alimentée par des panneaux solaires, décrivit 2 800 orbites autour de la Terre.*

SALIOUT 1

Saliout 1, lancée en 1971 par les Soviétiques, fut la toute première station spatiale. La plus grande de ses trois sections, le module de service, abritait les réservoirs de carburant, d'oxygène et d'eau, et le moteur principal. La section centrale correspondait à la zone de travail et de vie. À l'avant se trouvait la section d'amarrage. Trois hommes occupèrent la station pendant vingt-deux jours. Saliout 1 fut retirée de son orbite un peu plus tard dans l'année.

▶▶▶ EN BREF ▶▶▶

■ Le nom de Saliout, signifiant « salut » en russe, fut donné en hommage à Iouri Gagarine, premier homme dans l'espace.

■ Deux stations Saliout (3 et 5) servirent à espionner les pays rivaux de l'Ouest. Une caméra embarquée filmait assez finement la surface de la Terre. Le film revenait dans une capsule spéciale.

■ Saliout 3 comportait une mitrailleuse, modifiée pour fonctionner dans le vide spatial, afin de parer à toute attaque.

STATIONS DE FICTION

Le premier récit mettant en scène une station spatiale, baptisée *Brick Moon* (« Lune en brique »), fut publié en 1869 dans un magazine américain. Au milieu du xxᵉ siècle, les stations spatiales en forme de roue étaient en vogue dans la science-fiction. En fait, toutes celles qui ont été construites à ce jour étaient constituées de modules, lancés séparément. Les contraintes de poids et de taille des fusées expliquent que les stations doivent être assemblées en orbite.

▲ BRICK MOON *est lancée accidentellement alors que des personnes sont à bord.*

▲ LA STATION EN FORME DE ROUE *a été rendue célèbre par le film* 2001 : l'Odyssée de l'espace, *en 1968. Dans les années 1950, les chercheurs imaginaient sérieusement ce type de station.*

Skylab s'écrasa sur la Terre en 1979.

Skylab

Première station américaine, en service de 1973 à 1974, Skylab demeure le plus grand vaisseau spatial jamais placé en orbite terrestre. Malgré la perte de deux panneaux solaires au lancement, la station reçut trois équipages, pour des missions d'une durée respective de 29, 59 et 84 jours. Ceux-ci conduisirent des expériences d'astronomie, des études en rayon X du Soleil et des études médicales.

MIR

Mir succéda aux stations Saliout. Le premier module fut lancé en 1986 et fut bientôt occupé par deux astronautes. Six autres modules furent ajoutés au cours des dix années suivantes, dont un module d'amarrage pour la navette spatiale américaine.

Cuisine et coin repas

Zone d'expérimentation

Zone de gestion des déchets

Compartiment de repos

▲ L'ATELIER DE SKYLAB *La plus grande section de la station spatiale comprenait les quartiers de l'équipage, avec toilettes, douche et office (la cuisine), ainsi qu'un laboratoire et un imposant conteneur destiné à recevoir les déchets.*

▶ MIR EN ORBITE *L'équipage occupait le module de base. Une section de service abritait le moteur et les propulseurs, un troisième module hébergeant cinq ports d'amarrage : 31 vaisseaux habités et 64 véhicules cargo s'attelèrent à Mir.*

Mir

À deux doigts de la catastrophe

En 1997, quatre mois après un grave incendie, Mir fut heurtée par un vaisseau Progress à l'approche. La collision endommagea le module d'observation Spektr et provoqua une fuite d'air. L'équipage put fermer l'écoutille de Spektr avant d'abandonner la station et de regagner la Terre.

La *Station spatiale* internationale

La Station spatiale internationale (ISS, en anglais) est le vaisseau spatial le plus grand et le plus coûteux jamais conçu. Seize pays collaborent à sa construction et à son bon fonctionnement. Elle est destinée à accueillir six spationautes en permanence pendant les dix prochaines années.

L'ISS dans sa forme finale

- **Largeur (treillis)** 109 m
- **Longueur (modules)** 88 m
- **Poids** 419 600 kg
- **Altitude opérationnelle** 385 km au-dessus de la surface de la Terre
- **Vitesse orbitale** 8 km/seconde
- **Pression atmosphérique intérieure** 1 013 millibars, soit la même que sur Terre
- **Zone pressurisée** 935 m³ – soit l'équivalent d'une maison comprenant 5 chambres
- **Équipage** De 3 à 6 personnes

ÉNERGIE SOLAIRE

Les seize panneaux solaires, disposés de chaque côté en quatre paires, constituent les éléments les plus larges de l'ISS. Chacun est long de 73 m, soit plus que l'envergure d'un Boeing 777. Ces panneaux s'orientent de façon à capter la plus grande quantité de lumière solaire, que plus de 262 000 cellules photovoltaïques convertissent en électricité. Ils produisent une puissance maximale de 110 kW.

Premiers lancements

Les modules Zvezda et Zarya, de construction russe, forment le cœur de l'ISS. Premier module mis en service, en 1998, Zarya est surtout utilisé aujourd'hui pour le stockage et la propulsion. Les quartiers de vie principaux ont été ajoutés en juillet 2000. Destiny, le premier laboratoire scientifique, américain, a été livré en février 2001.

Le travail de laboratoire

Chaque jour, les équipages de l'ISS conduisent des expériences scientifiques, auxquelles participent aussi des centaines de chercheurs depuis la Terre. Ces expériences couvrent des disciplines et des sujets divers, de l'étude de la croissance des cristaux de protéine à la fabrication de nouveaux alliages métalliques.

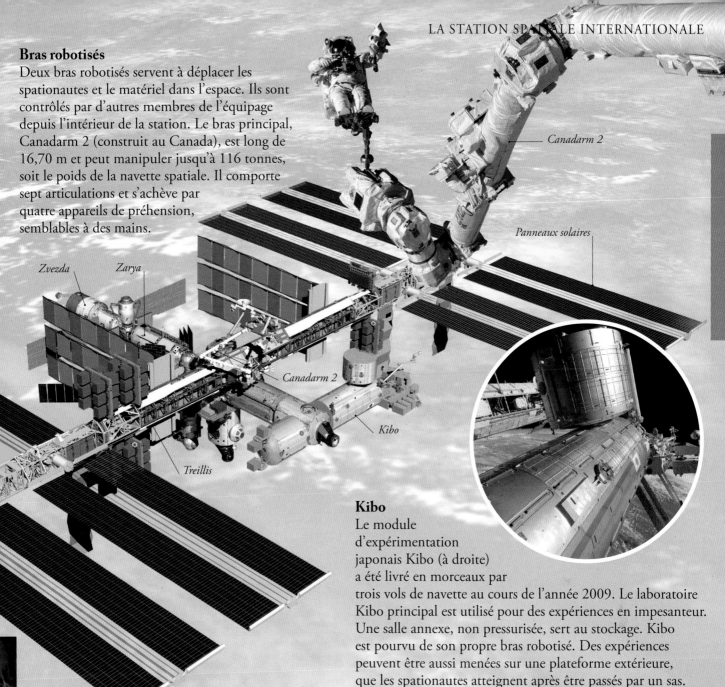

Bras robotisés

Deux bras robotisés servent à déplacer les spationautes et le matériel dans l'espace. Ils sont contrôlés par d'autres membres de l'équipage depuis l'intérieur de la station. Le bras principal, Canadarm 2 (construit au Canada), est long de 16,70 m et peut manipuler jusqu'à 116 tonnes, soit le poids de la navette spatiale. Il comporte sept articulations et s'achève par quatre appareils de préhension, semblables à des mains.

Canadarm 2

Panneaux solaires

Zvezda

Zarya

Canadarm 2

Kibo

Treillis

Kibo

Le module d'expérimentation japonais Kibo (à droite) a été livré en morceaux par trois vols de navette au cours de l'année 2009. Le laboratoire Kibo principal est utilisé pour des expériences en impesanteur. Une salle annexe, non pressurisée, sert au stockage. Kibo est pourvu de son propre bras robotisé. Des expériences peuvent être aussi menées sur une plateforme extérieure, que les spationautes atteignent après être passés par un sas.

Le ravitaillement

La nourriture, l'eau et divers équipements sont livrés à l'ISS par plusieurs véhicules. La navette américaine et les vaisseaux russes Progress effectuent des visites régulières. Depuis ces dernières années, la station reçoit d'autres vaisseaux, automatisés. Le premier Véhicule de transfert européen s'y est amarré en avril 2008. Ci-contre, le Véhicule de transfert japonais H-II approche de la station pour être saisi par un des bras robotisés. Excepté la navette, les vaisseaux de ravitaillement brûlent plus tard lorsqu'ils reviennent dans l'atmosphère terrestre.

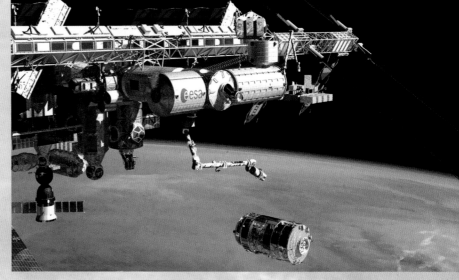

Science dans l'*espace*

On peut recréer l'absence de gravité sur Terre, à l'intérieur de hautes tours d'impesanteur ou d'avions volant à très haute altitude. Mais pour en faire l'expérience durant plusieurs semaines, il faut embarquer à bord d'une station spatiale : c'est un milieu privilégié pour la recherche scientifique.

▲ « BOÎTE À GANTS » *Dans le laboratoire Destiny de l'ISS, les spationautes étudient les effets de l'impesanteur : la « boîte à gants » fournit un environnement étanche et sûr pour pratiquer toutes sortes d'expériences.*

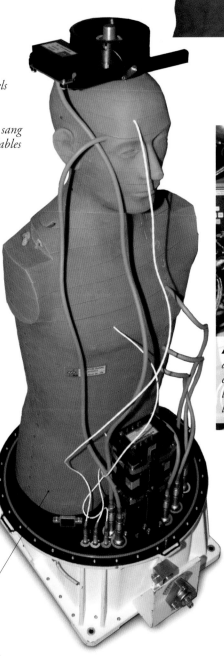

▶ MATRIOCHKA *est un mannequin qui sert à l'étude des effets des rayonnements auxquels les humains sont exposés dans l'espace. Il est pourvu de capteurs de rayonnement, d'échantillons de sang et d'os, et de tissus artificiels semblables à ceux du corps humain.*

AMÉLIORER LA SANTÉ

Sans gravité à laquelle résister, les muscles et les os s'affaiblissent. À bord de l'ISS, les spationautes testent divers moyens, dont des appareils d'exercice physique, des médicaments et de petits chocs électriques, pour prévenir les dommages corporels.

Matriochka porte le nom des poupées gigognes russes, car le mannequin est formé de multiples couches.

▲ DANS LE SPACELAB *de la navette Columbia, on a étudié en 1995 les effets de l'impesanteur sur les humains, les rats et les méduses.*

Le mal de l'espace

De nombreux spationautes souffrent du mal de l'espace pendant leurs premiers jours en orbite. Comme il n'y a ni haut ni bas dans l'espace, le cerveau reçoit en effet des informations contradictoires des yeux, des muscles, de la peau et des organes participant à l'équilibre. De nombreuses expériences ont été réalisées pour étudier comment le cerveau humain gère ces signaux et s'adapte à l'impesanteur.

LA VIE DANS L'ESPACE

Des tomates aux araignées, des mouches aux poissons, des formes de vie très diverses ont fait l'objet d'expériences dans l'espace. Les bactéries nuisibles semblent prospérer en impesanteur alors que la capacité du corps humain à lutter contre les infections faiblit. Or il est impossible de stériliser complètement un vaisseau spatial : la prolifération bactérienne peut donc se révéler dangereuse pour les spationautes.

Les cristaux

Les cristaux développés dans l'espace sont plus gros et présentent moins de défauts que ceux qui croissent sur la Terre. Les scientifiques travaillent en particulier à produire dans l'espace des cristaux de protéines de grande qualité. Leur étude pourrait aider à en savoir plus sur la forme, la structure et le fonctionnement des plus de 300 000 protéines que contient le corps humain.

L'étude des cristaux de protéines peut aider à développer des traitements contre le VIH et le cancer.

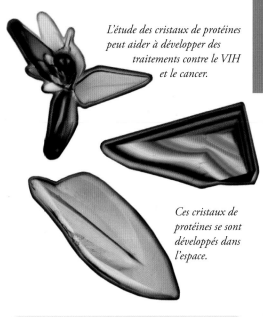

Ces cristaux de protéines se sont développés dans l'espace.

PLANTES DANS L'ESPACE

Les premières plantes gagnèrent l'espace à bord de Spoutnik 4, en 1960. Depuis, les scientifiques n'ont cessé d'étudier comment les plantes croissent en impesanteur et comment on peut en faire pousser un grand nombre, de bonne qualité, dans un espace réduit. Dans l'avenir, les spationautes pourraient avoir à cultiver leur nourriture. Les cultures terrestres peuvent aussi profiter de ces études.

▶ LES CULTURES *spatiales sont aéroponiques : la nourriture est apportée par vaporisation.*

Flammes, liquides et métaux

Sur Terre, les liquides et les gaz chauds montent alors que les liquides et les gaz froids descendent : c'est la convection. Celle-ci n'opérant pas en l'absence de gravité, les flammes prennent une forme ronde dans l'espace. Les liquides s'y mélangent très facilement alors qu'ils tendent à former des couches de densités différentes sur Terre. Les métaux liquides peuvent ainsi être mélangés pour former des alliages bien plus résistants que ceux fabriqués sur notre planète.

▲ SUR TERRE,
Les flammes pointent vers le haut, car l'air chauffé, moins dense que l'air environnant plus froid, monte.

◀ DANS L'ESPACE,
en impesanteur, la convection ne joue pas : les flammes prennent une forme ronde.

TRANSFERTS

De nombreuses recherches et technologies spatiales trouvent un usage dans notre vie quotidienne de Terriens. Voici des objets conçus ou inspirés par la NASA.

■ **Balle aérodynamique**
Cette balle de golf peut être propulsée plus loin et plus vite grâce à la technologie spatiale.

■ **Casque antichocs**
Le rembourrage des casques de protection a été d'abord développé pour les sièges de vaisseaux spatiaux.

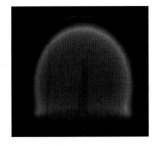

■ **Lunettes antibuée**
Un revêtement conçu par la NASA évite la formation de buée sur les masques de ski et de plongée et les visières des pompiers.

■ **Montres à quartz**
L'intégration de cristaux de quartz a conduit à des montres de haute précision.

Tourisme spatial

Les spationautes de métier ne sont plus les seuls à aller dans l'espace. Des scientifiques, des hommes politiques, un journaliste japonais, deux enseignants américains et plusieurs hommes d'affaires ont à ce jour fait aussi le voyage. Des sociétés privées proposent désormais des vols touristiques suborbitaux.

VAISSEAU PRIMÉ

En 2004, la fondation américaine X Prize offrait un prix de 10 millions d'euros à la première société privée qui construirait un véhicule capable d'effectuer deux vols à plus de 100 km d'altitude en l'espace de deux semaines.

Lanceur White Knight

SpaceShipOne

▲ SPACESHIPONE *a remporté le prix. Cette fusée expérimentale, conçue comme un avion, comporte trois sièges.*

Les vacances d'une vie

Vous rêvez d'un voyage dans l'espace ? Vous avez de 15 à 30 millions d'euros à dépenser ? C'est le prix que l'Agence spatiale russe demande pour un séjour d'une semaine dans la Station spatiale internationale, vol à bord d'un Soyouz compris.

▲ LE COCKPIT *de SpaceShipOne.*

▲ UNE FOIS LIBÉRÉ *du lanceur White Knight, SpaceShipOne a volé 24 minutes.*

SpaceShipTwo

Une version plus grande et plus perfectionnée de SpaceShipOne, destinée aux vols touristiques suborbitaux, est en cours de développement. SpaceShipTwo sera emporté jusqu'à 15 km d'altitude par le lanceur White Knight Two, un étrange avion de lancement d'une envergure de 43 m. SpaceShipTwo sera ensuite libéré et utilisera son moteur de fusée pour atteindre une altitude de 110 km. Il regagnera ensuite la piste en planant.

Libération de SpaceShipTwo

▶ LES BILLETS *pour un vol sur SpaceShipTwo sont vendus environ 150 000 €. Le vaisseau volera à Mach 3, soit plus vite qu'un avion de chasse.*

◀ LA CABINE *est longue de 18 m pour un diamètre de 2,30 m. Deux pilotes et six passagers peuvent y prendre place. Chaque passager sera assis près d'un grand hublot et pourra flotter librement pendant quatre minutes environ avant le retour sur Terre.*

PREMIER TOURISTE

■ L'Américain Dennis Tito a été le premier à payer pour un vol spatial. Cet homme d'affaires millionnaire, âgé de 60 ans, a dû suivre un programme d'entraînement à la Cité des Étoiles, en Russie.

■ Un vaisseau Soyouz l'a emmené jusqu'à la Station spatiale internationale. Arrivé le 30 avril 2001, il y a passé six jours puis est rentré à bord d'un autre Soyouz.

■ Dans l'espace, Dennis Tito a écouté un opéra, pris des photos et filmé à travers le hublot. Il a aidé à préparer les repas et passé beaucoup de temps à admirer la vue – l'ISS faisant un tour de la Terre toutes les 90 minutes.

Hôtels spatiaux

Une fois que les vols spatiaux seront moins coûteux, il est probable que l'étape suivante sera la construction d'hôtels spatiaux, en orbite autour de la Terre. Une société a déjà établi des plans détaillés de modules de séjour gonflables. Une fois le premier module lancé, on pourrait y adjoindre une unité de propulsion et un module d'amarrage, ce qui permettrait d'ajouter d'autres modules gonflables.

▲ CET HÔTEL SPATIAL, *apparemment révolutionnaire, s'inspire des structures imaginées il y a plus de quarante ans par l'écrivain de science-fiction Arthur C. Clarke.*

▲ VUE D'ARTISTE *des modules gonflables imaginés par la société américaine Bigelow Aerospace pour édifier une station spatiale.*

Vaisseaux du futur

Les lanceurs ont très peu évolué depuis les débuts de l'ère spatiale. Les agences spatiales cherchent à développer des véhicules moins coûteux, plus économes en carburant et réutilisables, ce qui exige de nouvelles technologies comme de recourir à des moteurs puisant l'oxygène dans l'air.

▼ SKYLON *Cet avion orbital automatique (non piloté), réutilisable, est en cours de développement au Royaume-Uni. Il sera équipé de moteurs utilisant l'oxygène atmosphérique comme comburant, des moteurs-fusées plus classiques prenant le relais dans l'espace.*

ASCENSEUR POUR L'ESPACE

Le jour viendra peut-être où les vaisseaux spatiaux rejoindront leur orbite par ascenseur. Le véhicule grimperait, par exemple, le long d'un câble se dressant de la surface de la Terre jusqu'à une orbite géostationnaire, maintenu rigide par la rotation terrestre et pourvu d'un contrepoids à l'extrémité supérieure. Il reste à découvrir des matériaux assez légers et résistants pour fabriquer un tel câble.

AVIONS ORBITAUX

L'avion orbital, pourvu de ses propres moteurs-fusées, pourrait dans le futur emporter des passagers ou une cargaison en orbite. Il décollerait d'une piste ou serait lui-même transporté par un avion jusqu'à une altitude assez élevée, pour être ensuite libéré. Il reviendrait se poser sur une piste, comme un avion.

Entreprise privée

Jusqu'à présent, presque tous les vaisseaux emportant des équipages ou des charges utiles dans l'espace ont été développés par les agences spatiales d'États. La NASA encourage désormais les sociétés privées à construire des vaisseaux de ravitaillement pour l'ISS. Ceux-ci seraient aussi lancés par des fusées privées. Le vaisseau Dragon (ci-contre) livrera, dans un premier temps, une cargaison de 6 tonnes. Il pourrait ensuite transporter un équipage ou servir de laboratoire autonome.

Station spatiale

Le Dragon livrera ravitaillement et équipements.

Amarre spatiale

Amarres spatiales

Une amarre spatiale est un long câble utilisé pour relier un vaisseau spatial à un quelconque objet. Cela pourrait être un autre vaisseau, un propulseur vide ou une station spatiale. Les amarres sont faites de brins fins de fibres à très haute résistance ou de câbles. L'énergie et le mouvement étant transférés d'un objet à l'autre, elles permettent de déplacer des objets dans l'espace sans consommer de carburant.

Lanceurs aérobies

Plusieurs pays tentent de concevoir un statomoteur atmosphérique qui permettrait de réduire la quantité d'oxygène liquide (le comburant) à emporter. Ce type de moteur, sans pièce mobile, comprime l'air qui le traverse, le mélange au carburant puis déclenche la combustion. Le lanceur serait propulsé à haute vitesse par un moteur à réaction ordinaire ou un propulseur d'appoint.

COUP D'ŒIL SUR L'ÉNERGIE SPATIALE

Du fait du réchauffement planétaire, provoqué par l'accumulation de gaz à effet de serre, les énergies propres et renouvelables sont appelées à prendre plus d'importance. Une des idées à l'étude consiste à tirer notre énergie de l'espace, grâce à des panneaux solaires géants placés en orbite terrestre. L'énergie captée serait renvoyée au sol par des faisceaux laser ou des micro-ondes et collectée par d'immenses antennes paraboliques. Les Japonais pourraient mettre un tel système à l'essai d'ici à 2030.

▲ DES PANNEAUX SOLAIRES *en orbite au-dessus de l'équateur pourraient capter la lumière solaire 24 heures sur 24.*

L'avion expérimental Hyper-X à statomoteur atmosphérique de la NASA

Destination *étoiles*

Depuis les débuts de l'histoire spatiale, douze personnes ont marché sur la Lune et plus de soixante ont séjourné à bord de la Station spatiale internationale. Un jour, nous poserons vraisemblablement le pied sur Mars. L'humanité s'installera peut-être même sur une planète extrasolaire. Mais pour cela, il nous faut surmonter encore bien des défis.

UN LONG VOYAGE

Se rendre sur Mars supposerait d'effectuer un voyage de six mois, puis un long séjour sur place avant six mois encore de voyage retour. Les astronautes, confinés dans un espace restreint, devraient apprendre à vivre ensemble et à gérer les difficultés sans pouvoir beaucoup compter sur la Terre : leurs messages mettraient vingt minutes pour y parvenir, le délai étant le même pour obtenir la réponse.

SEULS AVEC DES ALGUES

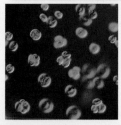

Dans les années 1970, les bâtiments russes de Bios 3, en Sibérie, servirent de cadre à des expériences de vie en isolement. Des algues *Chlorella* étaient cultivées à l'intérieur pour recycler l'air afin que les gens vivant là ne s'asphyxient pas.

Algues *Chlorella*

Vivre isolés

Des expériences ont été menées pour étudier comment les êtres humains réagissent lorsqu'ils sont obligés de partager un espace restreint, coupés du monde. Au début des années 1990, huit personnes furent enfermées durant deux ans dans Biosphere 2, une Terre artificielle. Les défaillances du système d'aération et les disputes constituèrent les problèmes majeurs.

📷 INSTANTANÉ

Biosphere 2 fut construite dans l'Arizona, aux États-Unis. Elle était divisée en zones reproduisant différents milieux terrestres, dont la prairie, la forêt pluviale et le désert. On voit ici le biome océanique.

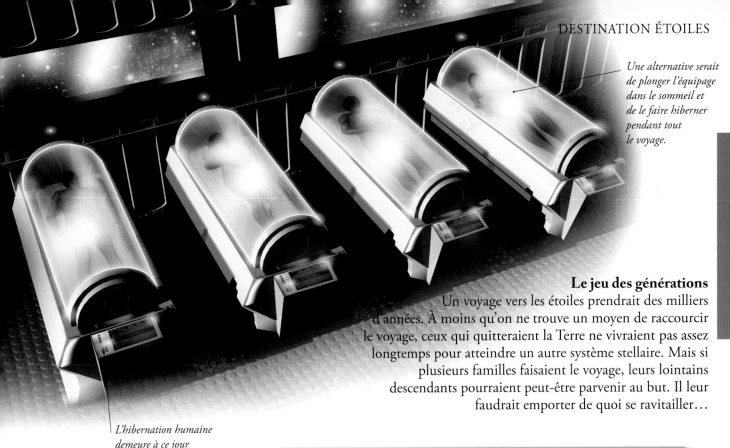

Une alternative serait de plonger l'équipage dans le sommeil et de le faire hiberner pendant tout le voyage.

Le jeu des générations

Un voyage vers les étoiles prendrait des milliers d'années. À moins qu'on ne trouve un moyen de raccourcir le voyage, ceux qui quitteraient la Terre ne vivraient pas assez longtemps pour atteindre un autre système stellaire. Mais si plusieurs familles faisaient le voyage, leurs lointains descendants pourraient peut-être parvenir au but. Il leur faudrait emporter de quoi se ravitailler…

L'hibernation humaine demeure à ce jour de la science-fiction.

AGRICULTURE SPATIALE

'Yecora Rojo'
83 days old

Tous les trois mois, un vaisseau cargo livre de la nourriture à l'équipage de l'ISS. La cargaison est volumineuse, lourde et la livraison coûteuse. Il serait impossible d'approvisionner ainsi un équipage de six personnes en route pour Mars : il faudrait 33 000 tonnes de nourriture, d'eau et d'oxygène pour un voyage aller-retour de trois ans. La solution serait que les astronautes produisent leur nourriture. Des cultures expérimentales sont menées dans de petites serres spatiales.

FICTION ET RÉALITÉ

Dans les récits de science-fiction, il est facile et rapide de traverser notre galaxie. Dans *Star Trek*, l'USS Enterprise voyage plus vite que la lumière grâce à son moteur déformant le tissu spatial, ou plonge dans des « trous de ver », des tunnels coupant à travers l'espace et le temps. Mais les lois de la physique interdisent la possibilité de voyager plus vite que la lumière, et l'existence des trous de ver reste à prouver.

L'USS Enterprise utilise les hypothétiques trous de ver en guise de raccourcis.

UN RECYCLAGE NÉCESSAIRE

Il existe déjà des machines qui purifient l'urine pour produire de l'eau de boisson et de lavage. On peut produire de l'oxygène en cassant les atomes d'eau. Les scientifiques développent aujourd'hui des systèmes utilisant les bactéries pour recycler l'urine en eau et les excréments humains en compost pour les cultures.

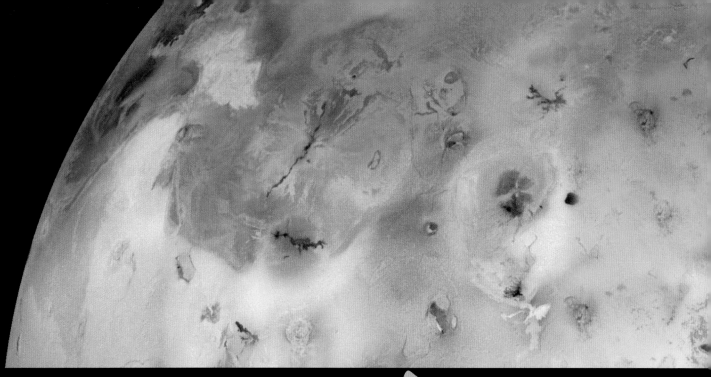
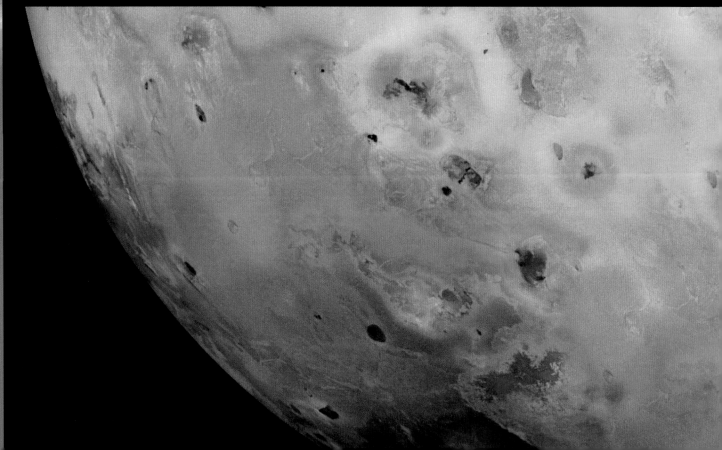

LE SYSTÈME SOLAIRE

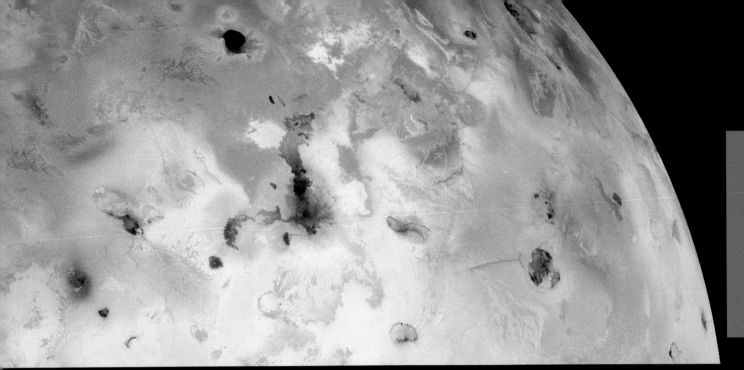

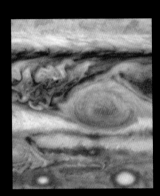

Le Système solaire est la région de l'espace sous l'influence gravitationnelle du Soleil. Elle s'étend sur deux années-lumière et contient planètes, lunes, astéroïdes et comètes.

La *naissance* du Système solaire

L'histoire du Système solaire commence il y a environ cinq milliards d'années, par un nuage géant, fait de poussières et d'hydrogène. Ce nuage s'est mis à rétrécir et à se contracter jusqu'à ce que le Soleil voie le jour en son centre, là où le nuage était plus dense et plus chaud. Le reste du nuage prit la forme d'un disque tourbillonnant, une nébuleuse solaire, d'où est issu tout ce qui fait partie du Système solaire.

◄ ONDE DE CHOC
La contraction du nuage originel pourrait avoir été déclenchée par une onde de choc provoquée par l'explosion d'une supernova.

LES REGROUPEMENTS

En grossissant, les planétésimaux attiraient par gravitation toujours plus de matière et les collisions se multipliaient. Quelques grands corps finirent par dominer les différentes régions de la nébuleuse. Dans la région extérieure du Système solaire, ces objets attiraient d'énormes quantités de gaz. Ainsi se formèrent les « géantes gazeuses » : Jupiter, Saturne, Uranus et Neptune.

LA NÉBULEUSE SOLAIRE

Dans la nébuleuse solaire, les poussières et les particules de glace se heurtaient et fusionnaient. À force de collisions, les minuscules particules se transformèrent ainsi en corps larges de quelques kilomètres, appelés planétésimaux. Dans la partie la plus centrale, la plus chaude, ces planétésimaux se composaient surtout de roches et de métaux. Plus loin du centre, là où la nébuleuse était bien plus froide, ils étaient principalement constitués de glace d'eau.

COUP D'ŒIL SUR SUR LA NAISSANCE DE LA LUNE

La plupart des scientifiques pensent que la Lune est née d'une collision entre un objet de la taille de Mars et la toute jeune Terre. Au début, la Lune était bien plus proche de la Terre qu'elle ne l'est aujourd'hui : elle en faisait le tour en quelques jours. Il lui faut actuellement un peu plus de vingt-sept jours pour décrire une orbite complète.

▲ COLLISION *Un gros objet, de la taille de la planète Mars, heurte la Terre.*

▲ DOMMAGES *Sous l'impact, la Terre et l'objet sont en partie vaporisés et fondent, des débris se dispersent.*

▲ REMISE EN ORDRE *Les débris provenant de la collision forment un anneau autour de la Terre.*

▲ LUNE NOUVELLE *La matière de l'anneau se combine pour donner naissance à la Lune.*

AUTRES SYSTÈMES PLANÉTAIRES

Les systèmes planétaires seraient en fait communs. La plupart des jeunes étoiles de notre galaxie sont entourées de disques de poussières et d'hydrogène, comme le Soleil à ses débuts. Ces disques stellaires nous apprennent beaucoup sur les commencements du Système solaire. On a découvert à ce jour plus de 400 planètes en orbite autour d'étoiles lointaines. Presque toutes sont des géantes du type de Jupiter. Mais les instruments d'observation gagnant en puissance, les astronomes s'attendent à découvrir des millions de planètes de la taille de la Terre (p. 226-227).

Vue d'artiste d'une lune hypothétique, orbitant autour d'une planète extrasolaire.

De masse équivalente à celle de Jupiter, cette planète tourne autour de l'étoile Tau1 Gruis.

▲ BOMBARDEMENT *Une fois les planètes formées, il restait beaucoup de matière non utilisée. L'essentiel de ce matériau fut dispersé par un puissant vent solaire. Mais des roches plus grosses continuèrent de heurter les planètes jusqu'à il y a environ 4 milliards d'années.*

▶▶ EN BREF ◀◀

■ La Terre et les autres planètes sont nées il y a environ 4,5 milliards d'années.

■ Une partie de la matière non utilisée pour leur formation a subsisté sous forme d'astéroïdes rocheux et de comètes glacées.

■ Les collisions engendraient une telle chaleur que les planètes rocheuses (Mercure, Vénus, Terre et Mars) se formèrent à l'état de fusion (liquide).

La *famille* du Soleil

La force gravitationnelle, le rayonnement et l'influence magnétique du Soleil se font sentir sur des milliards de kilomètres. Le Système solaire contient 8 planètes, 5 planètes naines, quelque 170 lunes, des millions d'astéroïdes et des milliards de comètes.

MERCURE *La planète la plus proche du Soleil a peu changé depuis sa naissance. Petite, très cratérisée, elle est dépourvue d'atmosphère comme de lune. L'année y dure 88 jours terrestres.*

PLUTON *Découverte par Clyde Tombaugh en 1930, Pluton fut d'abord considérée comme la neuvième planète à partir du Soleil. Elle est désormais classée comme planète naine.*

MARS *La quatrième planète à partir du Soleil comporte de nombreux cratères et volcans, ainsi que des rifts profonds et des canyons sinueux. Elle possède deux lunes et l'année y dure 687 jours terrestres.*

URANUS *Découverte par William Herschel en 1781, la septième planète à partir du Soleil possède un système d'anneaux sombres et 27 lunes. Une année sur Uranus correspond à 84 années terrestres.*

JUPITER *La cinquième planète à partir du Soleil est la plus grosse. Elle se caractérise par de minces anneaux, 63 lunes et une sorte de nuage baptisé Grande Tache rouge. Une année jupitérienne équivaut à près de 12 années terrestres.*

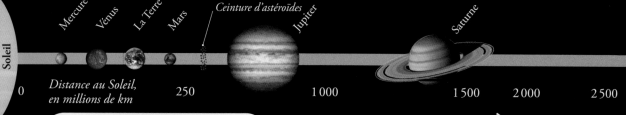

Soleil — Mercure — Vénus — La Terre — Mars — Ceinture d'astéroïdes — Jupiter — Saturne — Uranus

Distance au Soleil, en millions de km

0   250   1 000   1 500   2 000   2 500

Planètes rocheuses

Mercure, Vénus, la Terre et Mars, plus proches du Soleil, sont formées de roches, comme les astéroïdes. Ces planètes rocheuses sont bien plus petites que les planètes gazeuses plus lointaines. Elles possèdent moins de lunes (parfois aucune) et n'ont pas d'anneaux.

LES ORBITES DES PLANÈTES

La plupart des planètes, des lunes et des astéroïdes se déplacent d'ouest en est, sur des orbites quasi circulaires. Presque toutes ces orbites se situent sur un plan proche du plan de l'orbite terrestre, appelé écliptique. Si on regardait le Système solaire de côté, on les verrait ainsi sur un même niveau, sauf celles de Mercure et de Pluton, qui forment un angle avec l'écliptique.

Orbite et rotation

On appelle période orbitale le temps qu'il faut à un objet céleste pour faire le tour d'un autre objet. La période orbitale d'une planète autour du Soleil définit la durée de son année. La période de rotation mesure le temps mis par une planète pour accomplir un tour sur son axe et définit la durée du jour.

CEINTURE D'ASTÉROÏDES *Située entre Mars et Jupiter, cette ceinture est large d'environ 180 millions de km. Elle contient des milliers d'astéroïdes.*

NEPTUNE *Découverte par Johann Galle en 1846, la huitième planète à partir du Soleil est pourvue d'un mince système d'anneaux et de 13 lunes. L'année neptunienne représente près de 165 années terrestres.*

VÉNUS *La deuxième planète à partir du Soleil est à peu près de même taille que la Terre, mais la pression de l'air y est 90 fois plus élevée. Vénus n'a pas de lune. Une année y dure 224 jours terrestres.*

SATURNE *Sixième planète à partir du Soleil et deuxième en taille, elle possède un superbe système d'anneaux. Elle a 62 lunes et une année y dure 29,5 années terrestres.*

LA TERRE *Troisième planète à partir du Soleil, c'est la plus grosse des quatre planètes rocheuses et la seule planète sur laquelle on trouve de l'eau à l'état liquide. Une année dure 365 jours.*

COMÈTE DE HALLEY

L'ordre des planètes

S'il vous est difficile de mémoriser l'ordre des huit planètes du Système solaire, voici une phrase qui peut vous y aider : Me Voilà Tout Mouillé, Je Suis Un Nageur. (Mercure, Vénus, Terre, Mars, Jupiter, Saturne, Uranus et Neptune).

Neptune

3 000   3 500   4 000   4 500

Planètes gazeuses

Jupiter, Saturne, Uranus et Neptune, plus éloignées du Soleil, sont appelées géantes gazeuses. Elles sont en effet surtout formées de gaz, entourant un noyau solide de roche et de glace. Les objets plus distants, comme Pluton et les comètes, sont essentiellement composés de glace.

PLANÈTES NAINES

On connaît cinq planètes naines. Pluton, Éris (la plus grande), Cérès (considérée aussi comme le plus gros astéroïde), Haumea et Makemake sont des débris glacés, laissés pour compte de la formation des planètes, il y a 4,5 milliards d'années. Elles tournent aussi autour du Soleil et en réfléchissent la lumière. Mais leurs orbites sont encombrées d'autres corps alors que les autres planètes ont éjecté de leur trajectoire tout autre objet.

◄ PLUTON *La plus connue des planètes naines est un monde glacé et sombre, dépourvu de lune et d'atmosphère. Elle est plus petite que Mercure et une année y dure 248 années terrestres.*

Mercure

Mercure est la plus petite planète. C'est aussi la plus proche du Soleil, ce qui la rend difficile à voir dans le ciel, excepté au lever et au coucher de l'astre solaire quand celui-ci ne la masque pas par son éclat. Mercure n'a pas de lune et elle est trop petite pour retenir une atmosphère.

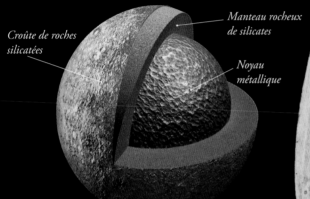

Croûte de roches silicatées

Manteau rocheux de silicates

Noyau métallique

▲ ÇA GAZE PEU
D'infimes quantités de gaz – du sodium et de l'hélium – flottent au-dessus de la surface de Mercure.

MAIS ENCORE ?

Les spationautes se déplaceraient aisément sur Mercure, car sa gravité de surface est assez faible. Un individu de 50 kg n'y pèserait plus que 19 kg.

UN PETIT MONDE

La Terre pourrait contenir 18 planètes comme Mercure. Pourtant, Mercure est plus dense que toutes les autres planètes hormis la nôtre. Cela serait dû à un très gros noyau de fer et de nickel. Celui-ci produit un champ magnétique 100 fois plus faible que celui de la Terre, ce qui s'expliquerait par le fait que la rotation de Mercure est beaucoup plus lente.

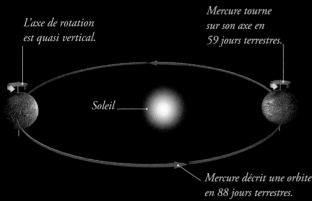

L'axe de rotation est quasi vertical.

Mercure tourne sur son axe en 59 jours terrestres.

Soleil

Mercure décrit une orbite en 88 jours terrestres.

FICHE D'IDENTITÉ

- **Distance moyenne au Soleil** 58 millions de km
- **Température de surface** –180 °C à 430 °C
- **Diamètre** 4 875 km
- **Durée du jour** 59 jours terrestres
- **Durée de l'année** 88 jours terrestres
- **Nombre de lunes** 0
- **Gravité de surface** (Terre = 1) 0,38
- **Taille comparée**

Des météorites creusent sans cesse d'énormes cratères dans le bassin Caloris.

Les ondes de choc se propagent jusque dans le noyau…

… ainsi qu'à la surface.

Les ondes de choc se rejoignent à l'opposé du point d'impact, ébranlant la surface.

Bassins d'impact géants

Comme la Lune, Mercure est couverte de cratères. Ceux-ci témoignent des millions d'impacts d'astéroïdes et de météorites que la planète a subis depuis sa formation. Certains ont creusé d'énormes dépressions en surface. La plus célèbre est le bassin Caloris, mesurant environ 1 300 km de diamètre. Des montagnes s'élèvent sur ses bordures, dominant le fond sillonné de crêtes et de fractures. L'explosion qui a engendré Caloris semble avoir propagé des ondes de choc à travers la planète. Celles-ci ont produit sur la face opposée un vaste chaos de collines.

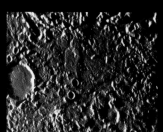

◀ TERRAIN CHAOTIQUE *Le terrain, à l'opposé du bassin Caloris, révèle l'impact des ondes de choc, qui ont engendré des lignes de faille et des dépressions.*

LE SYSTÈME SOLAIRE

COUP D'ŒIL SUR LE TRANSIT DE MERCURE

Mercure suivant une orbite plus elliptique (ovale) que circulaire, sa distance au Soleil varie de 46 millions de km (moins d'un tiers de la distance de la Terre au Soleil) à 70 millions de km (près de la moitié de la distance de la Terre au Soleil). Parfois, Mercure passe exactement entre la Lune et le Soleil. Nous voyons alors un minuscule point avancer lentement sur l'énorme disque solaire. C'est un transit, qui survient seulement en mai ou en novembre. Le prochain transit de Mercure aura lieu le 9 mai 2016.

▶ MERCURE DE PASSAGE *Dans la soirée du 8 novembre 2006, Mercure a parcouru le disque solaire de part en part. Son transit s'est achevé juste après minuit. Les trois petits points montrent combien Mercure est petite en comparaison du Soleil.*

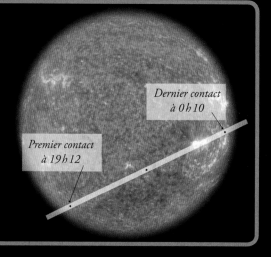

Dernier contact à 0 h 10

Premier contact à 19 h 12

Antenne à gain élevé

Mariner 10

Magnétomètre

Télescope détecteur des particules chargées

Caméras

Panneau solaire

La région équatoriale de la face éclairée est la zone la plus chaude.

Visiteurs spatiaux

De 1974 à 1975, Mariner 10 a survolé trois fois Mercure et envoyé 12 000 images. Mais chaque fois, elle en a observé la même face. Messenger, une autre sonde américaine, a aujourd'hui photographié presque toute la surface de cette planète. En mars 2011, elle se placera sur l'orbite même de Mercure.

Points chauds et froids

La face éclairée de Mercure est très chaude, en particulier près de l'équateur, où le Soleil se trouve au zénith. Le bassin Caloris (du latin signifiant « chaleur ») se trouve dans l'un des points chauds ainsi formés. La température peut y atteindre 430 °C, ce qui suffit à faire fondre le plomb. On dispose pourtant d'indices suggérant la présence de glace d'eau au fond des cratères profonds proches des pôles.

Aux heures les plus chaudes, un astronaute cuirait.

Faute d'air pour diffuser la chaleur, la face obscure est très froide.

Vénus

Vénus est la planète du Système solaire la plus semblable à la Terre par sa taille, sa masse et sa composition. Mais parce qu'elle est plus proche du Soleil, elle est plus chaude. Vénus est enveloppée d'une atmosphère très épaisse et suffocante et n'abrite ni eau ni vie.

MAIS ENCORE ?

Des spationautes ne survivraient pas sur Vénus. Et les quelques sondes qui se sont posées à sa surface n'ont fonctionné qu'une heure ou deux avant que les conditions hostiles n'aient raison d'elles.

Croûte de silicates

Manteau rocheux

Noyau externe de fer et de nickel en fusion

Noyau interne solide de fer et de nickel

▶ TERRAIN ROCHEUX
La chaîne de Maxwell Montes est la plus haute de Vénus. Plus hautes que l'Everest, ces montagnes s'élèvent à près de 12 km au-dessus de la surface.

N'Y ALLEZ PAS !

Vénus a beau être la plus proche de la Terre, personne ne voudrait s'y rendre. D'épais nuages d'acide sulfurique et une couche de dioxyde de carbone irrespirable retiennent la chaleur du Soleil à sa surface. Des spationautes envoyés sur Vénus mourraient brûlés par l'acide, rôtis par la chaleur, broyés par la pression ou asphyxiés.

Environ 80 % de la lumière solaire est réfléchie.

La lumière réfléchie fait briller la surface des nuages.

D'épais nuages d'acide sulfurique bloquent la plus grande part de la lumière solaire.

Le dioxyde de carbone atmosphérique absorbe la chaleur, qui ne peut s'échapper.

Seulement 20 % de la lumière solaire atteint la surface.

FICHE D'IDENTITÉ

- **Distance moyenne au Soleil** 108 millions de km
- **Température au sommet des nuages** 460 °C
- **Diamètre** 12 100 km
- **Durée du jour** 243 jours terrestres
- **Durée de l'année** 224,7 jours terrestres

- **Nombre de lunes** 0
- **Gravité de surface** (Terre = 1) 0,91
- **Taille comparée**

Couvercle nuageux

La surface de Vénus est dissimulée par une épaisse couche de nuages jaune pâle. Constitués de soufre et d'acide sulfurique, ceux-ci font le tour de la planète en seulement quatre jours, à environ 350 km/h, poussés d'est en ouest par les vents.

INSTANTANÉ

Vénus compte plus de 1 600 volcans. Parmi les reliefs les plus inhabituels figurent les dômes de lave en crêpe, mesurant environ 25 km de diamètre et hauts de 750 m. Ils résultent sans doute de petites éruptions de lave très épaisse et collante, ayant refroidi avant de pouvoir s'épancher très loin dans la plaine.

À contresens

Vénus tourne sur son axe dans le sens des aiguilles d'une montre, donc à contresens de la plupart des autres planètes. Le Soleil s'y lève donc à l'ouest et se couche à l'est. Et comme la vitesse de rotation de Vénus est plus lente que sa vitesse orbitale, le jour y est plus long que l'année!

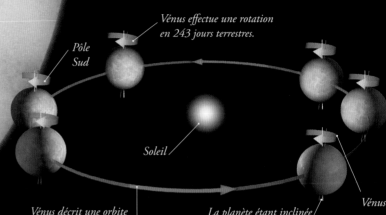

Vénus effectue une rotation en 243 jours terrestres.

Pôle Sud

Soleil

Vénus décrit une orbite en 224,7 jours terrestres.

La planète étant inclinée de 177,4°, le pôle Nord est tout en bas.

Vénus tourne sur son axe dans le sens horaire.

COUP D'ŒIL SUR LE SUD TOURBILLONNANT

La toute première image du pôle Sud de Vénus a été fournie en 2006 par Vénus Express, une sonde de l'Agence spatiale européenne. Prise à plus de 200 000 km de distance, cette image révèle la « face obscure » de Vénus (l'hémisphère éloigné du Soleil). Elle est due au spectromètre VIRTIS, qui réalise des images en lumière visible comme en infrarouge. Les fausses couleurs ajoutées au cliché montrent des nuages tourbillonnants autour du pôle Sud.

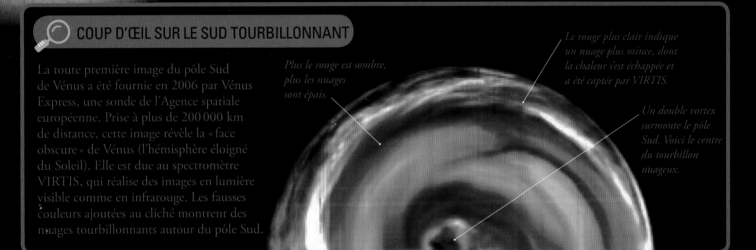

Plus le rouge est sombre, plus les nuages sont épais.

Le rouge plus clair indique un nuage plus mince, dont la chaleur s'est échappée et a été captée par VIRTIS.

Un double vortex surmonte le pôle Sud. Voici le centre du tourbillon nuageux.

▶ SONDAGE
Vénéra 13 et 14 ont rapporté des échantillons de sol vénusien pour qu'ils puissent être étudiés.

CCCP

Atterrissage

Les seules images en couleurs que nous ayons de la surface de Vénus datent de mars 1982 et proviennent des atterrisseurs soviétiques Vénéra 13 et 14. On y voit un ciel orange et un désert rocheux. Beaucoup de roches sont plates, ce qui suggère qu'il s'agit de minces couches de lave refroidie. Au moins 85 % de la surface de Vénus sont ainsi recouverts d'une roche volcanique.

Vues de Vénus

Le premier atterrissage réussi d'une sonde spatiale sur Vénus eut lieu en 1970 ; toutes les sondes précédentes avaient été détruites par la chaleur et la pression extrêmes. Depuis 1978, les radars des orbiteurs ont percé l'épais couvercle nuageux pour révéler la surface.

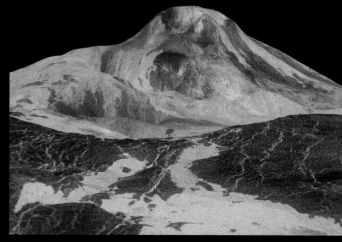

▲ COMPOSITION NUMÉRIQUE *Cette image créée par ordinateur de Maât Mons se fonde sur des données radar fournies par l'orbiteur Magellan. Les couleurs reprennent celles des images prises par les sondes Vénéra 13 et 14.*

VOLCANS VÉNUSIENS

Les reliefs les plus notables de Vénus sont les volcans. On en dénombre au moins 1 600. Le plus haut, Maât Mons (qui se dresse à l'arrière-plan, ci-dessous), culmine à environ 5 000 m. Ses coulées de lave s'étendent sur des centaines de kilomètres dans les plaines environnantes.

Maât Mons ne serait pas en activité actuellement, mais on ne peut en être certain.

▲ SOMMET DOUBLE *Magellan a pris cette image radar à l'aplomb de Sapas Mons. Les deux taches noires correspondent aux deux sommets tabulaires (mesas).*

Sapas Mons
Ce paysage est celui d'Atla Regio, une région de l'hémisphère Nord de Vénus probablement formée par d'énormes coulées de roche en fusion jaillie des profondeurs de la planète. Au premier plan, la zone la plus claire correspond à Sapas Mons, un volcan-bouclier de 217 km de diamètre qui s'élève en pente douce jusqu'à une altitude de 1 600 m.

▶ HAUTS PLATEAUX
Ovda Regio est parcourue de longues et étroites arêtes. Les taches correspondraient à de la lave ou à de la poussière éolienne.

Aphrodite Terra

Tout comme il y a des montagnes et des plaines sur la Terre, Vénus comporte des hautes et des basses terres. La plus vaste région de hautes terres est Aphrodite Terra, dans la zone équatoriale. Aussi grande qu'un continent terrestre, elle s'étend sur les deux tiers de la circonférence de Vénus. Elle se divise en deux sous-régions : Ovda Regio, à l'ouest, et Thetis Regio, à l'est.

▼ TROIS CRATÈRES
Magellan a découvert ce trio de cratères dans la région de Lavinia Planitia. Moins de 500 km les séparent les uns des autres.

▲ RECONSTITUTION *En combinant les données radar de Magellan et les images en couleurs de Vénéra 13 et 14, on peut reconstituer le cratère Howe tel qu'il apparaît sur Vénus. Son diamètre est de 37 km.*

Cratères d'impact

Comparée à d'autres planètes, Vénus ne semble pas compter beaucoup de cratères d'impact. La plupart des météores se consumeraient dans son épaisse atmosphère avant d'avoir pu atteindre la surface. Une autre explication serait que la surface de Vénus est trop jeune pour avoir subi beaucoup d'impacts météoriques. La majeure partie de ses cratères ont moins

📷 **INSTANTANÉ**

Les plus hautes montagnes de Vénus, Maxwell Montes, culminent à 12 000 m. Leur couleur suggère que la roche est riche en fer.

Pioneer Venus

En 1978, la NASA lançait l'orbiteur Pioneer Venus, première sonde à utiliser un radar pour cartographier la surface. Il brûla après quatorze années. La même année, Pioneer Venus 2 emportait quatre sondes chargées de collecter des données atmosphériques.

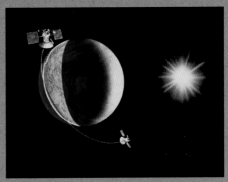

Magellan

Lancée en mai 1989, la sonde Magellan de la NASA atteignit Vénus en août 1990. Elle passa plus de quatre ans en orbite, produisant la carte radar la plus détaillée de la surface de Vénus avant d'être précipitée dans son atmosphère pour s'y consumer.

Vénus Express

La première mission européenne vers Vénus est arrivée à destination en avril 2006. Survolant les régions polaires, elle étudie avec finesse les couches nuageuses et l'atmosphère vénusienne. Une caméra spéciale a livré la première carte infrarouge de la surface.

Mars

Mars est, après la Terre, la planète la mieux adaptée pour abriter des humains. Les jours y durent à peine plus de 24 heures et quatre saisons s'y succèdent. Mars a reçu le nom du dieu romain de la Guerre en raison de sa couleur rouge sang, due à l'oxydation des roches riches en fer.

MAIS ENCORE ?

Il serait impossible de visiter Mars sans combinaison spatiale ! L'air y est très ténu et composé de dioxyde de carbone, un gaz asphyxiant.

Nuits rouges

Le ciel martien est saturé de poussières fines qui le colorent en rouge orangé. Il y a tant de poussières que le ciel brille encore une heure après le coucher du Soleil, qui est toujours rougeoyant. L'été, la température diurne peut atteindre un agréable 25 °C mais elle chute rapidement quand le Soleil se couche et peut descendre jusqu'à −125 °C les nuits d'hiver.

Croûte rocheuse

Manteau de roches silicatées

▶ MINI MARS
D'un diamètre environ moitié moindre que la Terre, Mars est si petite que les télescopes terrestres ne parviennent pas à en donner une image très détaillée. Sa superficie équivaut aux continents terrestres réunis.

Petit noyau de fer, sans doute solide

CALOTTES POLAIRES

Les deux pôles de Mars sont recouverts de calottes glaciaires permanentes. La calotte du pôle Nord est épaisse de 3 000 m et surtout constituée d'eau gelée. La calotte du pôle Sud, plus épaisse et plus froide (−110 °C, même l'été), se compose principalement de glace de dioxyde de carbone.

LUNES MARTIENNES

Mars possède deux petites lunes sombres en forme de pomme de terre. Phobos et Déimos pourraient être des astéroïdes capturés jadis par Mars. Phobos, un peu plus grosse, abrite un vaste cratère d'impact, nommé Stickney. Les deux lunes sont très cratérisées et semblent couvertes d'une couche de poussières épaisse d'au moins 1 m.

◀ ORBITEUR AU RAPPORT
La NASA a lancé Mars Reconnaissance Orbiter en août 2005. Ses instruments prennent des photographies de la surface, recherchent la présence d'eau, analysent les minéraux, mesurent la teneur de l'air en poussière et en eau, et observent le temps.

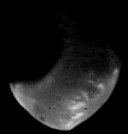

Déimos décrit une orbite autour de Mars en 30 heures.

Phobos, beaucoup plus proche de Mars, en fait le tour en 7 heures 40 minutes.

▲ MONTAGNE GELÉE *À l'image des montagnes Charitum Montes, la plus grande partie de la surface martienne serait gelée en profondeur – c'est ce qu'on appelle un pergélisol.*

🔍 COUP D'ŒIL SUR LES TEMPÊTES DE POUSSIÈRES

Si les données attestent qu'il y avait autrefois de l'eau à la surface de Mars, c'est aujourd'hui une planète aride. Les températures y sont trop basses et l'air y est trop ténu pour que de l'eau reste à l'état liquide en surface. En revanche, la planète est très venteuse. Les vents peuvent souffler à 400 km/h, soulevant des nuages de poussières à 1 000 m du sol. Ces tempêtes peuvent couvrir de vastes étendues et persister plusieurs mois.

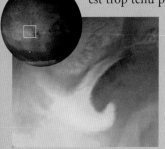

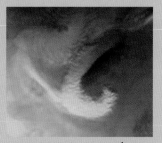

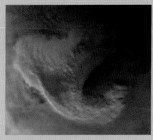

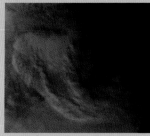

▲ TEMPÊTE NAISSANTE
Un embryon de tempête se forme le 30 juin 1999.

▲ NUAGE SOULEVÉ
Des vents puissants soulèvent un nuage de poussières brun orangé.

▲ FORCISSEMENT
La tempête de poussières fait rage au-dessus de la calotte polaire boréale (zone blanchâtre, en haut).

▲ ENCORE PLUS GROSSE
Sur cette photo prise six heures après la première, on voit que la tempête continue de grossir.

Les hauteurs de l'Olympe

Mars abrite les plus grands volcans du Système solaire. Le plus impressionnant est Olympus Mons (ou mont Olympe). Large de 600 km, il occuperait pratiquement toute la France. Culminant à 26 000 m d'altitude, il est trois fois plus haut que l'Everest. L'énorme cratère enfoncé en son centre mesure 90 km de diamètre.

Olympus Mons est le plus grand volcan du Système solaire.

Viking 1 et Mars Pathfinder se sont posés près de Chryse Planitia.

Par endroits, Kasei Vallis est profonde de plus de 3 000 m. Cette vallée résulte d'une inondation dévastatrice.

Les volcans Ascraeus Mons, Pavonis Mons et Arsia Mons forment la chaîne des Tharsis Montes.

Les canyons de Valles Marineris s'étirent sur 4 000 km, telle une cicatrice, juste en dessous de l'équateur martien.

Le cratère Lowell a 4 milliards d'années.

FICHE D'IDENTITÉ

- **Distance moyenne au Soleil** 228 millions de km
- **Température de surface** −125 °C à 25 °C
- **Diamètre** 6 800 km
- **Durée du jour** 24,5 heures (1 jour terrestre)
- **Durée de l'année** 687 jours terrestres
- **Nombre de lunes** 2
- **Gravité de surface (Terre = 1)** 0,38
- **Taille comparée**

Missions martiennes

Nous en savons plus sur Mars que sur n'importe quelle autre planète (excepté la Terre). Plus de vingt sondes l'ont étudiée depuis 1965 et le nombre de missions ne cesse d'augmenter. Les robots envoyés sur Mars pourraient ouvrir la voie à une colonisation de la planète par les humains.

▶ CANYON GÉANT
Valles Marineris s'étire sur le quart de la circonférence de Mars. Ce réseau de canyons est dix fois plus long et cinq fois plus profond que le Grand Canyon terrestre.

INSTANTANÉ

Ces ravines, ou canaux, descendent des collines en haut à gauche jusque dans un cratère. Elles ressemblent aux lits que les cours d'eau ont creusés sur Terre.

POURQUOI EXPLORER MARS ?

Mars est la planète du Système solaire la plus semblable à la Terre et l'une de nos plus proches voisines. Chaque fois qu'une mission s'y pose, nous en apprenons plus. Les preuves s'accumulent que Mars a abrité de l'eau à l'état liquide. Les sondes recherchent aujourd'hui des signes de vie.

Géographie et géologie

Les vallées, volcans et autres reliefs martiens résultent de trois phénomènes : la tectonique (les mouvements de la croûte rocheuse), l'action de l'eau, de la glace et du vent, ou les impacts météoritiques. Le plus grand relief tectonique est le système de Valles Marineris. Cette série de canyons a vu le jour il y a des milliards d'années, lorsque des mouvements internes ont étiré et cassé la surface de la jeune planète.

▲ STRATES SUPERPOSÉES
L'image ci-dessus montre le fond d'un des canyons, ou chasmata, de Valles Marineris. Celui-ci est constitué d'une centaine de strates de roches empilées.

SUCCÈS MARTIENS

1960

1964
Mariner 4 (É.-U.) réalise le premier survol, prenant 21 images.

1969
Mariner 7 (É.-U.) livre 126 images au cours de son survol.

1970

1971
Mariner 9 (É.-U.) est la première sonde mise en orbite autour de Mars avec succès.

1973
L'orbiter Mars 5 (URSS) livre 22 jours de données.

1976
Viking 1 (É.-U.) est la première sonde à réussir son atterrissage sur Mars.

▶ PLANÈTE ROUGE
Cette image, en couleurs réelles, du cratère Endurance a été prise par l'astromobile (ou rover) Opportunity, depuis la bordure occidentale.

Le cratère Endurance

Ce cratère d'impact creusé par une météorite (👁 p. 160-161) est assez modeste : large d'environ 130 m, il ne dépasse pas 30 m de profondeur. Autour de lui sont disséminés de petits cailloux gris foncé, surnommés « myrtilles » par les scientifiques. Ils contiennent un minéral riche en fer, l'hématite. Sur Terre, l'hématite se forme dans les lacs et les sources. Aussi ces cailloux suggèrent-ils la présence d'eau sur Mars.

▲ DUNES DE POUSSIÈRES
La zone centrale du cratère évoque un désert. Des poussières rouges s'y sont accumulées, formant des dunes d'une hauteur maximale de 1 m.

Calotte glaciaire

Les calottes glaciaires présentes aux pôles de Mars sont visibles depuis la Terre, mais les missions martiennes ont permis aux scientifiques de les étudier de plus près. L'hiver, du dioxyde de carbone gelé les recouvre. Il s'évapore l'été mais la glace d'eau demeure.

▶ ROBOT OPPORTUN
En 2004, l'astromobile Opportunity a passé six mois à photographier le cratère Endurance et à en examiner les roches et le sol. Le véhicule explore aujourd'hui d'autres cratères martiens.

▼ ROCHES ENGLACÉES
Viking 2 se posa sur Utopia Planitia en 1979. L'hiver, les roches volcaniques y sont recouvertes d'une couche d'eau gelée.

Sommets jumeaux

En 1997, Mars Pathfinder atterrissait dans une région rocheuse. Parmi ses premières images figuraient les Twin Peaks, deux collines hautes d'environ 35 m. On voyait ces mêmes reliefs sur des images prises en orbite par Viking, vingt ans plus tôt.

1990

1997
Mars Pathfinder (É.-U.) dépose la première astromobile fonctionnant correctement sur Mars.

1997
Mars Global Surveyor (É.-U.) cartographie toute la planète, livrant de nouveaux indices de la présence passée d'eau liquide.

2000

2003
Mars Express, orbiteur européen, commence à prendre des images détaillées de Mars.

2008
Phoenix (É.-U.) se pose dans l'Arctique martien et opère pendant plus de cinq mois (avant que ses batteries ne soient à plat).

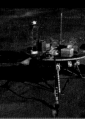

SCULPTURES DE SABLE

Ce gros plan dû à Mars Reconnaissance Orbiter évoque
un tatouage compliqué. Ce qu'on voit ici est en fait
le sable couvrant la surface de la planète. Les motifs
ont été dessinés par des spirales d'air, montant jusqu'à
8 km d'altitude. En tourbillonnant, elles emportent
la poussière rouge masquant la surface, découvrant
le sable sous-jacent, plus foncé et plus lourd.

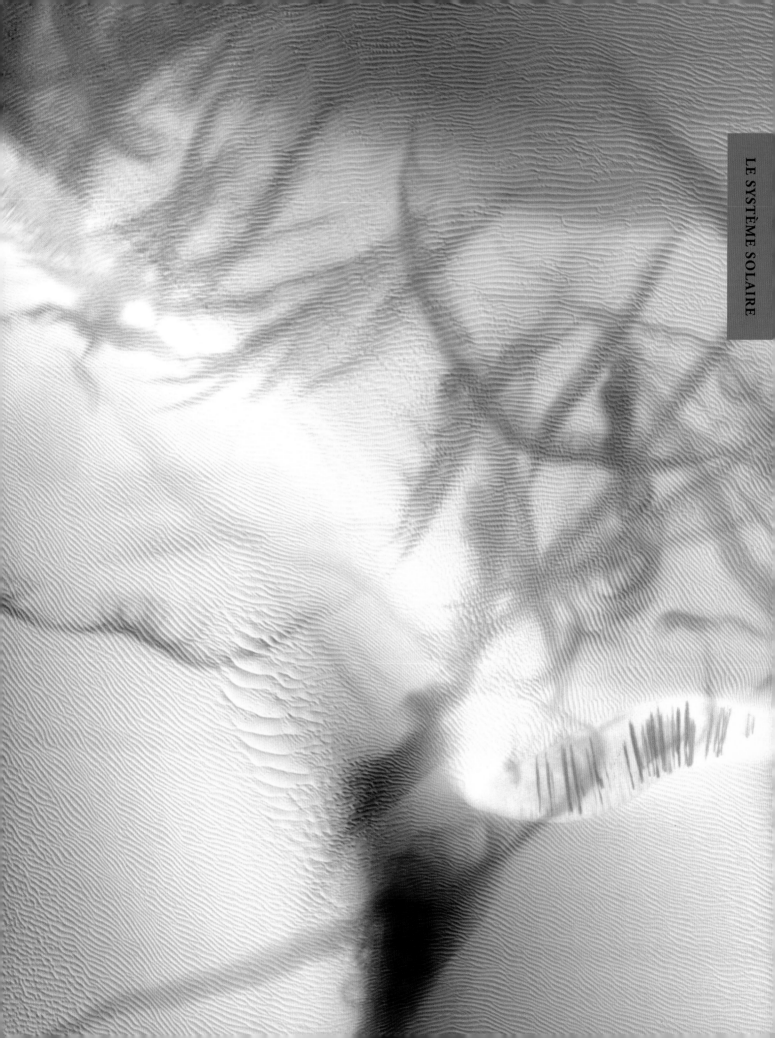

Les astéroïdes

Pendant des milliers d'années, nul n'imaginait qu'il puisse y avoir d'autres mondes au-delà de Saturne, sixième planète connue. Mais certains suggéraient qu'il existait quelque chose entre Mars et Jupiter. Ce n'est pas une planète qu'on a découverte là mais des milliers d'objets rocheux : des astéroïdes.

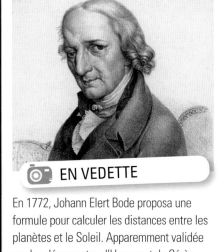

📷 **EN VEDETTE**

En 1772, Johann Elert Bode proposa une formule pour calculer les distances entre les planètes et le Soleil. Apparemment validée par les découvertes d'Uranus et de Cérès, la « loi de Bode » devait se révéler erronée avec celles de Neptune et de Pluton.

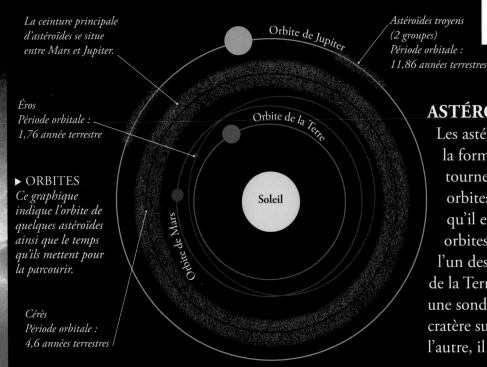

La ceinture principale d'astéroïdes se situe entre Mars et Jupiter.

Orbite de Jupiter

Astéroïdes troyens (2 groupes)
Période orbitale : 11,86 années terrestres

Éros
Période orbitale : 1,76 année terrestre

Orbite de la Terre

▶ ORBITES
Ce graphique indique l'orbite de quelques astéroïdes ainsi que le temps qu'ils mettent pour la parcourir.

Soleil

Orbite de Mars

Cérès
Période orbitale : 4,6 années terrestres

ASTÉROÏDES EN ORBITE

Les astéroïdes sont des vestiges de la formation des planètes. La plupart tournent autour du Soleil entre les orbites de Mars et de Jupiter, bien qu'il existe quelques groupes que leurs orbites rapprochent de la Terre. Éros est l'un des plus grands astéroïdes proches de la Terre et le premier autour duquel une sonde a orbité. Creusé d'un grand cratère sur une face et d'une dépression sur l'autre, il a la forme d'une pomme de terre.

Cérès

Le 1er janvier 1801, Giuseppe Piazzi, directeur de l'observatoire de Palerme, en Sicile, découvrit dans la constellation du Taureau un objet qui se révéla suivre une trajectoire presque circulaire, entre Mars et Jupiter. Mais il était trop petit pour être une planète. L'objet que Piazzi baptisa Cérès est aujourd'hui classé comme planète naine. C'est le plus gros astéroïde, dont la surface glacée pourrait cacher un océan.

▼ TAILLE *de quatre des plus gros astéroïdes, comparée avec les États-Unis*

Pallas

Hygéia

Vesta

Cérès

Vesta

Astéroïde le plus brillant de la ceinture principale, Vesta est parfois visible à l'œil nu. Il comporte un cratère d'impact géant, large de 460 km, soit presqu'autant que Vesta lui-même. L'astéroïde est assez solide pour avoir résisté à l'impact mais des débris continuent de tomber sur Terre, sous forme de météorites.

DES ASTÉROÏDES DE PRÈS

Seule une poignée d'astéroïdes a pu être observée de près. En 1993, la sonde Galileo a livré des images d'Ida, un astéroïde de la ceinture principale. Long de 52 km, cet objet effectue une rotation complète en 4 heures 38 minutes. Galileo a aussi découvert la première lune astéroïdale. Celle-ci, baptisée Dactyl, orbite à moins de 100 km d'Ida.

Ida

Dactyl

▼ NÉ D'UN UN IMPACT ?
Dactyl n'est large que de 1,6 km et pourrait être un fragment détaché d'Ida lors d'une collision.

TROP PRÈS !

Il y a bien plus de petits astéroïdes que de gros. Presque chaque semaine, un de ces petits astéroïdes passe à proximité de la Terre. On estime à 1 100 le nombre d'astéroïdes proches de la Terre dépassant 1 km de largeur, et à plus de 1 million ceux dont la longueur excède 40 m. Certains ont heurté la Terre dans le passé.

LE CRATÈRE *de Chicxulub, au Mexique, fut creusé par un astéroïde il y a 65 millions d'années.*

Comment l'appeler ?
Un astronome qui découvre un astéroïde a le droit de le nommer. Les astéroïdes reçoivent en général des noms de personnages illustres, mais certains ont été baptisés Dizzi, Dodo, Brontosaurus, Humptydumpty ou encore Wombat !

Cratère, fracture ou dislocation ?
Les collisions entre astéroïdes sont fréquentes. Leurs conséquences dépendent de la taille des objets concernés. Si un petit astéroïde heurte un plus gros, il n'y laissera qu'un cratère. Un astéroïde un peu plus imposant peut fracturer un gros astéroïde, mais les fragments s'agrégeront de nouveau pour former une boule de débris. Un astéroïde assez gros ou assez rapide peut briser un gros astéroïde, laissant dans son sillage une traînée de mini-astéroïdes en orbite.

▶ DEUX MONDES EN COLLISION
Quand le Système solaire s'est formé, des astéroïdes se heurtaient sans cesse, grossissant à mesure des collisions jusqu'à ce qu'un seul gros corps rocheux – une planète – subsiste en orbite autour du Soleil (p. 120-121).

Jupiter

Jupiter est la reine des planètes. Sa masse représente deux fois et demie celle des autres planètes réunies. Cette planète géante pourrait contenir environ 1 300 Terres, mais parce qu'elle est surtout formée de gaz légers, Jupiter ne pèse que 318 fois plus que la Terre.

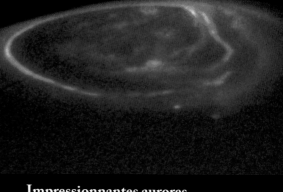

▼ LUEUR POLAIRE *Les aurores, aux pôles de Jupiter, sont des centaines de fois plus puissantes que celles qu'on voit sur Terre.*

Impressionnantes aurores

Bien que le champ magnétique de Jupiter, pareil à un aimant géant enfoui au cœur de la planète, repousse les particules solaires, celles-ci parviennent à s'infiltrer là où il est plus faible. Quand elles entrent en collision avec les gaz atmosphériques, ceux-ci luisent et des «draperies» lumineuses et colorées se déploient sur des centaines de kilomètres au-dessus des nuages de Jupiter.

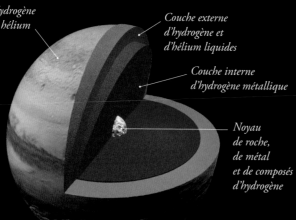

Hydrogène et hélium

Couche externe d'hydrogène et d'hélium liquides

Couche interne d'hydrogène métallique

▶ À L'INTÉRIEUR
Jupiter est pour l'essentiel constituée d'hydrogène et d'hélium. L'augmentation de température, de l'extérieur vers l'intérieur, explique que l'hydrogène entourant le noyau solide, assez petit, se comporte comme du métal liquide.

Noyau de roche, de métal et de composés d'hydrogène

NUAGES COLORÉS

L'atmosphère de Jupiter se compose à 90 % d'hydrogène. Le reste est constitué d'hélium, auquel s'ajoutent des composés d'hydrogène tels que le méthane, l'ammoniac, l'eau et l'éthane. Ces composés se condensent à des températures et des altitudes différentes, formant des nuages de couleurs variées.

LES TACHES ROUGES

Jupiter se distingue par sa Grande Tache rouge. Cette énorme tempête n'a pas cessé depuis 1664, date de sa première observation. Elle fait le tour de la planète, dans le sens des aiguilles d'une montre, en six jours. On ignore à quels éléments chimiques elle doit sa couleur, mais on sait qu'elle est plus froide que les nuages avoisinants. Dans les dernières années, deux autres taches rouges sont apparues, dans la même bande nuageuse.

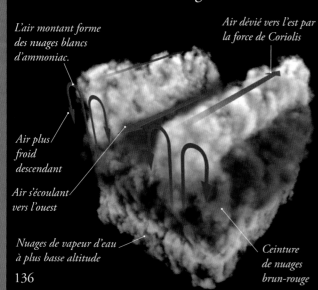

L'air montant forme des nuages blancs d'ammoniac.

Air dévié vers l'est par la force de Coriolis

Air plus froid descendant

Air s'écoulant vers l'ouest

Nuages de vapeur d'eau à plus basse altitude

Ceinture de nuages brun-rouge

◀ MOUVEMENT DE L'AIR *L'air réchauffé par le Soleil à l'équateur monte et s'écoule vers les pôles. L'air plus froid des pôles vient prendre sa place. Une force appelée effet Coriolis dévie le flux d'air d'un axe nord-sud vers un axe est-ouest.*

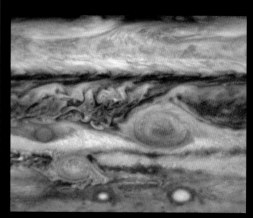

▲ CETTE IMAGE *prise par Hubble en mai 2008 révèle une nouvelle tache rouge à gauche de la Grande Tache rouge et de la Tache rouge junior.*

Ceintures et bourrelet

On appelle zones les bandes blanches de nuage enveloppant Jupiter, et ceintures les bandes brun-rouge. Jupiter effectue sa rotation en 9 h 55, soit plus vite que n'importe quelle autre planète. Les nuages à l'équateur se déplacent par conséquent à plus de 45 000 km/h, ce qui provoque un bourrelet dans la région équatoriale.

INSTANTANÉ

Autour de Jupiter orbitent de minces anneaux noirs de poussières. Ils ont été découverts par Voyager 1 au cours d'un survol de la planète en 1979. Les anneaux principaux sont larges de 125 000 km. Les particules varient de la poussière microscopique à des roches de plusieurs mètres.

Région polaire boréale

Système de tempête

Zone tempérée septentrionale

Ceinture tempérée septentrionale

Zone tropicale septentrionale

Ceinture équatoriale septentrionale

MAIS ENCORE ?

Cette image se compose d'une série de clichés pris par la sonde Cassini, à une distance de 10 millions de km de Jupiter.

Zone équatoriale

Chaleur interne

Le sommet des nuages de Jupiter est très froid, à –143 °C. Pourtant, bien que très éloignée du Soleil, Jupiter est très chaude à l'intérieur.

Ceinture équatoriale australe

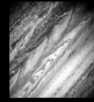

▲ *Sur cette image en lumière visible, les couleurs plus pâles indiquent des nuages plus chauds, issus des profondeurs.*

Zone tropicale australe

▲ *Sur cette image en infrarouge, les zones froides de la haute atmosphère apparaissent sombres.*

FICHE D'IDENTITÉ

- **Distance moyenne au Soleil** 780 millions de km
- **Température au sommet des nuages** – 143 °C
- **Diamètre** 143 000 km
- **Durée du jour** 9,93 heures
- **Durée de l'année** 11,86 années terrestres

- **Nombre de lunes** 63
- **Gravité au sommet des nuages (Terre = 1)** 2,53
- **Taille comparée**

Ceinture tempérée australe

Grande Tache rouge

Région polaire australe

Lunes de Jupiter

Jupiter possède 63 satellites connus. Aux quatre lunes intérieures et à une cohorte de petites lunes extérieures, s'ajoutent quatre lunes galiléennes : Io, Europe, Callisto et Ganymède qui furent découvertes en 1610. En 1979, les deux sondes Voyager nous en ont appris plus sur elles.

EN VEDETTE

Le 7 janvier 1610, le scientifique italien Galilée remarqua dans sa lunette astronomique trois petites « étoiles » brillantes, alignées non loin de Jupiter. Après plusieurs semaines d'observation, il conclut qu'il y avait en réalité quatre gros satellites en orbite autour de la planète, qu'on appelle aujourd'hui lunes galiléennes.

Io parsemée de mozzarella

Io, de taille similaire au satellite de la Terre, ressemble à une pizza géante. Elle le doit à une couverture de soufre, habituellement jaune mais qui vire au rouge puis au noir quand le soufre se réchauffe. La température de certaines taches peut atteindre 1 500 °C. Io est l'objet du Système solaire où l'activité volcanique est le plus intense. Souvent, plus d'une dizaine de volcans expulsent dans l'espace des nuages de gaz et de composés de soufre.

Du dioxyde de soufre émanant d'un volcan forme un dépôt « neigeux » en anneau.

Les zones noires disséminées à la surface sont des volcans actifs.

Panache de gaz s'élevant du volcan Pélé

Le panache de Pélé

Pélé est l'un des plus grands volcans de Io. Lors du passage de Voyager 1, un panache de gaz et de poussières s'élevait à 300 km au-dessus de la surface, couvrant une superficie équivalente à l'Alaska. Ce panache peut monter très haut avant de retomber à la surface de la lune, car la gravité de Io est très faible. Le volcan est entouré d'un manteau de matériau éjecté au cours de ses éruptions.

Les cratères de Callisto

Callisto est la plus éloignée des lunes galiléennes. Sa surface, vieille de plusieurs milliards d'années, est l'une des plus cratérisées du Système solaire. À peine plus petite que Mercure, Callisto mêle glace et roches et possède un champ magnétique très faible. Elle semble aussi dissimuler un océan salé sous sa surface. Pourtant, elle ne connaît pas d'échauffement dû aux forces de marées. Io, Europe et Ganymède connaissent en revanche cet échauffement interne provoqué par l'attraction de Jupiter et des autres lunes galiléennes.

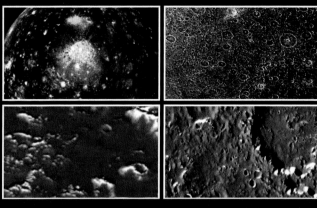

▲ GROS PLAN *Les taches brillantes sur Callisto, la deuxième plus grosse lune de Jupiter, se révèlent être des cratères.*

COUP D'ŒIL SUR EUROPE

De taille similaire à Io, Europe présente une surface lisse recouverte de glace. L'absence de vallées profondes ou de montagnes ainsi que la rareté des cratères d'impact indiquent que cette surface est très jeune. La glace est sans cesse renouvelée par en dessous. En fait, certaines régions évoquent la banquise morcelée flottant sur l'Arctique terrestre. Europe dissimulerait un océan d'eau liquide, à moins de 10 à 20 km de sa surface sans air, un phénomène rendu possible par l'échauffement dû aux forces de marée.

◄ 👁 APPRENEZ-EN PLUS *sur l'intérieur d'Europe p. 163.*

▲ SURFACE GLACÉE *Les zones bleues et blanches sont recouvertes de particules de glace. Celles-ci auraient été dispersées lors de l'impact à l'origine d'un vaste cratère, à quelque 1 000 km au sud de cette région d'Europe.*

Ganymède la géante

Avec un diamètre de 5 260 km, Ganymède est le plus grand satellite naturel du Système solaire. Plus grosse que Mercure, cette lune a pourtant une masse moitié moindre, car elle est constituée d'un mélange de roches et de glace. Elle serait formée de trois couches : un petit noyau riche en fer, un manteau rocheux et une enveloppe glacée. Deux types de paysage s'observent en surface : des régions très anciennes, sombres et très cratérisées et des régions plus claires, plus jeunes, marquées de sillons, d'arêtes et de cratères. Ganymède possède un champ magnétique faible et pourrait cacher un océan salé à 200 km de profondeur.

Saviez-vous
que l'on peut voir Jupiter depuis la Terre ? Quand cette planète se rapproche de la nôtre, elle brille très fort et demeure visible la plus grande partie de la nuit. Parmi les planètes, seule Vénus surpasse Jupiter en éclat. On peut aussi observer les quatre lunes galiléennes avec une lunette, une bonne paire de jumelles ou parfois simplement à l'œil nu.

Les régions sombres de Ganymède, anciennes, sont creusées de nombreux cratères.

Les régions plus claires sont plus jeunes et parcourues de très nombreux sillons.

Arbela Sulcus, une région claire, s'étend sur 24 km au milieu de régions sombres.

Voyager 1 & 2

Le 20 août 1977, Voyager 2 décollait du cap Canaveral, en Floride, aux États-Unis. Voyager 1 suivit, le 5 septembre. Ce sont là deux des quatre sondes qui sont sur le point de sortir du Système solaire. Nous avons perdu le contact avec les deux autres, Pioneer 10 et 11, mais nous recevons toujours régulièrement des données des sondes Voyager, bien qu'elles aient presque atteint l'espace interstellaire.

Terre

Soleil

Jupiter

Saturne

Uranus

Voyage audacieux

Voyager 1 est l'objet humain parvenu le plus loin dans l'espace. En décembre 2009, il se trouvait à 112 unités astronomiques du Soleil : 1 UA égale 150 millions de km. Un signal émis par Voyager 1 atteint la Terre en 15 heures et 37 minutes.

▶ VOYAGER 1
a été lancée par une fusée Titan III-Centaur.

CABOTAGE SPATIAL

À la date de lancement, Jupiter, Saturne, Uranus et Neptune se trouvaient dans un alignement qui ne survient que tous les 175 ans. Les sondes ont pu utiliser la puissante gravité de ces planètes pour accélérer et changer de direction, de façon à atteindre la planète suivante. Voyager 1 atteignit Jupiter en mars 1979, Voyager 2 en juillet. Saturne dévia Voyager 1, mais Voyager 2 put poursuivre jusqu'à Uranus et Neptune.

Suite à sa rencontre avec Saturne, la trajectoire de vol de Voyager 1 fut déviée vers l'espace interstellaire. La sonde ne put poursuivre vers les planètes distantes.

Alimentées – mais tout juste !

Chaque Voyager est équipée de dix instruments d'étude, alimentés par des générateurs électriques nucléaires. Mais la production électrique a diminué : elle permettrait aujourd'hui d'allumer deux ampoules de 150 watts. La puissance des ordinateurs est aussi dérisoire au regard des normes actuelles : chaque sonde en transporte trois, d'une mémoire de 8 000 mots chacun.

IRIS (interféromètre, spectromètre et radiomètre infrarouge) mesure le rayonnement infrarouge et la température.

Un spectromètre UV détecte la lumière ultraviolette.

Un détecteur de plasma étudie les gaz très chauds.

Les équipements électroniques sont stockés ici.

Un détecteur de rayons cosmiques capte les particules de haute énergie.

Antenne émettant des signaux vers la Terre

Un magnétomètre à champ élevé mesure les effets du vent solaire.

Ces deux antennes captent les signaux radio émanant des planètes.

Source d'alimentation de Voyager

Le magnétomètre mesure les variations du champ magnétique solaire.

Neptune

Voyage vers les étoiles

Les sondes Voyager sont en train de quitter le Système solaire et progressent dans la galaxie de la Voie lactée, dans des directions différentes. Dans environ 40 000 ans, chacune devrait se trouver au voisinage d'autres étoiles, à environ 2 années-lumière du Soleil. À ce jour, les Voyager ont atteint l'héliogaine, la bordure externe du Système solaire, où le vent solaire entre en collision avec l'espace interstellaire. Les deux sondes disposent d'assez d'énergie électrique et de propergol pour fonctionner jusqu'aux alentours de 2025.

L'HÉLIOGAINE est la bordure externe de l'héliosphère (région en forme de bulle contenant le Système solaire, sous l'influence du vent et du champ magnétique solaires). Voyager 1 est entrée dans l'héliosphère à environ 14 milliards de km du Soleil.

LE FRONT DE CHOC est causé par le déplacement de l'héliosphère dans l'espace interstellaire, comparable aux ondes dans l'eau près d'un rocher.

Voyager 1

Cassini

Voyager 2

LE CHOC TERMINAL est le point où le vent solaire, mince flux de gaz chargé électriquement éjecté par le Soleil, est brusquement arrêté par le vent interstellaire.

L'HÉLIOPAUSE est la frontière de l'héliosphère. Elle marque l'endroit où le vent solaire et le vent interstellaire se contrebalancent. Quand Voyager aura franchi cette frontière, elle se trouvera dans l'espace interstellaire.

INSTANTANÉ

Sur cette image prise à 6 milliards de km de la Terre, notre planète apparaît comme un minuscule point éclairé par un faisceau lumineux. Ce cliché, dû à Voyager 1, est une partie du premier « portrait » du Système solaire, révélant six planètes (Mercure et Mars n'étaient pas visibles).

Messagères de l'humanité

Les sondes Voyager transportent un message visant à indiquer leur provenance à toute forme de vie qu'elles pourraient rencontrer. Ce message est gravé sur un disque en cuivre plaqué d'or de 30 cm. La pochette du disque situe la Terre et donne les instructions pour la lecture du disque. L'enregistrement comporte des images et des sons témoignant de la diversité de la vie sur Terre, dont des sons de la nature, des musiques de différentes époques et cultures et des salutations en 55 langues.

Saturne

Deuxième planète par sa taille, sixième par son éloignement du Soleil, Saturne est la planète la plus lointaine observable sans télescope. Elle est visible environ dix mois de l'année. Il faut en revanche un télescope pour voir son stupéfiant système d'anneaux.

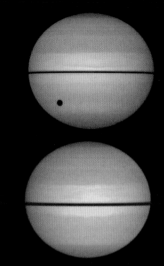

▲ CYCLES ANNULAIRES *Les orbites de la Terre et de Saturne ne se situant pas sur le même plan, la Terre se trouve tantôt au-dessus des anneaux tantôt au-dessous d'eux : nous en voyons alternativement la face Nord ou la face Sud.*

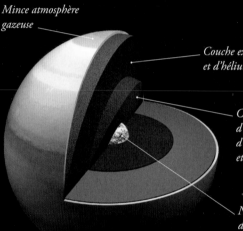

Mince atmosphère gazeuse

Couche externe d'hydrogène et d'hélium liquides

Couche interne d'hydrogène et d'hélium liquides et métalliques

Noyau de roches et de glace

▶ VOLUMINEUSE MAIS LÉGÈRE
Saturne pourrait contenir 763 Terres mais sa masse n'est que 95 fois plus élevée. Surtout formée d'hydrogène et d'hélium, c'est la seule planète qui pourrait flotter sur l'eau… s'il existait un océan assez vaste !

MAIS ENCORE ?

Galilée fut le premier à voir les anneaux de Saturne, en 1610. Mais à travers sa lunette rudimentaire, il vit comme des oreilles !

ANNEAUX EN SÉRIE

Les anneaux de Saturne sont si spectaculaires qu'on en oublie souvent que Jupiter, Uranus et Neptune en possèdent également. Saturne compte trois anneaux principaux, si grands et brillants qu'on peut les observer avec un petit télescope. Ils sont dénommés C, B et A, du plus proche de la planète au plus distant. Au-delà se trouvent les anneaux F, G et E, très faibles.

▲ ROCHES DE SATURNE
Les anneaux se composent de poussières, de roches et de blocs de glace. Ils couvrent une distance de 280 000 km mais contiennent relativement peu de matière.

▲ L'ANNEAU C contient un mince anneau D. Il n'y a pas d'espace entre ces deux anneaux.

▲ L'ANNEAU B *est le plus brillant et le plus large des anneaux principaux : il s'étend sur 25 500 km. Son épaisseur varie de 5 à 15 m.*

▲ L'ANNEAU A *fut le premier découvert. Les anneaux ont été nommés dans l'ordre de leur découverte.*

◀ DISCONTINUITÉS *L'attraction exercée par les lunes de Saturne a nettoyé certaines régions et laissé des espaces entre les anneaux. Le plus large, entre A et B, est appelé division de Cassini.*

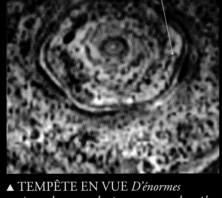

▲ TEMPÊTE EN VUE *D'énormes systèmes de type cyclonique couvrent les pôles de Saturne. Des petites tempêtes (les taches noires) tournent dans ces «tourbillons» géants dans l'atmosphère de Saturne.*

▲ UN DRAGON TEMPÉTUEUX *Dans l'hémisphère Sud de Saturne flotte une bande de nuages baptisée «allée des tempêtes». Parmi les tempêtes qui y font rage, se distingue celle du Dragon, électrique et brillante.*

tempêtes géantes. Des vents violents les poussent autour de l'équateur, où ils soufflent jusqu'à 1 800 km/h, soit six fois plus vite que les vents les plus puissants sur Terre. D'énormes tempêtes font aussi rage aux pôles : elles se caractérisent par un «œil», comme les cyclones. Vénus et Jupiter connaissent de semblables tempêtes polaires.

LES AURORES POLAIRES

Le puissant champ magnétique de Saturne forme un bouclier invisible autour de la planète. Il la protège contre la plupart des particules chargées électriquement que charrie le vent solaire. Une partie de ces particules s'écoule toutefois le long des lignes de champ magnétique jusqu'aux pôles magnétiques de Saturne. Elles engendrent des anneaux lumineux dans la haute atmosphère : des aurores.

▶ AURORE AUSTRALE *Cette aurore s'est formée au-dessus du pôle Sud en janvier 2005.*

FICHE D'IDENTITÉ

- **Distance moyenne au Soleil** 1 400 millions de km
- **Température au sommet des nuages** – 180 °C
- **Diamètre** 120 540 km
- **Durée du jour** 10,6 heures
- **Durée de l'année** 29,4 années terrestres
- **Nombre de lunes** 62
- **Gravité au sommet des nuages (Terre = 1)** 1,07
- **Taille comparée**

Lunes de Saturne

Saturne posséderait 62 satellites. De grandes lunes rondes et des petites lunes irrégulières orbitent à bonne distance des anneaux. Les lunes extérieures, minuscules, pourraient être des comètes capturées par la puissante gravité de Saturne. D'autres petites lunes se trouvent à l'intérieur des anneaux ou très près de ceux-ci. S'y ajoutent six lunes « de taille moyenne », orbitant assez près de Saturne.

◉ EN VEDETTE

L'astronome hollandais Christiaan Huygens découvrit la première lune de Saturne, Titan, en 1655. La sonde envoyée vers Saturne par l'Agence spatiale européenne porte son nom.

MAIS ENCORE ?

Les lunes de Saturne sont si froides que leur surface est glacée et dure comme la roche. Toutes portent des cratères d'impact creusés par des comètes.

▲ **LUNES NOMBREUSES** *Les lunes situées à l'intérieur des anneaux principaux de Saturne ou proches d'eux sont : Pan, Atlas, Prométhée, Pandore, Janus et Épiméthée. Mimas, Encelade, Téthys, Dioné et Rhéa sont éloignées des anneaux principaux mais se trouvent à l'intérieur ou à proximité du mince anneau E.*

▶ PHŒBÉ *Comme la plupart des lunes de Saturne, Phœbé, une lune extérieure, suit une orbite elliptique (ovale). Elle a engendré son propre anneau de glace et de poussières, situé à une distance de 6 à 12 millions de km de Saturne.*

▲ **HYPÉRION** *Alors que la plupart des lunes tournent toujours la même face vers Saturne, Hypérion bascule sur son axe de rotation au cours de son orbite, du fait peut-être d'une ou plusieurs collisions avec des comètes.*

◀ JAPET *En 22ᵉ position à partir de Saturne, Japet est la plus distante des lunes principales. Sa face avant est couverte de poussières arrachées à Phœbé par les impacts de comète. Japet est l'une des rares lunes à se déplacer dans la même direction que Saturne.*

▲ TITAN *Deuxième plus grande lune du Système solaire (après Ganymède, lune de Jupiter), Titan est plus grande que la planète Mercure. Elle orbite à 1,2 million de km de Saturne.*

FORMIDABLE TITAN

La plus grande lune de Saturne est la seule à posséder une atmosphère. Celle-ci est dense et riche en azote comme la nôtre, mais bien trop froide pour permettre la vie. L'observation radar et infrarouge a révélé que la surface de Titan, cachée sous un épais brouillard orange, est couverte de glace. On y a aussi repéré des montagnes, d'énormes dunes ainsi que des fleuves et des lacs de méthane liquide.

▲ CASSINI-HUYGENS
La sonde Huygens a été conçue pour explorer l'atmosphère et la surface de Titan. L'orbiteur Cassini étudie Saturne et ses lunes principales depuis plusieurs années.

▶ LA SURFACE *de Titan est sillonnée de canaux, probablement creusés par des flots de méthane. Sur Terre, le méthane se trouve à l'état gazeux, mais Titan est si froide (−179 °C) que cet élément y est liquide et tombe en pluie des nuages.*

▲ COULEURS VIVES
Cette image en fausses couleurs a été prise par Cassini. La zone très brillante, baptisée Tui Reggio, correspondrait à de la glace d'eau ou de dioxyde de carbone provenant d'un volcan.

◀ PÔLES OPPOSÉS
Prise deux mois plus tard, en décembre 2005, cette vue montre l'hémisphère opposé de Titan (c'est le « verso » de l'image précédente). On y voit clairement les pôles Nord et Sud.

COUP D'ŒIL SUR ENCÉLADE

Les chercheurs s'attendaient à ce qu'Encélade, large de seulement 500 km, soit une lune froide et morte. Pourtant, la sonde Cassini y a découvert, près du pôle Sud, de puissants geysers. La chaleur engendrée par les forces de marée internes vaporise la glace : cette vapeur d'eau s'échappe par des fissures, ou lignes de faille, dans l'enveloppe glacée d'Encélade, et jaillit dans l'espace.

Les particules de glace fusant des geysers alimentent l'anneau E de Saturne.

L'eau est plus chaude à proximité de la surface.

▲ FAILLES *Les panaches de gaz et de particules de glace jaillissent par de grandes lignes de faille qui strient la surface de « rayures de tigre ».*

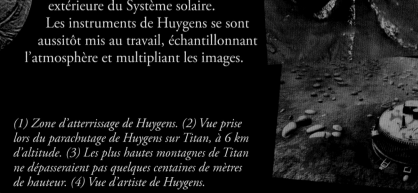

Atterrissage sur Titan

Après un voyage de 4 milliards de km et de près de sept ans, l'orbiteur américain Cassini a libéré la sonde européenne Huygens, le 25 décembre 2004. Elle a atterri sur Titan le 14 janvier 2005 : à ce jour, aucune autre sonde ne s'est posée sur un objet de la région extérieure du Système solaire. Les instruments de Huygens se sont aussitôt mis au travail, échantillonnant l'atmosphère et multipliant les images.

(1) Zone d'atterrissage de Huygens. (2) Vue prise lors du parachutage de Huygens sur Titan, à 6 km d'altitude. (3) Les plus hautes montagnes de Titan ne dépasseraient pas quelques centaines de mètres de hauteur. (4) Vue d'artiste de Huygens.

SATURNE DANS LE SOLEIL

Cette incroyable vue de Saturne en alignement
avec le Soleil est composée de 165 images
prises par l'orbiteur Cassini. Éclairée par
derrière, la planète se trouve dans l'ombre,
mais la lumière du Soleil révèle des anneaux
jusqu'alors jamais observés.

Terre

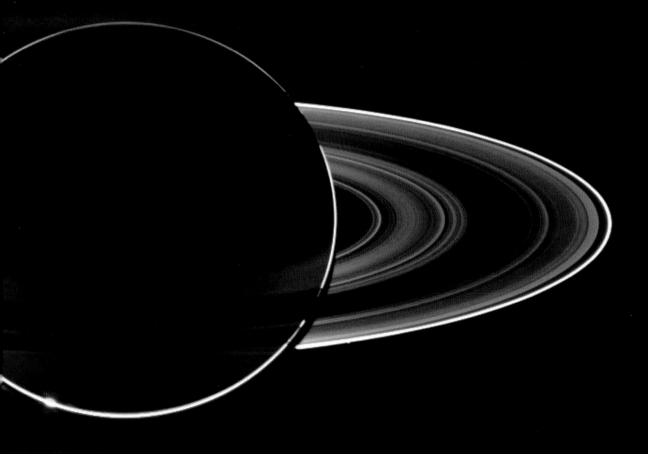

Uranus

Uranus est la troisième plus grande planète et la septième à partir du Soleil. À une telle distance, elle ne reçoit que peu de chaleur et de lumière de cette étoile, aussi le sommet de ses nuages est-il extrêmement froid. La planète parcourt son orbite autour du Soleil en 84 années terrestres.

DE GAZ ET DE GLACE

Uranus pourrait contenir 63 Terres, mais, parce qu'elle est surtout formée de gaz, sa masse n'est que 14 fois plus élevée. De même que Neptune, Uranus est dite « géante gazeuse » car ses profondeurs seraient en grande partie constituées de glace d'eau, de méthane et d'ammoniac.

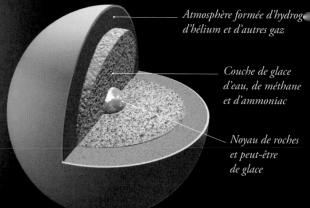

Atmosphère formée d'hydrog d'hélium et d'autres gaz

Couche de glace d'eau, de méthane et d'ammoniac

Noyau de roches et peut-être de glace

📷 EN VEDETTE

William Herschel découvrit Uranus en 1781. Il observa dans le télescope de sa conception une étoile verdâtre dans la constellation des Gémeaux, absente de ses cartes. Herschel crut à une comète. Un an plus tard, il fut confirmé qu'il s'agissait d'une nouvelle planète.

🔍 LES ANNEAUX NOIRS

Uranus est entourée de 13 anneaux minces et très noirs. Ils sont extrêmement étroits – moins de 10 km de largeur – et principalement constitués de poussières et de rochers d'une largeur maximale de 1 m. Ces anneaux sont trop faibles pour être visibles de la Terre et n'ont été découverts qu'en 1977. Uranus passa alors devant une étoile dont la lumière fut obscurcie tandis qu'elle traversait les anneaux.

Nuages sur Uranus

Les plus grands télescopes terrestres ne révèlent de Saturne, pour la plupart, qu'un disque presque sans relief. Lorsque Voyager 2 passa au large de la planète, en 1986, elle envoya des images d'une boule bleu pâle, à peine soulignée de quelques nuages ou tempêtes. Le télescope spatial Hubble a révélé depuis que de gros nuages parcouraient Uranus deux fois plus rapidement que les vents cycloniques sur la Terre.

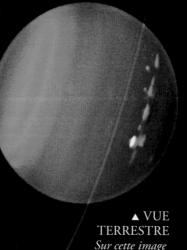

▲ VUE TERRESTRE *Sur cette image en fausses couleurs, prise par le télescope Keck, les anneaux apparaissent en rouge, les tempêtes en blanc*

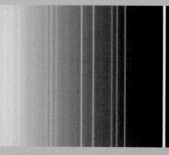

▲ EPSILON *L'anneau le plus extérieur est une ligne blanche sur cette image en fausses couleurs.*

Les lunes d'Uranus

Nombre des 27 lunes connues d'Uranus portent les noms de personnages des pièces de théâtre de William Shakespeare. La plupart de ces satellites sont des objets de moins de 200 km de large, dont l'orbite est proche des anneaux d'Uranus. Parmi eux, Cordélia et Ophélie, «lunes bergères», maintiennent en place les particules du fin anneau Epsilon.

FICHE D'IDENTITÉ

- **Distance moyenne au Soleil** 2 870 millions de km
- **Température au sommet des nuages** – 216 °C
- **Diamètre** 51 120 km
- **Durée du jour** 17,25 heures
- **Durée de l'année** 84 années terrestres
- **Nombre de lunes** 27
- **Gravité au sommet des nuages (Terre = 1)** 0,89
- **Taille comparée**

Obéron

Titania

Umbriel

Uranus

Miranda

Ariel

Lunes majeures

Les cinq lunes majeures d'Uranus sont froides et glacées. Miranda est la plus petite ; Ariel, la plus brillante, fut découverte en 1851 en même temps qu'Umbriel, très cratérisée. Titania et Obéron, les deux plus grandes, paraissent avoir connu un échauffement interne dans le passé.

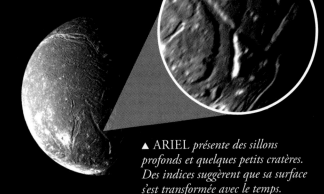

Miranda

Les canyons profonds et les strates en terrasse de Miranda, contrastant avec des couches plus lisses et meubles, indiquent une histoire turbulente. Pour certains, Miranda aurait subi une collision catastrophique puis se serait réassemblée de manière chaotique. Selon une autre hypothèse, elle aurait entamé jadis une différenciation, les matériaux plus lourds plongeant vers le centre, les plus légers remontant en surface. Mais ce processus se serait interrompu.

▲ OBÉRON *fut découverte la première, par William Herschel, en 1787.*

▲ ARIEL *présente des sillons profonds et quelques petits cratères. Des indices suggèrent que sa surface s'est transformée avec le temps.*

▲ PASSÉ TROUBLÉ ? *Certains canyons de Miranda sont 12 fois plus profonds que le Grand Canyon terrestre.*

Une planète renversée

Uranus se distingue par son inclinaison sur le côté, telle que l'équateur forme un angle quasi droit avec son orbite, tandis que les pôles pointent tour à tour vers le Soleil. Chaque pôle est constamment éclairé pendant un été de 21 années puis est plongé dans l'obscurité permanente durant 21 ans d'hiver. Uranus aurait été renversée dans sa prime jeunesse, lors d'une collision spectaculaire avec un corps gros comme une planète.

▶ ORBITE ÉRIGÉE *Cette vue due à Hubble montre que les lunes, épousant l'inclinaison d'Uranus, suivent une orbite allongée vers le haut et le bas.*

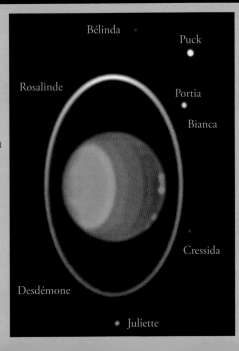

Bélinda

Puck

Rosalinde

Portia

Bianca

Cressida

Desdémone

Juliette

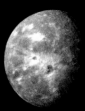

Neptune

Huitième planète à partir du Soleil, Neptune est une géante gazeuse et glacée. C'est un monde extrêmement froid et sombre : 30 fois plus éloignée du Soleil que la Terre, Neptune reçoit 900 fois moins de lumière et de chaleur que notre planète.

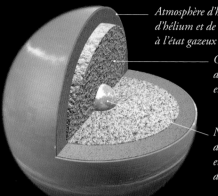

▼ GAZEUSE *Bien qu'elle mesure 54 fois la taille de la Terre, Neptune est surtout formée de gaz, d'eau et de glace, ce qui la rend assez légère.*

Atmosphère d'hydrogène, d'hélium et de méthane à l'état gazeux

Glace d'eau, de méthane et d'ammoniac

Noyau solide de roches et peut-être de glace

UNE PLANÈTE BLEUE

Comme Uranus, Neptune apparaît bleue, non parce qu'elle est couverte d'océans, mais parce que son atmosphère contient du méthane. Ce gaz absorbe les longueurs d'onde rouges de la lumière solaire. Or, lorsqu'on retire le rouge de la lumière visible, cela donne une lumière bleue.

Atmosphère active

La chaleur montant des profondeurs de Neptune produit une atmosphère très active : elle alimente des tempêtes très étendues et donne naissance aux vents les plus rapides du Système solaire. On a vu des formations nuageuses balayer Neptune à environ 2 000 km/h : dix fois la vitesse des vents cycloniques sur Terre. Ces vents neptuniens sont parfois révélés par de longues bandes de nuages d'altitude.

◄ OMBRES *Des nuages de glace de méthane projettent leur ombre sur le plafond nuageux principal, bleu, plus bas de 50 km. Les traînées nuageuses sont larges de 50 à 250 km mais s'étirent sur des milliers de kilomètres.*

LA GRANDE TACHE SOMBRE

Les énormes tempêtes et les grandes formations nuageuses se déplacent très vite dans le sens inverse de la rotation de la planète. Scooter, une formation nuageuse blanche, a ainsi parcouru Neptune en 16,8 jours. La plus grande formation observée à ce jour est la Grande Tache sombre, de la taille de la Terre. Cette tempête s'est évanouie après quelques années.

MAIS ENCORE ?

Nous devons presque tout ce que nous savons sur Neptune à la sonde Voyager 2, qui est passée au large de cette planète en 1989. Neptune fut la quatrième et dernière planète visitée par Voyager 2, sur son trajet vers l'extérieur du Système solaire et l'espace interstellaire.

■ **Neptune possède 13 lunes connues.** La plus grande est Triton, plus petite que le satellite naturel de la Terre mais plus grande que la planète naine Pluton. Elle tourne autour de Neptune dans le sens inverse de la plupart des autres lunes, et se rapproche peu à peu de la planète. Avec une température de surface de –235 °C, Triton est l'un des mondes les plus froids que nous connaissions. Elle est recouverte d'azote gelé. Pourtant, l'intérieur de cette lune semble chaud.

◀ PETITE MAIS RAPIDE *Protée est la plus grande des six lunes intérieures. Elle fait le tour de Neptune en 27 heures.*

◀ TRITON *Des traînées de poussière noire sont visibles sur Triton. Cette poussière est soulevée aux pôles par des « geysers » de glace et projetée dans la mince atmosphère avant de se redéposer.*

■ **Excepté Triton, les lunes de Neptune sont de petite taille :** Néréide est large de 340 km ; les autres ne dépassent pas 200 km de diamètre. Six lunes tournent près de Neptune, dans un rayon de 120 000 km. Cinq orbitent à plus de 15 millions de km de distance : ce sont probablement des comètes captives.

Anneaux de Neptune

Neptune est ceinturée par six anneaux sombres et étroits, abritant quatre lunes. Galatée et Despina jouent les « bergères », regroupant les particules des anneaux et maintenant en forme deux d'entre eux. Galatée est sans doute aussi responsable de l'encombrement de l'anneau Adams. Les arcs qui le composent indiquent que par endroits, il est plus épais que les autres.

Excentricité

Neptune est certes la huitième planète, mais son orbite est si fortement elliptique que pendant une vingtaine d'années au cours de son voyage de 164 ans autour du Soleil, elle s'en trouve en fait plus éloignée que Pluton. Ce fut le cas de 1979 à 1999.

L'Allemand Johann Galle

 EN VEDETTE

Les astronomes se mirent en quête de Neptune après avoir remarqué qu'un corps semblait exercer une attraction sur Uranus, de sorte que celle-ci se déplaçait parfois plus vite que prévu, parfois moins. Neptune fut découverte par Johann Galle en 1848, à partir des calculs de John Couch Adams et Urbain Le Verrier.

◀ ANNEAUX *Quatre anneaux sont visibles sur ces photos de Voyager 2. Les plus brillants sont Adams (à l'extérieur) et Le Verrier.*

FICHE D'IDENTITÉ

■ **Distance moyenne au Soleil** 4 500 millions de km
■ **Température au sommet des nuages** – 220 °C
■ **Diamètre** 49 500 km
■ **Durée du jour** 16 heures
■ **Durée de l'année** 165 années terrestres

■ **Nombre de lunes** 13
■ **Gravité au sommet des nuages (Terre = 1)** 1,13
■ **Taille comparée**

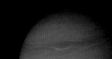

Pluton et *au-delà*

Longtemps considérée comme la plus distante des planètes, Pluton a été reclassée comme planète naine en 2006 du fait de sa petite taille et de sa faible gravité. Nous ne savons d'elle que ce que les observatoires installés sur Terre ou dans l'espace proche ont pu détecter.

▲ NOUVELLE VUE *Cette image composée de clichés pris par le télescope spatial Hubble est la plus claire que nous ayons de Pluton.*

▼ LUNE PRINCIPALE *Charon orbite à 18 400 km de Pluton. C'est la plus grande de ses trois lunes et aussi la plus grande lune du Système solaire relativement à la taille de sa planète.*

Pluton

Charon

▶ LONG VOYAGE *L'orbite excentrique de Pluton traverse la ceinture de Kuiper et l'orbite de Neptune. Pluton est parfois plus proche du Soleil que Neptune.*

UNE ORBITE EXCENTRIQUE

Au lieu de suivre une trajectoire presque circulaire, Pluton décrit un cercle très étiré, dit excentrique. Cette trajectoire amène parfois la planète naine plus près du Soleil que Neptune. Au point le plus rapproché de son orbite, Pluton est 30 fois plus éloignée du Soleil que la Terre ; au point le plus distant, elle en est 50 fois plus éloignée. Depuis sa découverte, en 1930, Pluton n'a parcouru qu'un tiers environ de son orbite autour du Soleil.

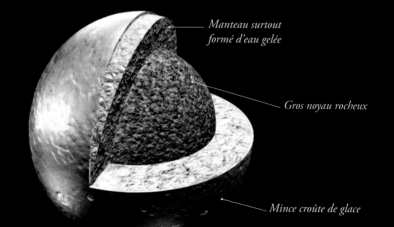

Manteau surtout formé d'eau gelée

Gros noyau rocheux

Mince croûte de glace

Un monde gelé

La température de surface de Pluton avoisine − 230 °C même en été! Le gaz le plus abondant dans la mince atmosphère plutonienne est l'azote. Lorsque la planète naine s'éloigne du Soleil, pour un hiver de 200 années, la plus grande partie de son atmosphère gèle et des cristaux de méthane et d'azote se déposent en surface.

Pluton est aujourd'hui reconnue comme le plus gros des millions d'objets qui tournent autour du Soleil dans la ceinture de Kuiper, une région située au-delà de Neptune.
Ces objets sont des débris glacés, vestiges de la formation des planètes. Certains deviendraient en se rapprochant du Soleil, des comètes à période courte, suivant des trajectoires régulières à l'intérieur du Système solaire.

FICHE D'IDENTITÉ

- **Distance moyenne au Soleil** 5 900 millions de km
- **Température au sommet des nuages** – 230 °C
- **Diamètre** 2 304 km
- **Durée du jour** 6,4 jours
- **Durée de l'année** 248 années terrestres
- **Nombre de lunes** 3
- **Gravité au sommet des nuages (Terre = 1)** 0,06
- **Taille comparée**

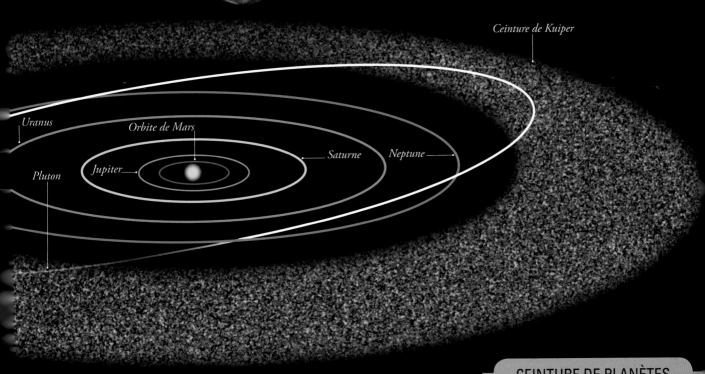

Ceinture de Kuiper

Uranus

Orbite de Mars

Saturne *Neptune*

Jupiter

Pluton

Les lunes de Pluton
Les deux minuscules lunes de Pluton, Nix et Hydra, n'ont été découvertes qu'en 2005. Ce seraient des vestiges rocheux de la formation du Système solaire, capturés par Pluton. Charon, la plus grande lune, est plus probablement un fragment arraché à Pluton par une collision, à l'époque de sa formation.

Pluton

Nix

Hydra

Charon

CEINTURE DE PLANÈTES

Trois autres des cinq planètes naines connues se trouvent dans la ceinture de Kuiper. Éris, un peu plus grosse que Pluton, a été découverte en 2005. Elle est sans doute formée de glace et de roches. On lui connaît une lune et elle suit une orbite très elliptique, d'une période de 560 ans. Makemake est légèrement plus petite et plus sombre que Pluton, et rougeâtre. Haumea, en forme de dirigeable, effectue une rotation sur elle-même en seulement 4 heures.

Pénombre diurne
Pour visiter Pluton, mieux vaut prévoir des lampes de poche : même en plein jour, la luminosité y est 900 à 2 500 fois plus faible que sur la Terre.

Les comètes

De temps à autre, un objet pourvu d'une queue vaporeuse surgit dans le ciel nocturne. C'est une comète, un bloc de poussières et de glace de quelques kilomètres, qui se précipite vers le Soleil. Plusieurs milliards de comètes orbitent très loin au-delà de Pluton.

Course folle
Il arrive qu'une comète soit expulsée de son orbite et pénètre dans la région intérieure du Système solaire. Si un tel objet heurtait la Terre, il sèmerait la dévastation. Mais le risque d'une telle collision est très faible !

BOULES DE NEIGE SALES

Le noyau d'une comète est formé d'eau glacée mêlée de poussières, qui lui donnent un aspect sale. Quand la comète se réchauffe, la vapeur d'eau et les poussières dégagées par le noyau forment un nuage, ou coma. De longues queues – bleues (gaz) ou blanches (poussières) – s'étirent à partir de la coma sur des millions de kilomètres. Elles sont toujours orientées à l'opposé du Soleil.

Noyau de glace et de poussières de roches silicatées

Croûte noire de carbone

Face brillante tournée vers le Soleil

Queue de poussière recourbée

Périhélie

Queue de gaz

Soleil

Les queues sont plus longues près du Soleil

La queue grandit à mesure que la comète se rapproche du Soleil.

Aphélie (point le plus éloigné du Soleil)

Noyau nu

Jets de gaz et de poussières

CYCLES DE VIE

Une comète demeure glacée la plus grande partie de sa vie, jusqu'à ce qu'elle se rapproche du Soleil : elle se réchauffe et devient active. La coma est plus grosse au périhélie (le point le plus proche du Soleil). Chaque fois qu'une comète passe à proximité du Soleil, elle rapetisse. Si une comète demeurait sur la même orbite des milliers d'années, elle finirait par s'évaporer complètement.

La comète de Hale-Bopp
Si de nombreuses comètes sont découvertes chaque année, rares sont celles que l'on peut observer sans un puissant télescope. Il arrive néanmoins qu'une comète très brillante surgisse dans nos cieux, comme la spectaculaire comète de Hale-Bopp, en 1997, nommée en hommage à ses découvreurs, Alan Hale et Tom Bopp.

La comète de Halley

La plus célèbre comète porte le nom d'Edmond Halley, qui comprit le premier que les comètes observées en 1531, 1607 et 1682 étaient un seul objet. L'astronome britannique calcula que cette comète réapparaissait tous les 76 ans après être passée au-delà de l'orbite de Neptune. Il prédit ainsi son retour en 1758-1759, mais ne put assister à la réalisation de sa prédiction. Comme beaucoup de comètes, celle-ci orbite à contresens des planètes.

▶ PRÉSAGE
La comète de Halley, ici sur la tapisserie de Bayeux, apparut en 1066 à la veille de la conquête de l'Angleterre par les Normands.

Queues en éventail

Certaines comètes déploient de magnifiques queues en éventail. La comète Mc Naught, qui fut la plus brillante pendant plus de quarante ans, en a offert le spectacle dans le ciel de l'hémisphère Sud début 2007. Des sursauts de poussières ont engendré cette large queue en éventail, visible même en plein jour. On a cru à un feu de brousse, à une explosion ; certains ont évoqué un nuage mystérieux.

DÉSINTÉGRATION AISÉE

Le noyau d'une comète n'est pas très solide et il se brise parfois en nombreux fragments. La comète Shoemaker-Levy 9 fut ainsi réduite en 21 morceaux sous l'effet de la gravité de Jupiter, en 1994. Des fragments creusèrent de nouveaux cratères d'impact sur la planète. En 1995, la comète Schwassmann-Wachmann 3 se cassa en cinq gros morceaux en orbitant près du Soleil. Elle continue de se fragmenter et semble vouée à se désintégrer bientôt entièrement.

Jupiter porte des cicatrices laissées par les fragments de comète.

▶ SHOEMAKER-LEVY *se brise en de multiples fragments.*

Le nuage de Oort

Le nuage de Oort, qui porte le nom d'un astronome néerlandais, contiendrait des milliards de comètes. Ce vaste nuage en boule se situe très au-delà de Pluton, à plus d'une année-lumière du Soleil. Les comètes y passent l'essentiel de leur vie. Occasionnellement, l'une d'elles est perturbée par le passage d'une étoile et entame son voyage vers le Soleil. Son existence ne nous est révélée que lorsqu'elle commence à s'évaporer. La comète Hyakutake, l'une des plus brillantes de la fin du xxᵉ siècle, provenait du nuage de Oort. Elle ne reviendra pas dans le ciel terrestre avant 14 000 années.

Professeur Jan H. Oort

▶ EXPULSÉE
Une étoile, passant près du nuage de Oort, dévie une comète sur une nouvelle orbite.

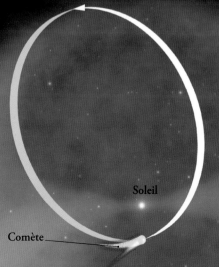

Soleil

Comète

De plus près

Depuis 1986, nous en avons appris davantage sur les comètes en envoyant des sondes y voir de plus près. Des sondes ont non seulement survolé des comètes, mais elles ont également collecté des échantillons de poussières cométaires. L'une s'est même écrasée sur un noyau de comète.

Antenne de secours

Antenne parabolique principale

Giotto

Les premières images rapprochées du noyau d'une comète ont été livrées par la sonde européenne Giotto. En 1986, celle-ci est passée à moins de 600 km du noyau de la comète de Halley. Ses images ont révélé un objet noir, en forme de pomme de terre, dont la face tournée vers le Soleil expulsait des jets de gaz et de poussières dans l'espace. Giotto fut endommagée par une collision avec un gros grain de poussière mais se rétablit pour devenir la première sonde à visiter deux comètes : en 1992, la sonde passa à moins de 200 km de la comète Grigg-Skjellerup.

▲ NOYAU DE HALLEY
La sonde Giotto a livré 2 333 images de la comète de Halley lors de son survol rapproché, le 14 mars 1986.

Maquette de la sonde Giotto

SOHO et les comètes

Conçue pour observer le Soleil, la sonde SOHO peut masquer partiellement l'éclat de l'étoile. Ses images ont révélé de nombreuses comètes passant à proximité du Soleil. Depuis 1996, SOHO a permis de découvrir près de 1 700 comètes.

STARDUST

■ La sonde Stardust de la NASA a été lancée vers la comète Wild 2 en février 1999, avec mission de collecter des échantillons de poussières cométaires. Les particules, piégées dans un aérogel, ont été rapportées sur Terre pour analyse.

■ En janvier 2004, Stardust passait à 236 km de Wild 2. Ses images ont surpris tant cette comète s'est révélée très différente des comètes Borrelly et de Halley. En dépit d'un diamètre de seulement 5 km, le noyau en forme de hamburger a une surface assez solide pour supporter des falaises et des pitons hauts de plus de 100 m. Le trait le plus remarquable est la présence de cratères circulaires qui peuvent atteindre 1,6 km de largeur et 150 m de profondeur.

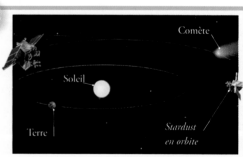

▲ DANS L'ESPACE *Cette vue d'artiste représente Stardust en route vers Wild 2. La sonde se dirige aujourd'hui vers la comète Tempel 1.*

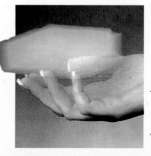

◄ LÉGER COMME L'AIR
Composé à 99,8 % d'air, l'aérogel est la seule substance pouvant capturer des particules cométaires à grande vitesse sans les abîmer.

Cette combinaison d'images prises par Deep Space 1 montre la coma, les jets de poussière et le noyau (en noir) de la comète Borrelly.

Deep Space 1

Lancée en octobre 1998, la sonde Deep Space 1 de la Nasa est passée à 2 200 km de la comète Borrelly en septembre 2001. Elle a envoyé les meilleures images jamais prises d'un noyau cométaire. Celui-ci mesure 8 km de long pour 4 km de large environ. Il s'est révélé être l'objet le plus sombre du Système solaire : il réfléchit moins de 3 % de la lumière solaire qu'il reçoit.

Comète Tempel 1

▲ IMPACT *Le télescope Hubble a capté cette éjection de particules de glace par la comète Tempel 1.*

Si près, si loin

NEAR-Shoemaker (NEAR est l'acronyme anglais de Rendez-vous avec un astéroïde proche de la Terre) a été la première à se mettre en orbite autour d'un astéroïde et à s'y poser. Ayant atterri sur Éros le 12 février 2001, elle a cessé de livrer images et données le 28 février. Elle est restée sur Éros.

NEAR-Shoemaker mesure 2,80 m de hauteur, en incluant son antenne.

Deep Impact

Pour en savoir plus sur la composition des comètes, la NASA a programmé une collision entre la sonde Deep Impact et la comète Tempel 1. Une fois libérée par le vaisseau spatial, la sonde a heurté le noyau de Tempel 1 à 36 000 km/h, explosant sous l'impact qui a provoqué la formation d'un immense nuage de glace et de poussière et creusé un cratère grand comme un stade. Le noyau, présentant des crêtes et des pentes incurvées, s'est révélé être long de 5 km et large de 7 km.

▲ PHILAE *Cette image composée par ordinateur montre la sonde Philae à la surface de la comète Tchourioumov-Guerassimenko*

Rosetta

Rosetta est la mission cométaire la plus ambitieuse jamais lancée. Développé par l'Agence spatiale européenne, elle comprend un orbiteur et un petit atterrisseur baptisé Philae. L'ensemble est programmé pour mener plus de vingt expériences visant à étudier en détail la comète Tchourioumov-Guerassimenko. Lancée le 2 mars 2004, Rosetta devrait atteindre sa cible en 2014. Elle se placera alors en orbite à quelques kilomètres du noyau et l'atterrisseur effectuera une descente contrôlée.

157

Les météores

On peut voir parfois dans le ciel nocturne la traînée éphémère tracée par un météore. Les météores, ou étoiles filantes, surgissent aussi soudainement qu'ils disparaissent en moins d'une seconde. Ce sont des particules de poussière qui se consument en entrant dans l'atmosphère à environ 54 000 km/h.

CALENDRIER

Voici quelques-unes des pluies de météores qui ont lieu chaque année à la même période et les constellations dont elles semblent jaillir.

- **Quadrantides**, début janvier, Bouvier
- **Lyrides**, mi-avril, Lyre
- **Aquarides**, fin juin, Verseau
- **Capricornides**, fin juin, Capricorne
- **Perséides**, mi-août, Persée
- **Orionides**, fin octobre, Orion
- **Léonides**, mi-novembre, Lion
- **Géminides**, mi-décembre, Gémeaux

PLUIE DE MÉTÉORES

Les pluies annuelles de météores se répètent à peu près aux mêmes dates chaque année, quand la Terre traverse une traînée de poussières laissée par le passage d'une comète. Ce phénomène est d'autant plus impressionnant que la comète est entrée récemment dans la région intérieure du Système solaire.

COUP D'ŒIL SUR LES MÉTÉORITES LUNAIRES

Des fragments de comète jaillissent aussi dans les cieux d'autres corps célestes. Ils deviennent étoiles filantes dans la mince atmosphère de Mars. La Lune étant en revanche dépourvue d'atmosphère, ces fragments ne s'y consument pas. Ils s'écrasent à la surface et explosent, émettant un éclair de chaleur et de lumière visible de la Terre, à 400 000 km. Chaque explosion équivaut à celle de 45 kg de dynamite. Quand la Lune traverse des essaims denses de poussières cométaires, on peut dénombrer jusqu'à un éclair par heure.

▲ CRATÈRE COPERNIC
La vitesse d'impact des météorites lunaires (👁 p. 160-161) est telle qu'elles creusent des cratères mesurant 15 fois leur taille. Copernic est large de 91 km et profond de 3 700 m.

▲ DÉNOMINATION *Les pluies de météores sont nommées d'après la constellation (la zone du ciel) dont elles semblent surgir. Les Perséides tirent leur nom de Persée.*

Les Léonides

Mentionnées pour la première fois par des astronomes chinois en 902, les Léonides semblent provenir de la constellation du Lion. Au maximum de cette pluie météorique annuelle, survenant à la mi-novembre, on peut voir jusqu'à dix ou quinze météores par heure. Tous les trente-trois ans environ, on observe une période de plus grande activité : des milliers de météores fusent dans le ciel chaque heure. Bien que la plupart des particules ne soient pas plus grosses qu'un grain de sable, la pluie peut être si intense qu'on dirait une chute de neige.

—— Sillage d'étoile

—— Météore

▲ PLUIE ANNUELLE
Ces Léonides ont été observées dans le ciel de la Corée, en novembre 2001.

Boules de feu

Les boules de feu sont des météores extrêmement brillants. Certaines sont si lumineuses qu'elles sont visibles en plein jour et provoquent parfois des déflagrations très fortes pouvant ébranler les habitations (semblables à celle que produit un avion passant le mur du son). Il arrive que les morceaux rocheux explosent dans l'atmosphère terrestre, dispersant de petites météorites au sol.

▲ LUMIÈRE VIVE *Cette boule de feu, une Léonide, se déplaçait à 70 km par seconde.*

Les météorites

CRATÈRE D'IMPACT

Une météorite ou un astéroïde peut creuser un cratère en heurtant la Terre.

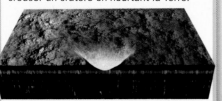

▲ UNE MÉTÉORITE *s'écrase à grande vitesse. La chaleur produite la vaporise.*

▲ L'ÉNERGIE *de l'impact soulève et éjecte les roches de surface.*

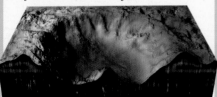

▲ SOUS UN GROS *impact la croûte subit un rebond, ce qui crée un pic central.*

Chaque année, quelque 200 000 tonnes de poussières et de roches cosmiques pénètrent dans l'atmosphère terrestre. Les météoroïdes assez gros pour survivre à cette entrée brutale et atteindre la surface sont appelés météorites. La plupart sont des fragments d'astéroïdes brisés lors de collisions spatiales.

▲ POURQUOI HOBA? *Hoba doit son nom au lieu de sa chute, la ferme Hoba, située près de Grootfontein, en Namibie.*

IMPOSANTE HOBA

D'un poids de 60 000 kg, la météorite Hoba est la plus grosse trouvée à ce jour sur Terre. Ce bloc de fer s'y serait écrasé il y a moins de 80 000 ans. Il se trouve toujours sur le site namibien où il fut découvert en 1920. Il n'a même pas creusé de cratère en heurtant le sol! Il a sans doute été freiné par l'atmosphère, dans laquelle il serait entré selon un angle très ouvert.

Définitions

■ *Météoroïde* Fragment d'astéroïde ou de comète en orbite autour du Soleil.
■ *Météore* Météoroïde se consumant dans l'atmosphère en émettant une lumière vive.
■ *Météorite* Météoroïde tombé à la surface d'un corps céleste.

Meteor Crater

Plus de cent cratères d'impact ont été identifiés à la surface de la Terre. L'un des plus récents se trouve en Arizona, aux États-Unis. Meteor Crater a probablement été creusé il y a environ 50 000 ans par une météorite ferreuse de quelque 270 000 tonnes. Le cratère est large de 1 200 m, profond de 183 m et entouré d'une paroi de roches meubles haute de 45 m.

LES TYPES DE MÉTÉORITES

Les météorites contribuent à éclairer les conditions qui régnaient dans le Système solaire naissant. On en distingue trois types. Les météorites pierreuses, courantes, tendent à se fragmenter en tombant. Moins abondantes mais très résistantes, les météorites ferreuses atterrissent en général en un seul morceau. Les ferro-pierreuses sont intermédiaires. Tous ces objets sont souvent recouverts d'une croûte noire due à leur échauffement dans l'atmosphère.

Météorite ferreuse — Météorite ferro-pierreuse — Météorite pierreuse

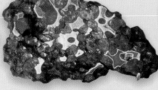

Météorite du lac Tagish
Cette météorite rare est tombée sur la surface gelée du lac Tagish, au Canada, en 2000. Fragile, elle est riche en carbone et formée d'un matériau comptant parmi les plus anciens dans le Système solaire qu'on ait jamais étudiés.

Des météorites sur Mars…

L'astromobile Opportunity de la NASA a rencontré plusieurs météorites à la surface de Mars. La plus grosse de ces roches a été découverte dans la région de Meridani Planum en juillet 2009. Baptisée Block Island, elle se compose de fer et de nickel et gît sans doute sur Mars depuis des millions d'années.

▶ GROS BLOC
Block Island est long de 60 cm et large de 30 cm.

… et des météorites venant de Mars

Des quelque 24 000 météorites trouvées sur Terre, 34 ont été identifiées comme provenant de Mars. Ces roches furent éjectées dans l'espace il y a très longtemps lors d'imposantes collisions et ont voyagé pendant des milliers, voire des millions d'années, avant de tomber sur Terre. Nous savons qu'elles proviennent de Mars parce que les gaz qu'elles contiennent sont exactement les mêmes que sur la planète rouge. Par ailleurs, plus de 130 météorites ayant été nommées à ce jour ont été reconnues comme provenant de la Lune.

Météorite NWA 2626

▲ CRISTAUX EN GROS PLAN
Découverte en Algérie, en novembre 2004, la météorite NWA 2626 provient de Mars. Elle contient de gros cristaux et des veines vitreuses.

UNE PARTIE DE TENNIS? *Meteor Crater pourrait contenir plus de 2 000 courts de tennis!*

Traînée d'une boule de feu

📷 INSTANTANÉ

Le météoroïde 2008 TC3 est le premier à avoir été repéré AVANT de heurter la Terre. Les astronomes ont ensuite prédit où et quand il pénétrerait dans l'atmosphère : le 7 octobre 2008, au Soudan.

La vie extraterrestre

La vie prospère sur Terre dans les endroits les plus surprenants. Certains spécialistes en déduisent que des organismes simples pourraient exister dans d'autres parties du Système solaire pourvu que les ingrédients de la vie y soient présents.

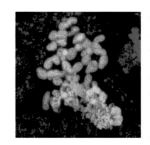

◄ INGRÉDIENTS DE LA VIE *La vie semble capable de se maintenir partout où elle dispose d'eau et d'une source d'énergie. Cette moisissure vit sur de la roche et s'en nourrit.*

VIE MARTIENNE ?

■ **Mars est un désert gelé,** mais jadis a été assez chaude et humide pour avoir peut-être abrité la vie. Les sondes spatiales y ont trouvé de la glace d'eau mais à ce jour aucun indice de vie. Des chercheurs ont identifié ce qui pourrait être des traces de vie dans une météorite découverte en Antarctique en 1984 et éjectée de Mars il y a 16 millions d'années.

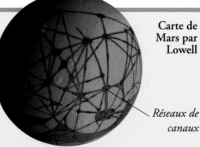

Carte de Mars par Lowell

Réseaux de canaux

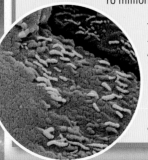

◄ DE LA VIE ?
La météorite recèle des microstructures évoquant des vers et des cristaux de magnétite, qui peuvent être associés à certaines bactéries.

■ **Au XIXᵉ siècle,** les astronomes croyaient voir de la végétation sur Mars. Certains y voyaient même des réseaux de canaux. Parmi eux, Percival Lowell dessina des cartes de Mars où figuraient des canaux qu'il disait avoir été creusés par les Martiens pour amener l'eau dans le désert. Les images fournies par les sondes ont démenti l'existence de tels canaux.

■ **En 1976,** une image de Mars prise par la sonde Viking évoquait un mystérieux visage humain. Certains y virent la preuve de l'existence d'une civilisation martienne disparue. Quand Mars Reconnaissance Orbiter visita la planète vingt ans plus tard, ses photos révélèrent que le visage n'était qu'une illusion optique.

 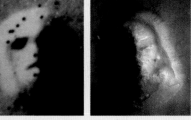

Le visage de 1976…   … a disparu en 2007.

La vie dans les nuages
Jupiter ne possède ni surface solide ni océans d'eau liquide, mais des scientifiques ont suggéré que ses nuages pourraient abriter des formes de vie. La vie ne pourrait se maintenir que dans la haute atmosphère de la géante gazeuse, la pression et la température étant trop élevées dans la basse atmosphère. Les sondes n'ont toutefois découvert aucun indice de vie.

▲ FLOTTER DANS LE CIEL
Des formes de vie pourraient-elles flotter dans les cieux des géantes gazeuses, telles les méduses ou les raies dans les océans terrestres ?

EUROPE

Pour les scientifiques, Europe, une lune de Jupiter, est, dans le Système solaire, l'endroit le plus susceptible d'abriter une vie extraterrestre. Sa surface glacée et fracturée pourrait dissimuler un océan où pourrait prospérer la vie. Il pourrait même y avoir des évents hydrothermaux. Ceux qu'on trouve au fond des océans terrestres alimentent d'étranges formes de vie et sont considérés comme des lieux d'origine possibles de la vie sur Terre.

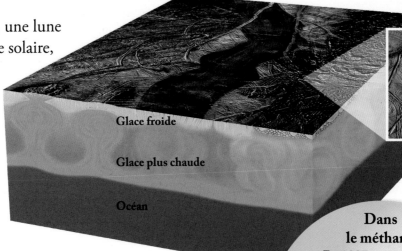

Glace froide

Glace plus chaude

Océan

▲ **LA SURFACE** *d'Europe révèle des signes de chaleur sous-jacente.*

▲ QU'Y A-T-IL EN DESSOUS ?
Malgré une température de surface de – 170 °C, la chaleur générée à l'intérieur d'Europe par la gravité de Jupiter pourrait avoir engendré un océan caché, où la vie pourrait s'être épanouie.

Dans le méthane

En 1997, une nouvelle espèce de ver chilopode a été découverte sur et dans des amas de glace de méthane, sur les fonds marins du golfe du Mexique. Si la vie peut s'épanouir sur Terre dans du méthane, pourrait-il en être de même dans l'espace ?

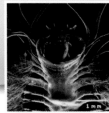

Une atmosphère propice

La plus grosse lune de Saturne, Titan, possède une atmosphère dense, considérée comme semblable à celle qui enveloppait la Terre lorsque la vie y naquit. Titan contient aussi les ingrédients chimiques appropriés, dont de l'eau, sous forme de glace, et des composés de carbone formant des lacs en surface. La température de surface est toutefois trop basse pour que la vie puisse y résister, mais elle pourrait prospérer dans des lacs profonds, d'eau ou d'ammoniac.

▶ MILIEU DE VIE ? *Cette carte radar en fausses couleurs révèle des lacs de méthane (un composé du carbone) sur Titan.*

TERRAFORMATION

Des chercheurs de la NASA pensent possible de transformer des planètes sans vie en mondes habitables par les humains. C'est ce qu'on appelle la terraformation (formation d'une Terre). Mars pourrait être terraformée en étant réchauffée.

▶ AVANT
Une chaleur suffisante ferait fondre la glace d'eau et de dioxyde de carbone présente sur Mars.

▶ APRÈS
Des micro-organismes et des végétaux terrestres seraient introduits dans les lacs et les océans formés. Ils libéreraient de l'oxygène dans l'air, le rendant respirable.

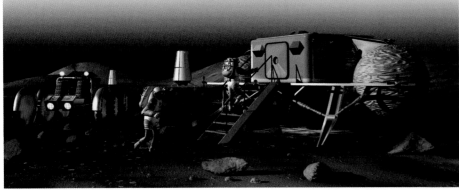

Colonies spatiales

À part la Terre, aucun satellite ou planète du Système solaire n'est habitable. Les spatiologues pensent pourtant possible d'établir dans le futur des colonies dans d'autres mondes. La Lune pourrait être la première destination.

▲ BASE IDÉALE *Le pôle Sud lunaire serait la meilleure base possible. On pourrait, grâce à l'énergie solaire, décomposer l'eau présente en oxygène, nécessaire à la respiration, et en hydrogène, comburant pour les fusées.*

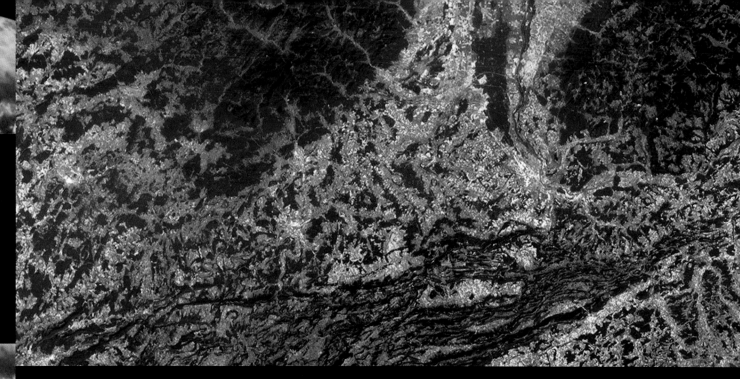

LA TERRE

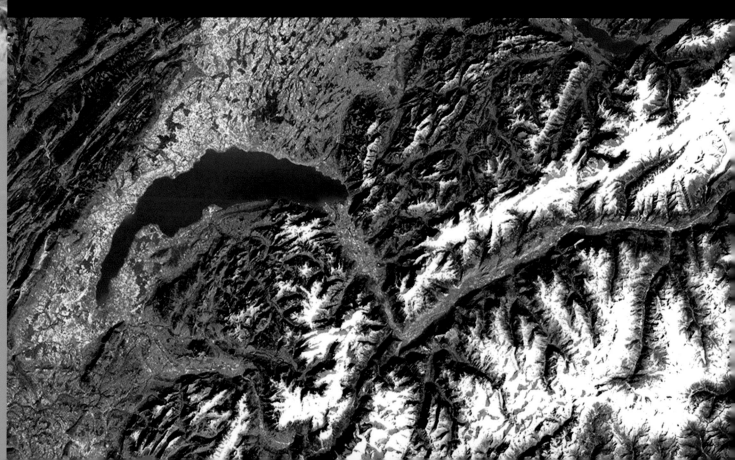

Le « troisième rocher à partir du Soleil » est le seul monde connu réunissant les conditions appropriées pour que la vie s'y épanouisse. C'est bien là une planète incroyable qui se révèle à nous.

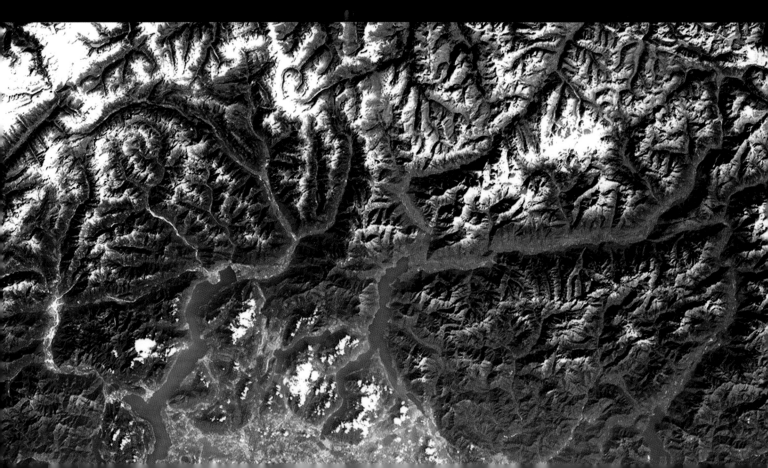

Terre *unique*

La Terre est la seule planète connue qui abrite la vie. Sa surface est couverte d'eau à l'état liquide et l'oxygène y abonde. Une épaisse atmosphère la protège des rayonnements et des météorites tandis qu'un puissant champ magnétique fait écran contre les particules nocives provenant du Soleil.

La croûte rocheuse n'est épaisse que de 6,5 km sous les océans; son épaisseur moyenne est d'environ 35 km au niveau des terres émergées.

FICHE D'IDENTITÉ

- Distance moyenne au Soleil 150 millions de km
- Température moyenne de surface 15 °C
- Diamètre 12 756 km
- Durée du jour 23,93 heures
- Durée d'une année 365,26 jours
- Nombre de lunes 1
- Gravité de surface 1

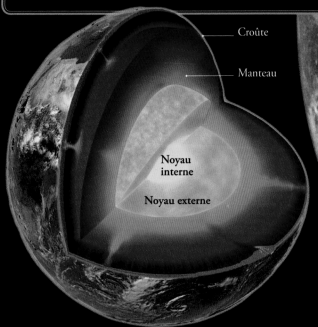

Croûte

Manteau

Noyau interne

Noyau externe

L'atmosphère est une enveloppe gazeuse composée surtout d'azote (à 78 %), d'oxygène (21 %) et d'argon (1 %).

À L'INTÉRIEUR DE LA TERRE

La Terre est la planète la plus dense du Système solaire du fait que son noyau est surtout constitué de fer. En raison des pressions très élevées, le noyau interne demeure solide, en dépit d'une température de 6 000 °C. Le noyau externe se compose de métal en fusion, le manteau qui l'entoure formant une couche épaisse de roche partiellement fondue. Sur le manteau flotte une mince croûte rocheuse.

L'Antarctique concentre 90 % de la glace et 70 % de l'eau douce de la planète. Si la totalité de la couverture glaciaire antarctique fondait, le niveau des mers s'élèverait de plus de 60 m.

La zone habitable

La Terre se trouve juste à la bonne distance du Soleil pour qu'elle puisse abriter de l'eau à l'état liquide. Plus près, les océans s'évaporeraient; plus loin, la planète gèlerait. Sans eau, il n'y aurait pas de vie; à l'inverse, la vie peut s'épanouir partout où il y a de l'eau sur Terre. On appelle zone habitable la partie du Système solaire où les conditions sont favorables à la vie. La Terre est la seule planète qui y soit située.

▲ FOYER IDÉAL
La Terre se trouve dans l'étroite région spatiale où l'eau peut exister à l'état liquide. Ce n'est pas le cas des planètes voisines : Vénus est trop proche du Soleil, Mars en est trop éloignée.

L'eau couvre plus des deux tiers de la surface terrestre. Environ 97 % de cette eau est salée et contenue dans les mers et les océans.

LE CHAMP MAGNÉTIQUE

La Terre possède un puissant champ magnétique en forme de têtard qui s'étend autour d'elle jusqu'à une distance de 64 000 km en direction du Soleil, et davantage dans les autres directions. Ce champ magnétique protège les satellites et les astronautes des projections de particules solaires. De massives éruptions solaires peuvent toutefois l'affaiblir et des turbulences spatiales provoquer d'importantes coupures d'électricité et des interruptions de communications.

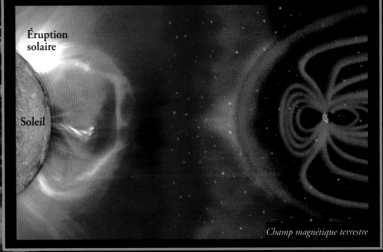

Champ magnétique terrestre

COUP D'ŒIL SUR LES AURORES

Les draperies de lumière rouges et vertes qui illuminent le ciel nocturne aux pôles Nord et Sud sont appelées respectivement aurores boréales et aurores australes. Ces aurores résultent de l'irruption de particules solaires aux points faibles du champ magnétique terrestre et de leur collision avec les atomes de la haute atmosphère, ce qui engendre de la lumière.

LA PLANÈTE PARFAITE

Nous vivons sur le rocher le plus incroyable
de l'Univers. Malgré nos efforts pour découvrir
de nouveaux mondes habitables, celui-ci est le seul,
à ce jour, qui réunit les conditions propices à la vie.
À la bonne distance du Soleil, il n'est ni trop chaud
ni trop froid. L'eau à l'état liquide, clé de la vie,
y abonde. Moteur du temps, elle fait pousser
les végétaux, qui nourrissent les animaux. La Terre
est aussi la seule planète connue où l'oxygène
est en suffisance pour nous maintenir en vie.

Les *saisons* terrestres

Nos existences sont régies par le calendrier de la Terre. Sauf exception, nous sommes éveillés et travaillons le jour et dormons la nuit. Le jour et la nuit sont déterminés par la lumière que la Terre reçoit du Soleil, tout comme la succession des saisons : le printemps, l'été, l'automne et l'hiver.

LA TERRE ET LA LUNE

Un extraterrestre passant dans le voisinage verrait la Terre et la Lune changer de forme apparente. La Terre lui apparaîtrait tantôt comme un disque bleu et vert lumineux, tantôt à demi éclairée ou encore complètement dans l'ombre, avec des stades intermédiaires. Ce sont là les phases de la Terre. De la Terre, nous voyons celles de la Lune.

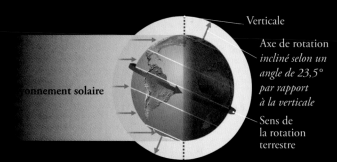

Verticale

Axe de rotation *incliné selon un angle de 23,5° par rapport à la verticale*

Sens de la rotation terrestre

Rayonnement solaire

▲ INTENSITÉ VARIABLE *La quantité de lumière reçue par la Terre varie selon que l'axe de rotation est penché vers le Soleil ou s'en écarte.*

Le jour et la nuit
Parce que l'axe de rotation de la Terre est incliné, la période d'éclairement diurne varie au fil de l'année, sauf pour ceux qui vivent à l'équateur. Les variations sont extrêmes dans les régions polaires qui connaissent des jours très longs l'été et des nuits très longues l'hiver. Au nord du cercle Arctique et au sud du cercle Antarctique, le Soleil ne se lève pas au cœur de l'hiver. Il ne se couche pas au cœur de l'été : c'est le « soleil de minuit ».

▲ SOLEIL DE MINUIT
Sur cette image en surimpression, prise pendant l'été polaire, on voit le Soleil descendre sur l'horizon sans jamais disparaître.

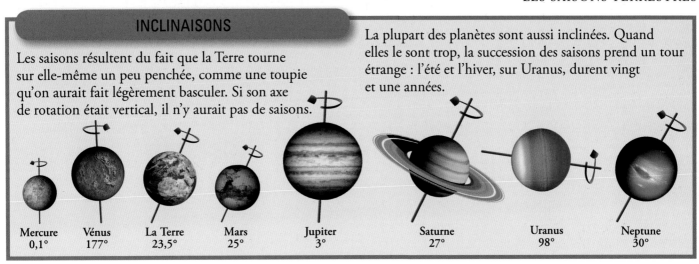

INCLINAISONS

Les saisons résultent du fait que la Terre tourne sur elle-même un peu penchée, comme une toupie qu'on aurait fait légèrement basculer. Si son axe de rotation était vertical, il n'y aurait pas de saisons.

La plupart des planètes sont aussi inclinées. Quand elles le sont trop, la succession des saisons prend un tour étrange : l'été et l'hiver, sur Uranus, durent vingt et une années.

| Mercure 0,1° | Vénus 177° | La Terre 23,5° | Mars 25° | Jupiter 3° | Saturne 27° | Uranus 98° | Neptune 30° |

LES SAISONS

À l'exception de ceux qui vivent près de l'équateur ou des pôles, chacun fait l'expérience de quatre saisons. À l'équateur, la durée du jour ne change presque pas et le Soleil brille haut dans le ciel, aussi y fait-il toujours chaud. La Terre étant inclinée de 23,5° par rapport au plan de son orbite, le pôle Nord penche périodiquement vers le Soleil : c'est alors l'été dans l'hémisphère Nord et l'hiver dans l'hémisphère Sud. Quand le pôle Nord penche à l'opposé du Soleil, c'est à l'inverse l'hiver dans l'hémisphère Nord et l'été dans l'hémisphère Sud.

Soleil

La Terre

Le pôle Nord est incliné à l'opposé du Soleil : c'est l'été austral.

Jour　　Nuit

Le pôle Nord penche vers le Soleil : c'est l'été boréal.

▲ ORBITE TERRESTRE
La Terre décrit autour du Soleil une orbite elliptique (ovale). La distance au Soleil varie donc mais ce n'est pas la cause des saisons.

▼ LA VÉGÉTATION *verdit la Terre différemment selon les saisons et la quantité de lumière reçue.*

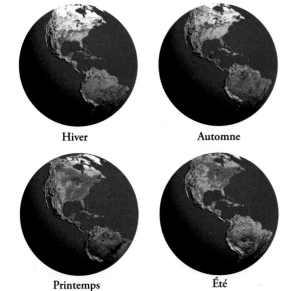

Hiver　　　　　　Automne

Printemps　　　　Été

Températures saisonnières

La durée du jour et la saison influencent les températures. L'été, le Soleil brille plus haut dans le ciel et reste plus longtemps au-dessus de l'horizon. L'atmosphère absorbe moins de chaleur, les terres et les océans en absorbent plus. L'hiver, le Soleil est bas et brille moins longtemps. Pendant les longues nuits, la quantité de chaleur s'échappant vers l'espace est plus grande que celle reçue pendant le jour.

▶ EAUX CHAUDES
Cette carte montre la relation entre les températures marines et l'ensoleillement. Les eaux chaudes à l'équateur (en rouge) rafraîchissent jusqu'à devenir froides autour des pôles (en bleu).

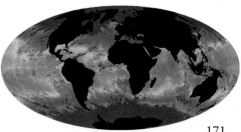

En surface

La surface de la Terre change sans cesse. La croûte rocheuse est loin d'être rigide et statique. Elle est morcelée en immenses plaques qui dérivent très lentement autour de la planète. Les cours d'eau, les glaciers, les vents et la pluie modèlent et transforment aussi le monde qui nous entoure.

▶▶ **EN BREF** ▶▶

■ « La ceinture de feu » est une zone en bordure de l'océan Pacifique dans laquelle se dressent 452 volcans et où ont lieu 80 % des séismes les plus importants.
■ Chaque roche terrestre a été recyclée plusieurs fois.
■ L'Antarctique est le désert le plus aride et le plus froid de la planète : il reçoit moins de 15 cm de neige par an.
■ Les océans de la Terre contiennent 1,36 milliard de km^3 d'eau.

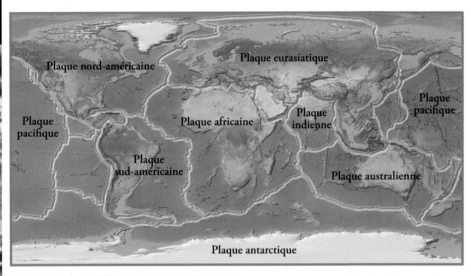

Plaque nord-américaine · Plaque eurasiatique · Plaque pacifique · Plaque pacifique · Plaque africaine · Plaque indienne · Plaque sud-américaine · Plaque australienne · Plaque antarctique

Séismes et volcans

Les séismes majeurs surviennent aux endroits où les plaques s'affrontent. Des villes comme San Francisco ou Tokyo, situées près de frontières de plaques actives subissent des séismes importants et fréquents. De nombreux volcans se dressent sur des frontières de plaques où une plaque glisse sous une autre, ce qui permet à la roche en fusion de jaillir en surface.

LES PLAQUES TERRESTRES

Les plaques formant la croûte flottent sur le manteau. Elles se déplacent de 3 à 15 cm par an, ce qui modifie peu à peu la position des continents. Certaines plaques s'écartent, d'autres glissent l'une vers l'autre ou l'une contre l'autre. Ces mouvements engendrent des chaînes de montagnes et provoquent séismes, tsunamis et éruptions volcaniques.

Les chaînes de montagnes

La plupart des continents portent des chaînes de montagnes. Celles-ci s'élèvent là où deux plaques entrent en collision, poussant la croûte vers le haut. Culminant à 8 848 m, l'Everest est le plus haut sommet du monde. Il fait partie de l'Himalaya, une chaîne née lorsque la plaque indienne est venue s'écraser contre la plaque eurasiatique. Des montagnes volcaniques surgissent aussi du fond des océans. Mesuré à partir du plancher océanique, le Mauna Kea, un volcan éteint d'Hawaii, est encore plus haut que l'Everest.

EAU

Monde aquatique

En ruisselant des hautes terres, les cours d'eau emportent des sédiments et des fragments de roche. Ces particules usent la surface. Au fil du temps, cette abrasion érode les flancs des montagnes et creuse des canyons profonds. Puis, en approchant de la mer, les fleuves déposent du limon et de la vase, qui s'accumule et crée de nouveaux paysages. La mer est une puissante force de changement : les vagues érodent les falaises et les rivages, modifiant les lignes de côtes et sculptant les roches.

▼ PAYSAGE DE GRÈS ROUGE *érodé par le vent, dans le Colorado, aux États-Unis.*

VENT

Souffle du vent Dans les endroits arides, où il y a peu d'eau et de végétation, le vent est le principal agent d'érosion. Il balaie les roches, emportant les particules meubles pour les projeter contre les reliefs existants. Au fil du temps, les roches s'érodent et prennent des formes étonnantes : arches, tours et autres sculptures éoliennes.

GLACE

Fleuves de glace

Les glaciers sont des nappes de glace en mouvement formées aux pôles et en altitude dans les chaînes de montagnes. Certains bougent à peine, d'autres avancent de 20 à 30 m par jour. Ces fleuves de glace altèrent spectaculairement le paysage, érodant la roche, sculptant les montagnes et creusant de profondes vallées glaciaires. Les glaciers emportent roches et débris, laissant des trous sur le fond des vallées. En fondant, ils engendrent des lacs et sèment des rochers et des tas de gravier dans le paysage.

◄ SAN ANDREAS *La faille de San Andreas, en Californie, est une fracture dans la croûte terrestre, formée à l'endroit où les plaques pacifique et nord-américaine coulissent l'une contre l'autre. Le mouvement n'est pas continu : les plaques restent coincées jusqu'à ce que la contrainte accumulée soit suffisante. Alors se produit un glissement soudain qui libère une énergie énorme et fait trembler la terre : un séisme.*

Dans *l'air*

La vie ne pourrait se maintenir sur la Terre sans l'épaisse enveloppe de gaz qui entoure la planète. Cette atmosphère nous protège des rayonnements nocifs et des petits météoroïdes. Elle est responsable du temps qu'il fait et tient la Terre au chaud.

LE TROU DANS LA COUCHE D'OZONE

L'atmosphère contient une forme d'oxygène appelée ozone. Ce gaz contribue à bloquer les rayons ultraviolets nocifs du Soleil. En 1985, un trou dans la couche d'ozone fut découvert au-dessus de l'Antarctique ; un trou plus petit fut repéré au-dessus de l'Arctique quelques années plus tard. Tous deux résultent de la libération de gaz artificiels, les chlorofluorocarbures (CFC). Ceux-ci sont désormais interdits, mais les trous d'ozone devraient persister plusieurs années. Les satellites les surveillent de près.

L'ATMOSPHÈRE

EXOSPHÈRE
Satellite
Navette spatiale
600 km

THERMOSPHÈRE
Aurores polaires
80 km

MÉSOSPHÈRE
Étoiles filantes
50 km

STRATOSPHÈRE
Avions
8 à 16 km

TROPOSPHÈRE
Nuages

Autres gaz
Oxygène
Azote

Le ciel paraît bleu car les gaz atmosphériques dispersent davantage la lumière bleue que les autres couleurs du spectre lumineux solaire.

◄ ZONES *L'atmosphère terrestre se compose de cinq couches. La troposphère, la plus proche de la surface et la plus stable, est la zone où se fabrique le temps et où se trouve aussi la couche d'ozone. Bien que l'air soit plus mince dans la mésosphère, il y en a suffisamment pour que les météores s'y consument. Les aurores se forment dans la thermosphère. L'exosphère marque la limite supérieure de l'atmosphère : la plupart des vaisseaux spatiaux y orbitent.*

RIEN QUE DU GAZ

L'atmosphère s'étend jusqu'à environ 1 000 km dans l'espace. Elle est plus dense près de la surface terrestre et devient de plus en plus ténue à mesure que l'on monte. Les gaz atmosphériques les plus abondants sont l'azote (78 %) et l'oxygène (21 %). Parmi les autres gaz figurent l'argon, le dioxyde de carbone et la vapeur d'eau.

LE CYCLE DE L'EAU

L'eau circule en continu entre la surface terrestre et l'atmosphère. Ce cycle a pour moteur la chaleur du Soleil et nous assure un approvisionnement constant en eau douce.

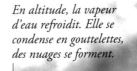

En altitude, la vapeur d'eau refroidit. Elle se condense en gouttelettes, des nuages se forment.

Devenues trop lourdes, les gouttelettes tombent sous forme de pluie ou de neige.

L'eau des cours d'eau et des océans, chauffée par le Soleil, s'évapore. Elle passe à l'état gazeux, devenant de la vapeur d'eau.

Une partie de l'eau s'infiltre dans le sol et forme des nappes souterraines.

Le reste de l'eau ruisselle en surface et s'écoule dans les cours d'eau.

Environ 90 % de l'eau évaporée alimentant le cycle de l'eau provient des océans.

Les cours d'eau transportent l'eau vers les lacs et les océans.

COUP D'ŒIL SUR LES NUAGES

Stratus

Cumulus

Nuages orageux

Le temps qu'il fait sur Terre se fabrique dans la troposphère, où la vapeur d'eau refroidit pour se condenser en nuages. Il existe plusieurs types de nuages. Les stratus forment de larges couches d'air tranquille. Les cumulus moutonnent quand l'air chaud monte. L'air chaud montant rapidement emmène les nuages à de très grandes altitudes : les larges et hauts cumulonimbus (ou nuages orageux) produisent de la pluie, voire de la grêle. Les cirrus, au sommet de la troposphère, sont constitués d'infimes cristaux de glace.

◄ SUPER ORAGE *Le type le plus rare de nuage orageux est appelé supercellule. Il engendre les orages les plus violents, avec coups de foudre mortels, grêlons géants, crues éclairs et tornades.*

Les cyclones

Les tempêtes les plus puissantes de la Terre naissent dans les eaux tropicales. Elles deviennent cyclones (aussi appelés ouragans) quand les vents dépassent 119 km/h. Dans l'hémisphère Sud, les cyclones tournent dans le sens des aiguilles d'une montre ; ils tournent dans le sens inverse dans l'hémisphère Nord.

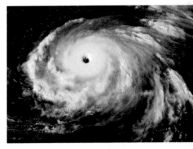

▲ L'ŒIL DU CYCLONE *Au centre du cyclone (l'œil), l'air demeure tranquille alors que des vents puissants tournent tout autour.*

▼ LES TEMPÊTES DE POUSSIÈRE *charrient des milliers de tonnes de poussière ou de sable collectées par des vents puissants dans les zones arides. Leur approche peut se signaler par l'arrivée d'un mur haut de 1 600 m.*

La vie sur Terre

La vie est présente presque partout sur notre planète : des plus hautes montagnes aux fosses océaniques les plus profondes. On la trouve même dans des sources hydrothermales très chaudes et à l'intérieur des roches.

LES ORIGINES DE LA VIE

Les premières formes de vie apparurent sans doute sur la Terre il y a 3,8 milliards d'années. Selon certains scientifiques, la vie serait née dans les océans, les terres émergées étant alors trop chaudes et l'atmosphère empoisonnée. Pour d'autres, elle dériverait des substances chimiques complexes apportées par les comètes et les météores. Quoi qu'il en soit, des molécules simples se formèrent et se répliquèrent, jusqu'à s'organiser en cellules puis en colonies. Ces dernières évoluèrent en organismes plus élaborés, qui colonisèrent la Terre.

Les débuts de la vie
Au début étaient des cellules isolées, vivant probablement dans les océans et les sources chaudes. Après des milliards d'années, les organismes unicellulaires se complexifièrent et des êtres pluricellulaires évoluèrent.

Cellule
primitive

CHRONOLOGIE

DÉBUTS DE LA TERRE

4,5 milliards d'années : formation de la Terre

3,6 milliards d'années : les cyanobactéries libèrent de l'oxygène dans l'atmosphère.

3,8 milliards d'années : bactéries simples dans les océans

1,8 milliard d'années : premiers organismes complexes, ancêtres des champignons, des végétaux et des animaux

VIE PLURICELLULAIRE

630 millions d'années : premiers animaux complexes dans les océans

430 millions d'années : les premiers végétaux colonisent les terres.

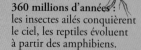

360 millions d'années : les insectes ailés conquièrent le ciel, les reptiles évoluent à partir des amphibiens.

490 millions d'années : apparition des poissons

415 millions d'années : les tétrapodes font leurs premiers pas sur les terres émergées.

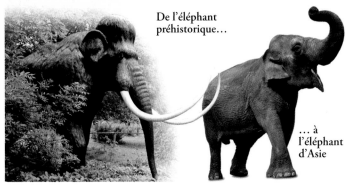

De l'éléphant préhistorique…

…à l'éléphant d'Asie

L'évolution

Des bactéries aux animaux, les êtres vivants se sont adaptés à leur environnement, sur d'innombrables générations, à travers un processus dit de l'évolution. On parle souvent de «la survie du mieux adapté» : les formes de vie s'adaptant trop lentement à la compétition ou aux changements de l'environnement sont vouées à s'éteindre.

Extinctions

Plusieurs fois dans l'histoire de la Terre, des formes de vie disparurent en très grand nombre. Certaines extinctions de masse furent probablement causées par des éruptions volcaniques géantes. Les énormes nuages de cendres et de gaz, masquant le Soleil, auraient provoqué une chute des températures et la famine. L'extinction des dinosaures, il y a 65 millions d'années, est imputée à un impact d'astéroïde accompagné d'éruptions volcaniques.

▲ TIKTAALIK
Ce poisson à nageoires lobées vivait au dévonien supérieur, il y a 375 millions d'années.

Moules et crustacés des évents hydrothermaux

Fumeurs noirs

Ver tubicole géant

Fumeurs noirs

L'essentiel de la vie terrestre tire son énergie de la lumière du Soleil. Pourtant, des créatures vivent dans l'obscurité des abysses océaniques. À des milliers de mètres de profondeur, de l'eau chauffée dans le manteau terrestre jaillit par des fissures. Ces évents volcaniques très chauds, ou «fumeurs noirs», abritent des communautés de vers géants, de moules et de crustacés. Ces animaux dépendent de bactéries qui tirent leur énergie des substances chimiques dissoutes dans l'eau chaude. Il existe aussi des bactéries qui vivent dans la roche et se nourrissent de ses minéraux.

COUP D'ŒIL SUR LES ESSAIMS DE PLANCTON

Des organismes microscopiques, proches des végétaux, flottent dans les eaux de surface des océans, bien éclairées. Ces organismes, formant le phytoplancton, convertissent l'énergie du Soleil en nourriture. Ils constituent à leur tour une source d'alimentation pour toutes sortes d'animaux, des petits crustacés aux baleines. Quand une quantité importante de phytoplancton se concentre dans une zone, la couleur de l'océan en est changée. Certains de ces «essaims» sont si étendus qu'ils sont visibles depuis l'espace.

▲ PROLIFÉRATION *En juin 2006, un essaim de phytoplancton, de couleur turquoise, est apparu au large de l'Irlande.*

FORMES DE VIE SUPÉRIEURES

300 millions d'années : plantes à graines
250 millions d'années : premiers reptiles volants (ptérosaures) ; premières plantes à fleurs
200 millions d'années : les dinosaures et les oiseaux évoluent à partir des reptiles
150 millions d'années : premiers mammifères
65 millions d'années : une extinction de masse élimine les dinosaures et bien d'autres espèces vivantes.

ÈRE DES MAMMIFÈRES

60 millions d'années : les mammifères dominent la Terre ; apparition de formes modernes de poissons, reptiles, végétaux et insectes
5 millions d'années : des grands singes descendent des arbres et marchent dressés.
250 000 ans : apparition de l'homme moderne (*Homo sapiens*)

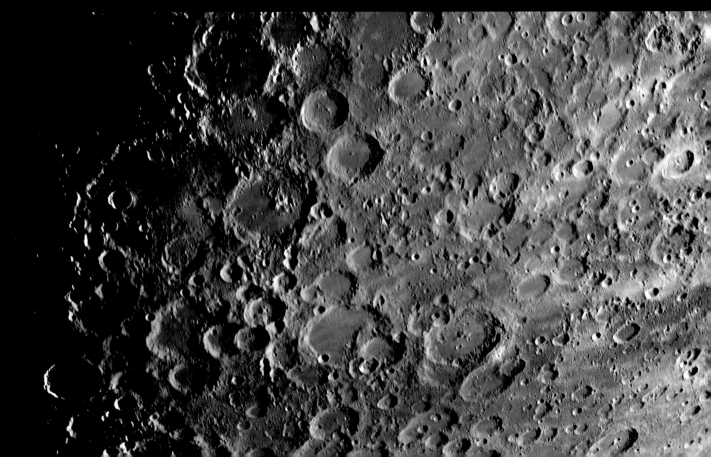

LA
LUNE

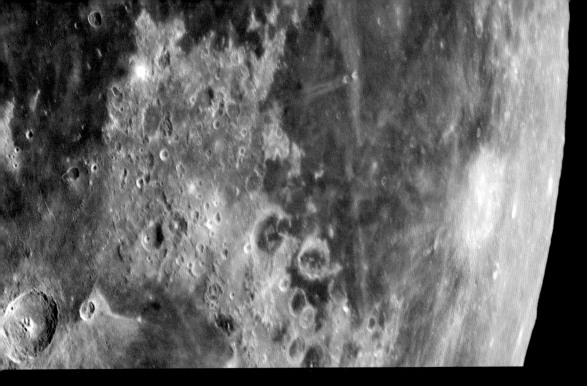

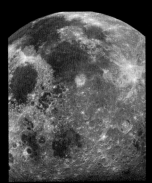  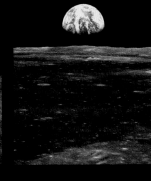

Pleine, la Lune est l'objet
le plus brillant de notre ciel
après le Soleil. Elle fut
la première destination de
l'humanité dans l'espace.
Douze êtres humains ont
à ce jour marché à sa surface.

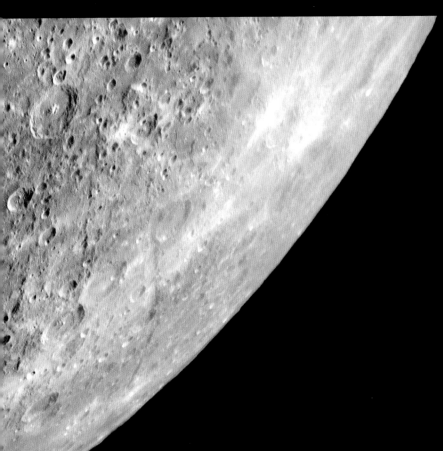

Compagne de la Terre

La Terre et la Lune sont de proches compagnes depuis 4,5 milliards d'années. Bien que la Lune soit bien plus petite, elle influence notre planète de multiples façons et n'a cessé de fasciner l'humanité.

LES FORCES DE MARÉE

Les marées lunaires

La Lune exerce une attraction gravitationnelle sur les eaux terrestres. À l'endroit de la Terre le plus rapproché de la Lune et à celui qui en est le plus éloigné, les océans «enflent», ce qui crée des marées montantes. Ces bourrelets balaient la Terre à mesure de sa rotation.

▲ LA MARÉE BASSE *a lieu deux fois par jour aux points à angle droit avec la Lune.*

▲ LA MARÉE HAUTE *survient deux fois par jour aux endroits alignés avec la Lune.*

Les marées solaires

Quand le Soleil et la Lune sont alignés avec la Terre, les forces d'attraction solaire et lunaire se combinent, amplifiant les marées, dites de vive-eau. Les mortes-eaux ont lieu quand le Soleil est à angle droit avec la Lune.

Marée solaire

Marée lunaire

Lune (pleine ou nouvelle)

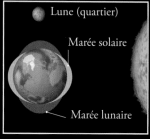

Lune (quartier)

Marée solaire

Marée lunaire

▲ LORS DES VIVES-EAUX, *la marée monte plus haut et descend plus bas qu'habituellement.*

▲ LORS DES MORTES-EAUX, *la marée monte et descend moins qu'à l'ordinaire.*

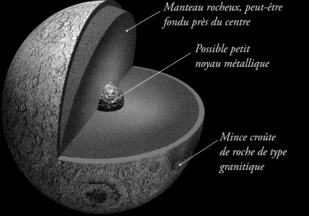

Manteau rocheux, peut-être fondu près du centre

Possible petit noyau métallique

Mince croûte de roche de type granitique

FICHE D'IDENTITÉ

- **Distance moyenne à la Terre**
384 400 km
- **Diamètre** 3 476 km
- **Durée du jour** 27,3 jours terrestres
- **Durée du mois lunaire (de la nouvelle Lune à la pleine Lune)**
29,5 jours terrestres

- **Température de surface**
– 150 °C à 120 °C
- **Gravité de surface (Terre = 1)**
0,17 (un sixième de la gravité terrestre)
- **Taille comparée**

À L'INTÉRIEUR DE LA LUNE

La Lune possède une croûte de roche épaisse d'environ 50 km, cassante et très fissurée. Sous la croûte se trouve un manteau probablement riche en minéraux, similaires à ceux des roches terrestres. Ce manteau pourrait s'étendre jusqu'au centre de la Lune, ou celle-ci pourrait posséder un petit noyau métallique.

Ralentissement

Les forces de marée s'exerçant sur la Terre ralentissent peu à peu la rotation terrestre, allongeant les jours. Quand la Terre s'est formée, le jour durait 6 heures. Il durait 22 heures il y a 620 millions d'années. Les forces de marée finiront par porter la durée à 27,3 jours terrestres, soit celle du jour lunaire.

En rotation

En 27,3 jours, la Lune fait à la fois le tour de la Terre et un tour sur son axe. Il en résulte qu'elle tourne toujours la même face vers la Terre : la face «visible». Parfois, les variations de l'orbite lunaire nous dévoilent néanmoins des parties de la face «cachée». Les forces d'attraction mutuelles font s'éloigner la Lune de la Terre de 3,8 cm par an.

Nouvelle Lune

Dernier croissant

Premier croissant

Dernier quartier

ENTRE LA NOUVELLE LUNE *et la pleine Lune, la Lune est dite croissante. Elle est dite décroissante, de la pleine Lune jusqu'à la nouvelle Lune suivante. Lorsqu'on voit plus de la moitié de sa face, la Lune est «gibbeuse».*

Premier quartier

Lune gibbeuse décroissante

Lune gibbeuse croissante

Pleine Lune

▼ VUE *de la Terre et de la Lune, à l'aplomb de leurs pôles Nord.*

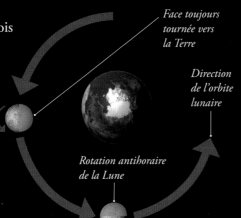

Face toujours tournée vers la Terre

Direction de l'orbite lunaire

Rotation antihoraire de la Lune

LES PHASES DE LA LUNE

Le cycle des phases de la Lune, répété tous les 29,5 jours, fascine l'humanité depuis des siècles. Ces phases résultent du fait que, à mesure que la Lune décrit une orbite autour de la Terre, nous voyons une proportion différente de sa face éclairée par le Soleil.

Les éclipses

Phénomène astronomique spectaculaire, les éclipses se produisent lorsque la Terre, la Lune et le Soleil sont alignés de telle sorte que la Terre projette son ombre sur la Lune ou inversement. Le Soleil ou la Lune semblent alors s'assombrir aux yeux de tous ceux qui se trouvent dans ce faisceau d'obscurité.

Échelle non respectée

Soleil **Lune** **Terre**

▲ ÉCRAN LUNAIRE *L'éclipse solaire totale survient quand la Lune bloque complètement la lumière émise par le Soleil. On ne voit alors que la couronne solaire, formant un halo brillant autour du disque noir.*

▶ MASQUÉ PAR LA LUNE *Tandis que la Lune passe devant le Soleil, elle cache une partie de plus en plus grande du disque solaire.*

▶ ANNEAU DE DIAMANT
Au début et à la fin d'une éclipse totale, la lumière du Soleil filtrant à travers les montagnes de la Lune produit parfois un spectaculaire effet d'« anneau de diamant ».

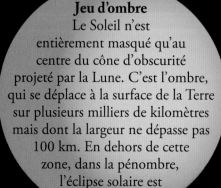

Jeu d'ombre
Le Soleil n'est entièrement masqué qu'au centre du cône d'obscurité projeté par la Lune. C'est l'ombre, qui se déplace à la surface de la Terre sur plusieurs milliers de kilomètres mais dont la largeur ne dépasse pas 100 km. En dehors de cette zone, dans la pénombre, l'éclipse solaire est partielle.

ÉCLIPSES SOLAIRES

La Lune passe chaque mois entre le Soleil et la Terre au moment de la nouvelle Lune. Mais parce que son orbite est un peu inclinée, elle ne passe directement devant le Soleil que de temps à autre. Si le Soleil est 400 fois plus large que la Lune, par une curieuse coïncidence, il est aussi 400 fois plus éloigné par rapport à la Terre. Vu de la Terre, le disque lunaire s'ajuste donc parfaitement sur le disque solaire lors d'une éclipse solaire totale.

INSTANTANÉ

Il ne faut surtout pas regarder le disque solaire sans des lunettes de protection adéquates, même lors d'une éclipse totale. La couronne (couche extérieure de l'atmosphère solaire) est assez brillante pour abîmer les yeux.

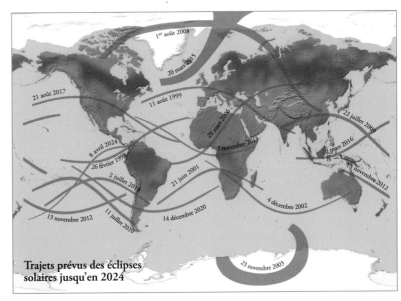

Trajets prévus des éclipses solaires jusqu'en 2024

La nuit en plein jour

Tous les dix-huit mois environ se produit une éclipse solaire totale. C'est une expérience incroyable pour ceux qui se trouvent au bon endroit pour l'observer. Lorsque les derniers rayons de soleil sont occultés, l'obscurité tombe et les étoiles apparaissent en plein jour.

ÉCLIPSES LUNAIRES

Deux ou trois fois par an, la Lune passe dans l'ombre colossale de la Terre. La Lune, pourtant, ne devient pas complètement noire. Une partie de la lumière solaire est réfractée (courbée) par l'atmosphère terrestre et teinte la Lune en rouge orangé. On peut contempler les éclipses lunaires sans précaution particulière, partout où la Lune est dans le champ de vision.

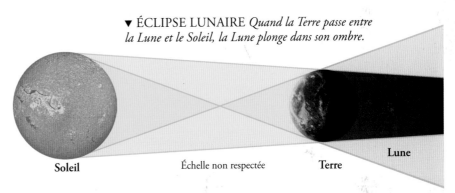

▼ ÉCLIPSE LUNAIRE *Quand la Terre passe entre la Lune et le Soleil, la Lune plonge dans son ombre.*

Soleil   Échelle non respectée   Terre   Lune

QUAND ET OÙ VOIR UNE ÉCLIPSE DE LUNE TOTALE	
10 décembre 2011	*Europe, Afrique de l'Est, Asie, Australie*
15 avril 2014	*Australie, Amériques*
8 octobre 2014	*Asie, Australie, Amériques*
4 avril 2015	*Asie, Australie, Amériques*
28 septembre 2015	*Amériques, Europe, Afrique, Moyen-Orient*
31 janvier 2018	*Europe, Afrique, Asie, Australie*
27 juillet 2018	*Asie, Australie, ouest de l'Amérique du Nord*
21 janvier 2019	*Amérique du Sud, Europe, Afrique, Asie, Australie*
26 mai 2021	*Asie, Australie, Amériques*
16 mai 2022	*Amériques, Afrique*
8 novembre 2022	*Amérique du Nord, Asie, Australie*

▲ LUNE ROUGE *Cette photographie révèle les étapes d'une même éclipse lunaire. L'ombre de la Terre peut mettre quatre heures à traverser le disque lunaire, mais la période de totalité, durant laquelle la Lune est pleinement dans l'ombre, ne dure qu'une heure environ.*

La *surface* lunaire

Même à l'œil nu, nous pouvons distinguer certains traits de la surface lunaire. Les zones sombres sont appelées « mers » parce que les premiers astronomes crurent qu'il s'agissait d'océans. Le scientifique italien Galilée fut le premier à observer la Lune à la lunette astronomique : il fut stupéfait d'y découvrir montagnes, plaines et vallées.

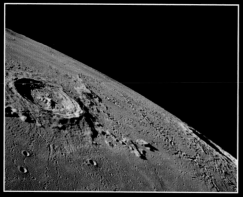

▲ LES CRATÈRES LUNAIRES *mesurent de quelques millimètres à environ 300 km de diamètre. Au centre des plus vastes, là où la croûte s'est soulevée après l'impact, se dressent souvent des montagnes, comme dans le cratère Ératosthène, large de 58 km. Autour de lui rayonnent des traînées de débris éjectés par le cratère Copernic voisin.*

Mer

Des milliers de cratères, témoins de violents impacts d'astéroïdes et de comètes, criblent la face de la Lune.

Hautes terres

HAUTES TERRES LUNAIRES

On appelle hautes terres les zones cratérisées en dehors des mers. Elles couvrent la plus grande partie de la surface lunaire. Leurs roches diffèrent chimiquement de celles des mers et sont plus claires. Les montagnes bordant les cratères ou les mers atteignent plus de 3 500 m de hauteur et sont plus lisses que sur la Terre. Leur surface est recouverte d'une couche de roches et de poussière grise épaisse de plusieurs mètres.

LA LUNE

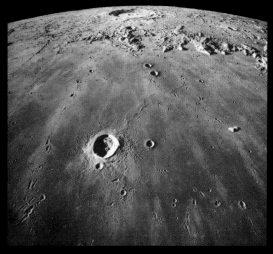

La face cachée de la Lune nous a été révélée pour la première fois en 1959 par la sonde soviétique Luna 3. Les missions Apollo de la NASA livrèrent ensuite des images encore plus claires. Celle-ci est centrée sur la limite entre face visible et face cachée. Les mers sont plus rares sur la face cachée, surtout formée de hautes terres abondamment cratérisées.

Des mers sans eau
Les mers lunaires sont en fait des plaines volcaniques, sans doute formées au cours des 800 premiers millions d'années de la Lune : de la roche en fusion s'épancha alors sur le fond de gigantesques bassins. La lave s'est refroidie et solidifiée pour produire ces plaines lisses. Les impacts météoritiques ayant alors diminué, elles abritent bien moins de cratères que les hautes terres, plus anciennes.

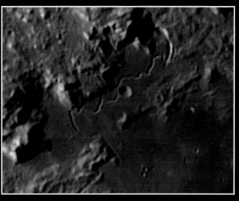

▲ CANAUX DE LAVE *Les canaux serpentant sur la Lune furent formés par des flots de lave il y a des milliards d'années. La surface d'une coulée s'est solidifiée sur de la lave encore liquide, formant un toit. Quand le tunnel ainsi créé s'est vidé, le toit s'est effondré, laissant ce canal.*

📷 INSTANTANÉ

Cette empreinte demeurera à jamais dans la poussière lunaire puisqu'il n'y a pas de vent pour l'effacer. Lorsque les astronautes sortirent sur la Lune, leurs combinaisons et leur matériel furent recouverts de cette poussière sentant la poudre à fusil.

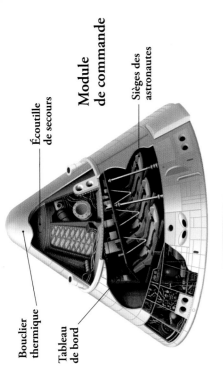

Objectif Lune

Le rêve de l'humanité de voyager dans l'espace devint réalité dans les années 1950 et 1960. Rivalisant pour conquérir l'espace, les Soviétiques envoyèrent les premières sondes automatiques et le premier homme dans l'espace, les Américains, eux, firent les premiers pas sur la Lune.

INSTANTANÉ

Les jouets, les livres et les films des années 1950 témoignent de l'enthousiasme pour l'aventure spatiale, rendue possible par les progrès de la technique.

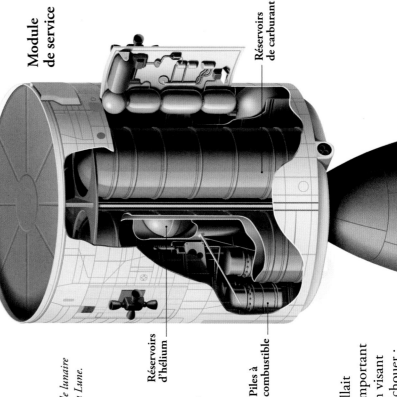

Module de commande

Écoutille de secours

Sièges des astronautes

Bouclier thermique

Tableau de bord

Module de service

Réservoirs de carburant

Tuyère

Réservoirs d'hélium

Piles à combustible

4. Le module lunaire se pose sur la Lune.

3. Le module lunaire se sépare en vue d'un alunissage. Les modules de commande et de service attendent en orbite lunaire.

5. L'étage supérieur du module lunaire revient s'amarrer aux modules de commande et de service.

6. Les fusées du module de service s'allument pour le retour.

2. La fusée est larguée. Apollo 11 se dirige vers une orbite lunaire.

7. Le module de commande se sépare du module de service et regagne la Terre.

1. Apollo 11 est lancé sur une orbite terrestre.

Aller-retour pour la Lune

Le 16 juillet 1969, la fusée Saturn V décollait de la base américaine du cap Canaveral, emportant le vaisseau Apollo 11. La première mission visant à déposer des hommes sur la Lune faillit échouer : le module lunaire se posa avec moins de 30 secondes de réserve de carburant, le pilote, Neil Armstrong, ayant eu des difficultés à trouver un site d'alunissage.

PRÊT, FEU, PARTEZ!

Plus de 100 vaisseaux ont été envoyés vers la Lune depuis la première mission lunaire, en 1959. Beaucoup de missions furent des échecs. Voici quelques étapes majeures.

Étage supérieur du module lunaire

Tunnel d'amarrage

Compartiment des équipements

Réservoir d'oxygène

Réservoir de carburant

Réservoir de carburant

Antenne du radar de rendez-vous

Pupitre de contrôle

Plateforme de sortie

Sonde d'alunissage

Équipements scientifiques

Étage d'alunissage du module lunaire

Train d'alunissage

Composition d'Apollo 11

Le vaisseau était constitué de trois modules : un module de commande à bord duquel les astronautes vivaient, travaillaient et revinrent sur Terre ; un module de service comprenant le carburant et les équipements fournissant l'oxygène, l'eau et l'électricité aux astronautes ; et un module lunaire à deux étages, pour la phase essentielle d'alunissage.

L'Aigle s'est posé

Sous la fine enveloppe d'aluminium du module lunaire, baptisé Eagle (« Aigle »), un revêtement thermique recouvert d'or le protégeait des variations extrêmes de température. Après avoir aluni sans dommage, les astronautes enfilèrent leurs combinaisons et sortirent pour procéder à des expériences scientifiques à la surface de la Lune.

▲ CETTE VUE prise d'Apollo 11 révèle un lever de Terre sur l'horizon de la mer de Smyth, sur la face visible de la Lune.

Janvier 1959
La sonde soviétique Luna 1, première sonde vers la Lune, rate sa cible de 6000 km en raison de dysfonctionnements.

Septembre 1959
Luna 2 s'écrase de façon programmée sur la Lune : c'est la première sonde qui touche la surface lunaire.

Octobre 1959
Luna 3 est la première sonde à photographier la face cachée de la Lune.

Juillet 1964
La sonde américaine Ranger 7 prend des milliers de photos de la surface de la Lune avant de s'y écraser.

Février 1966
Luna 9 est la première sonde à se poser en douceur sur la Lune.

Avril 1967
La sonde américaine Surveyor 3 se pose sur la Lune et photographie le site d'alunissage choisi pour la mission habitée Apollo 12.

Décembre 1968
La mission Apollo 8 met les premiers hommes en orbite autour de la Lune.

Juillet 1969
Neil Armstrong et Buzz Aldrin sont les premiers êtres humains à poser le pied sur la Lune, dans le cadre de la mission Apollo 11.

Novembre 1970
Lunokhod, un astromobile russe ressemblant à un berceau à 8 roues, est le premier véhicule à se déplacer sur la Lune.

L'homme sur la Lune

▲ EN DIRECT *Le monde assista en direct aux premiers pas d'Aldrin et d'Armstrong sur la Lune.*

Le 20 juillet 1969, 500 millions de personnes regardaient à la télévision les premiers pas de l'homme sur la Lune et entendaient Neil Armstrong dire : « C'est un petit pas pour l'homme, un grand pas pour l'humanité ». Au total, douze hommes ont marché sur la Lune entre 1969 et 1972, dans le cadre de six missions.

Marcher sur la Lune

Les astronautes, de même que leur lourd équipement de survie, ne pesaient sur la Lune qu'un sixième de leur poids terrestre, du fait de la faible gravité. Marcher normalement était toutefois hors de question. Certains optèrent pour des sauts de kangourou, d'autres préféraient sautiller. Il en est qui prirent plaisir à « skier » ou glisser dans la poussière lunaire, en poussant sur les orteils.

Une vraie décharge !

La Lune est jonchée de modules, de drapeaux, de sondes et autres équipements abandonnés çà et là ou qui s'y sont écrasés – de façon programmée ou accidentelle ! La sonde automatique russe Luna 15 s'écrasa sur la Lune quelques heures après l'alunissage du module lunaire d'Apollo 11.

Stockage des outils et des échantillons de sol et de roches

Caméra

Antenne permettant l'envoi d'images vers la Terre

Buggy lunaire

Les missions Apollo 15 et 17 avaient embarqué un véhicule électrique découvert, long de 3 m, transporté plié dans le flanc du module lunaire. Ce buggy alimenté par batterie atteignait une vitesse de pointe de 18,6 km/h.

Pneus pleins

Les astronautes des six missions Apollo sur la Lune rapportèrent de nombreuses caisses d'échantillons de sol et de roches. Malgré la faible gravité, la collecte était pénible. Les muscles des bras et des mains, engoncés dans les combinaisons et les gants, se fatiguaient vite. Se courber étant presque impossible, les astronautes devaient utiliser des outils spéciaux pour ramasser les roches. La poussière lunaire, très abrasive et collante, rayait les visières des casques et usait même les couches de surface des bottes.

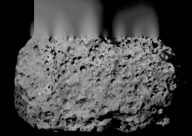

▲ LES ÉCHANTILLONS DE ROCHES *sont étudiés pour reconstituer l'histoire de la Lune. Cette roche basaltique, rapportée par la mission Apollo 15, indique un passé volcanique.*

▲ DES MISSIONS *d'entraînement avaient lieu sur Terre afin de tester les outils et les manœuvres. Ici, dans le cratère d'un volcan d'Arizona, aux États-Unis.*

🎦 **INSTANTANÉ**

Le pilote d'Apollo 16 Charles Duke a laissé sur la Lune une photo de sa famille et une médaille, enfermées dans un sac en plastique. Les membres de la famille ont signé au dos de la photo.

Que ça brille !

Une des expériences scientifiques conduites par les astronautes des missions Apollo consista à installer sur la Lune un réflecteur laser. Les chercheurs basés à Terre purent ainsi diriger un laser sur la Lune et mesurer le temps de retour du rayonnement réfléchi. Ces mesures établirent que la Lune s'éloigne lentement de la Terre, à raison de 3,8 cm par an.

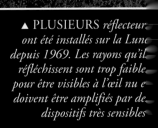

◀ LE RAYON LASER *fut envoyé par le télescope optique de l'observatoire McDonald, aux États-Unis. L'expérience permit de déterminer la distance entre la Terre et la Lune à 2,5 cm près.*

▲ PLUSIEURS *réflecteur ont été installés sur la Lune depuis 1969. Les rayons qu'il réfléchissent sont trop faible pour être visibles à l'œil nu et doivent être amplifiés par de dispositifs très sensibles*

⛅ AMERRISSAGE

Après l'éprouvante rentrée dans l'atmosphère terrestre, le module de commande Apollo effectua sa descente suspendu à des parachutes. Sa réception ayant été amortie par les eaux du Pacifique, des flotteurs furent ensuite activés.

▲ LES PARACHUTES *assurent l'amerrissage en douceur du module de commande conique.*

▲ DES PLONGEURS *aident l'équipage à sortir de la capsule noircie, maintenue droite par des flotteurs.*

HORNET + 3

▲ L'ÉQUIPAGE *d'Apollo 11 demeura confiné plusieurs semaines dans un conteneur hermétique, le temps de s'assurer de l'absence de bactéries extraterrestres.*

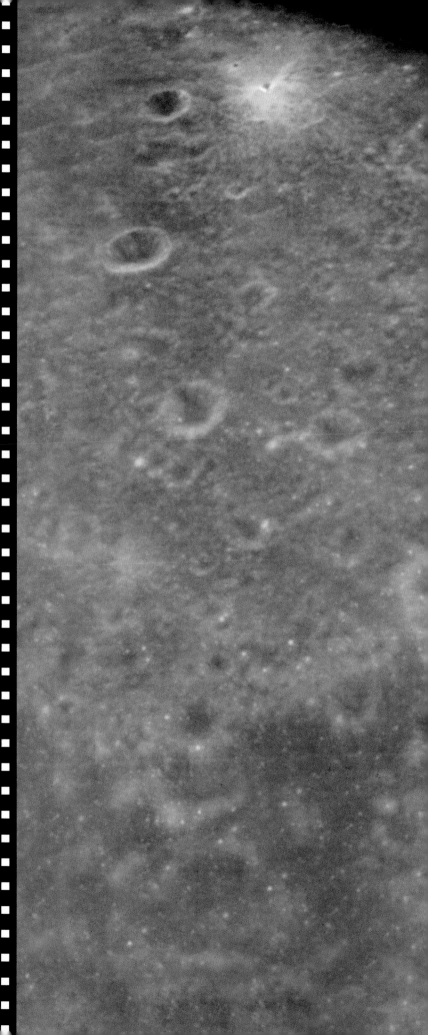

PRÈS DU BUT *Cette photo du module de commande Apollo 11 a été prise par l'atterrisseur Eagle alors que celui-ci entamait sa descente vers la surface lunaire, laissant le pilote Michael Collins seul en orbite.*

Retour sur la Lune

Le programme Apollo prit fin en 1972; la dernière sonde Luna visita la Lune en 1976. La mission japonaise Hiten, en 1990, a marqué le retour sur la Lune. Les agences spatiales planifient aujourd'hui de nouveaux voyages vers la Lune, et au-delà.

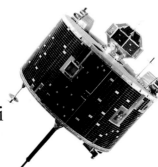

◄ *Avec Hiten, le Japon est devenu le troisième pays à réussir un survol de la Lune, une mise en orbite lunaire et un impact avec la surface lunaire.*

MISSIONS DE CARTOGRAPHIE

Le lancement de la sonde Clementine, en 1994, a marqué le retour sur la Lune de la NASA. Au cours de ses 71 jours en orbite, Clementine a cartographié la totalité des 38 millions de km^2 de la surface lunaire. Après cette réussite, la NASA a lancé Lunar Prospector, en 1998, et Lunar Reconnaissance Orbiter, en 2009.

Des talents multiples

Clementine a testé le comportement dans l'espace extra-atmosphérique de certains équipements. Elle a aussi mesuré, au moyen d'ondes radio, les altitudes des reliefs lunaires et l'épaisseur de la croûte, prenant un million d'images. Les données qu'elle a fournies suggèrent la présence d'eau gelée dans les cratères profonds proches du pôle Sud.

▲ CLEMENTINE *a livré les premiers indices de la présence de glace d'eau sur la Lune.*

▲ LES DONNÉES *de Clementine ont guidé les recherches de glace de l'orbiteur Lunar Prospector.*

Lunar Prospector

Lunar Prospector a tourné autour de la Lune pendant un an, en quête de glace sous les pôles mais aussi de minéraux et de gaz susceptibles d'être exploités par de futures bases lunaires, d'où partiraient des sondes vers d'autres régions de l'espace.

Lunar Reconnaissance Orbiter (LRO)

La sonde LRO a été lancée en 2009 avec pour mission de repérer des sites d'alunissage pour des missions habitées. La sonde Lunar Crater Observation & Sensing Satellite (LCROSS), lancée en même temps, a été précipitée à la surface dans le but d'établir la présence de glace d'eau.

► LCROSS *a confirmé qu'il y avait un peu de glace d'eau dans au moins un cratère lunaire. Ses images ont démenti la rumeur selon laquelle les missions Apollo n'avaient pas eu lieu.*

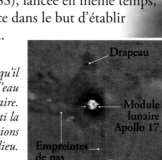

Drapeau

Module lunaire Apollo 17

Empreintes de pas

PRÈS DU BUT *Cette photo du module de commande Apollo 11 a été prise par l'atterrisseur Eagle alors que celui-ci entamait sa descente vers la surface lunaire, laissant le pilote Michael Collins seul en orbite.*

Retour sur la Lune

Le programme Apollo prit fin en 1972 ; la dernière sonde Luna visita la Lune en 1976. La mission japonaise Hiten, en 1990, a marqué le retour sur la Lune. Les agences spatiales planifient aujourd'hui de nouveaux voyages vers la Lune, et au-delà.

◄ *Avec Hiten, le Japon est devenu le troisième pays à réussir un survol de la Lune, une mise en orbite lunaire et un impact avec la surface lunaire.*

MISSIONS DE CARTOGRAPHIE

Le lancement de la sonde Clementine, en 1994, a marqué le retour sur la Lune de la NASA. Au cours de ses 71 jours en orbite, Clementine a cartographié la totalité des 38 millions de km^2 de la surface lunaire. Après cette réussite, la NASA a lancé Lunar Prospector, en 1998, et Lunar Reconnaissance Orbiter, en 2009.

Des talents multiples

Clementine a testé le comportement dans l'espace extra-atmosphérique de certains équipements. Elle a aussi mesuré, au moyen d'ondes radio, les altitudes des reliefs lunaires et l'épaisseur de la croûte, prenant un million d'images. Les données qu'elle a fournies suggèrent la présence d'eau gelée dans les cratères profonds proches du pôle Sud.

▲ CLEMENTINE *a livré les premiers indices de la présence de glace d'eau sur la Lune.*

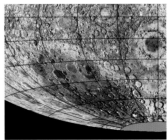

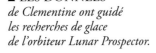

▲ LES DONNÉES *de Clementine ont guidé les recherches de glace de l'orbiteur Lunar Prospector.*

Lunar Prospector

Lunar Prospector a tourné autour de la Lune pendant un an, en quête de glace sous les pôles mais aussi de minéraux et de gaz susceptibles d'être exploités par de futures bases lunaires, d'où partiraient des sondes vers d'autres régions de l'espace.

Lunar Reconnaissance Orbiter (LRO)

La sonde LRO a été lancée en 2009 avec pour mission de repérer des sites d'alunissage pour des missions habitées. La sonde Lunar Crater Observation & Sensing Satellite (LCROSS), lancée en même temps, a été précipitée à la surface dans le but d'établir la présence de glace d'eau.

▶ LCROSS *a confirmé qu'il y avait un peu de glace d'eau dans au moins un cratère lunaire. Ses images ont démenti la rumeur selon laquelle les missions Apollo n'avaient pas eu lieu.*

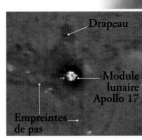

Drapeau

Module lunaire Apollo 17

Empreintes de pas

MISSIONS LUNAIRES

SELENE

La nouvelle ère d'exploration lunaire n'implique pas que les États-Unis. L'Agence spatiale européenne (ESA), le Japon, la Chine et l'Inde y participent aussi.

■ **SMART-1**, orbiteur de l'ESA (2003), a cherché à valider la théorie selon laquelle la Lune résulte de la collision d'un gros corps avec la toute jeune Terre.

■ **SELENE**, ou Kaguya, orbiteur japonais (2007), a placé sur orbite lunaire deux satellites, Okina et Ouna, destinés à l'aider à déterminer la gravité de la face cachée de la Lune.

■ **Chang'e I**, orbiteur chinois (2007), a tourné autour de la Lune pendant 494 jours, pour créer une carte 3D de sa surface et étudier les effets du Soleil sur l'environnement spatial.

■ **Chandrayaan 1**, orbiteur indien (2008), a recherché des matières radioactives qui contribueraient à éclairer l'histoire de la Lune.

PLANS D'AVENIR

Les nations spatiales ont programmé diverses missions d'exploration lunaire.

■ **Chang'e II** (2010) Orbiteur lunaire chinois.

■ **Luna-Glob 1** (2012) Orbiteur russe

■ **Projet ESMO** (ESA 2013-2014) Premier orbiteur conçu par des étudiants

ESMO (ESA)

■ **Chandrayaan 2** (2013) L'Inde prévoit de faire alunir une astromobile.

■ **Luna-Glob 2** (2013) Mission russe composée d'un orbiteur et d'une astromobile, conjointe à Chandrayaan 2

■ **Chang'e III** (2013) Un atterrisseur et une astromobile programmés

■ **Luna-Grunt** (2014 et 2015) Deux missions sont programmées comprenant chacune un orbiteur et un atterrisseur lunaire.

ESA (2017-2020) Atterrisseur lunaire, pouvant livrer des équipements d'exploration sur la Lune

■ **Inde** (2020) Première mission habitée sur la Lune

La compétition Lunar X

Pour remporter les quelque 22 millions d'euros du prix Google Lunar X, il faudra envoyer sur la Lune, d'ici à 2014, le premier véhicule automatique financé par des fonds privés. Celui-ci devra parcourir 500 m et envoyer photos, vidéos et données vers la Terre. Vingt équipes sont déjà sur les rangs.

OFFICIAL TEAM
Google
LUNAR X PRIZE
TEAM ITALIA

◀ **LA TEAM ITALIA** *travaille à la conception d'un robot fiable et d'un bon rapport qualité-prix. Voici l'une des formes à l'étude.*

Et Mars ?

Plusieurs pays rêvent d'établir la première base habitée sur la Lune. Alimentée en énergie par le Soleil et tirant son eau de la glace polaire, elle permettrait l'exploitation de minéraux exportés vers la Terre. Et elle servirait d'escale pour des missions vers Mars et les autres planètes. La Chine a déjà réservé une place pour un satellite sur la mission automatique russe Phobos-Grunt, à laquelle coopère l'Agence spatiale européenne : elle partira pour Mars en 2011.

▼ **LES SCIENTIFIQUES** *pensent que la Lune recèle des dépôts d'une forme très rare d'hélium, qui pourraient être exploités et transformés en carburant sur Terre.*

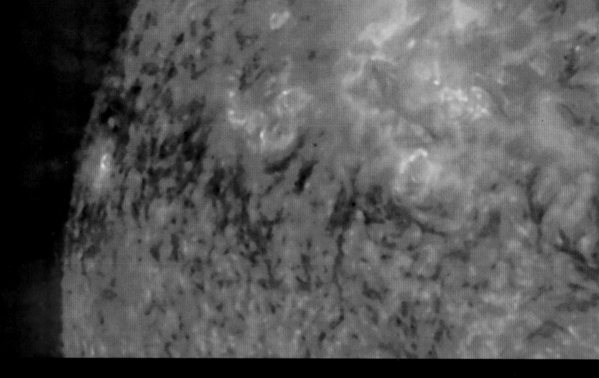

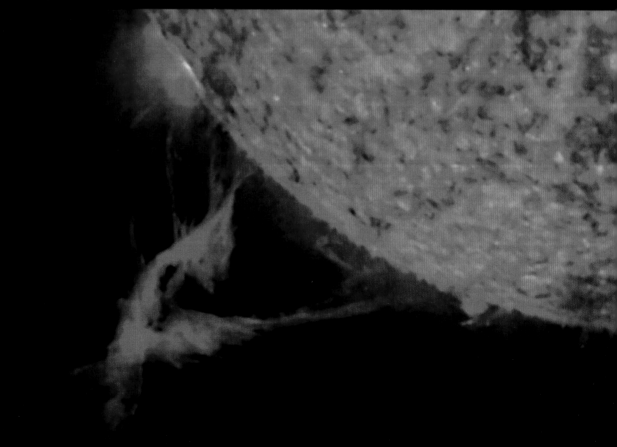

LE SOLEIL

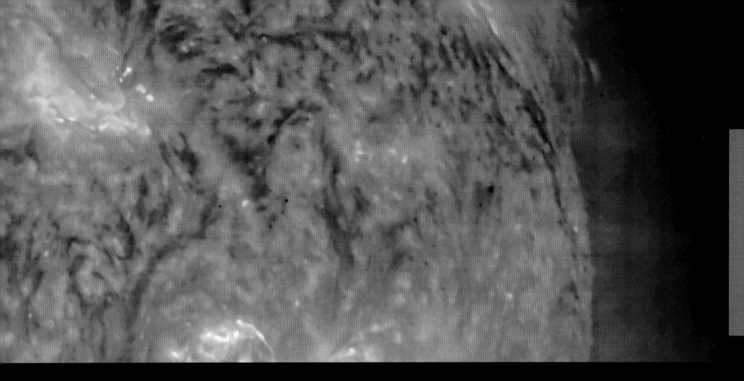

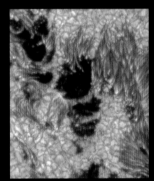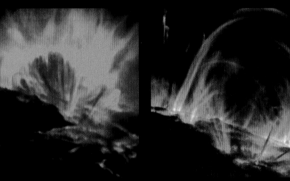

L'étoile située au centre du Système solaire est une énorme boule de gaz qui génère d'énormes quantités d'énergie dans son cœur brûlant. Elle brille à quelque 150 millions de km de la Terre.

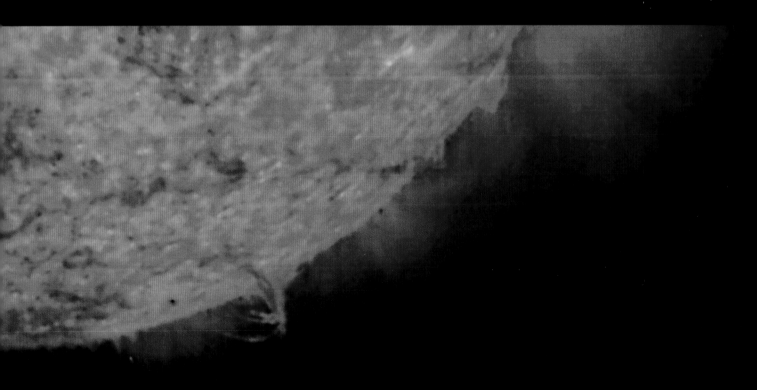

Le Soleil

Situé à quelque 150 millions de km de la Terre, le Soleil est l'étoile la plus proche. Bien qu'il soit entièrement constitué de gaz, sa masse représente 333 000 fois celle de notre planète et 750 fois celle de toutes les planètes du Système solaire réunies.

INSTANTANÉ

Le Soleil est étudié par une flotte de sondes spatiales, dont SOHO, Observatoire solaire et héliosphérique. Lancée en 1985, SOHO a révolutionné notre connaissance du Soleil. Elle nous prévient très tôt des tempêtes solaires se dirigeant vers la Terre et a contribué à la découverte de plus de 1 500 comètes.

▶ LES TACHES SOLAIRES *correspondent à des régions plus froides de la photosphère, donc plus sombres que les zones chaudes et brillantes.*

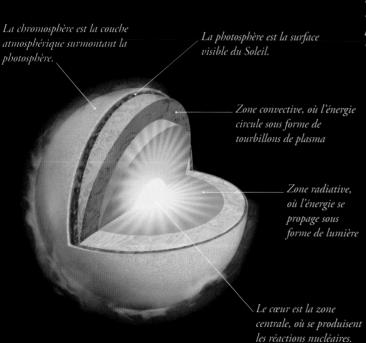

La chromosphère est la couche atmosphérique surmontant la photosphère.

La photosphère est la surface visible du Soleil.

Zone convective, où l'énergie circule sous forme de tourbillons de plasma

Zone radiative, où l'énergie se propage sous forme de lumière

Le cœur est la zone centrale, où se produisent les réactions nucléaires.

Soleil tacheté

De temps à autre, des taches sombres marbrent la surface du Soleil. Elles correspondent à des zones plus froides de la photosphère et apparaissent quand le champ magnétique solaire interrompt la circulation des courants de chaleur dans les différentes couches. L'observation de la distribution des taches nous a appris que la rotation du Soleil est plus rapide à l'équateur qu'aux pôles (p. 202-203).

STRUCTURE EN COUCHES

Comme un oignon, le Soleil est composé de plusieurs couches. Au centre se trouve le cœur, extrêmement chaud, où se produisent les réactions nucléaires. L'énergie qui s'en échappe monte dans la zone radiative puis se propage dans la zone convective où elle circule sous forme de tourbillons de plasma, appelés cellules de convection. Les cellules parvenant à la surface – la photosphère – y forment des granules brillants.

FICHE D'IDENTITÉ

- **Distance moyenne à la Terre**
  149,6 millions de km
- **Température de surface**
  5 500 °C
- **Température du cœur**
  15 millions de °C
- **Diamètre** 1,4 million de km

- **Période de rotation à l'équateur**
  25 jours terrestres
- **Taille comparée**

LES SPICULES *sont des jets de plasma surchauffé traversant le champ magnétique solaire.*

LES ÉJECTIONS DE MASSE CORONALE *sont des bulles de plasma éjectées de la couronne dans l'espace.*

MAIS ENCORE ?

Le Soleil est alimenté en énergie par les réactions nucléaires qui se produisent dans son cœur.
Au cours de ces réactions, des atomes sont « cassés », ou désintégrés, ce qui libère beaucoup d'énergie : la température dans le cœur atteint 15 millions de °C. C'est cette énergie qui fait briller le Soleil depuis plus de 4,6 millions d'années. Et bien que celui-ci consomme environ 1 milliard de tonnes d'hydrogène par seconde, il est assez gros pour briller encore cinq milliards d'années au moins.

LA COURONNE *est la couche externe de l'atmosphère, très chaude.*

LES FACULES *sont des zones plus chaudes et plus brillantes de la photosphère, associées aux taches solaires.*

LES GRANULES *constituent la face supérieure des cellules de convection.*

NAISSANCE ET MORT DU SOLEIL

Il y a environ 4,6 milliards d'années, le nuage de gaz et de poussières dans lequel est né le Soleil s'est effondré sous l'effet de sa gravité, et morcelé en plusieurs régions denses. Celles-ci n'ont cessé de s'échauffer jusqu'à ce que les réactions nucléaires s'enclenchent et qu'au sein du nuage, toutes les nouvelles étoiles se mettent à briller. La température du Soleil va augmenter encore jusqu'à épuisement de l'hydrogène. Devenu géante rouge, il avalera Mercure puis se transformera en naine blanche, enveloppée d'une nébuleuse planétaire luisante.

LES PROTUBÉRANCES *sont des boucles de plasma jaillissant le long des lignes de champ magnétique.*

À *l'intérieur*

Le Soleil est une gigantesque centrale nucléaire. D'immenses quantités d'énergie sont produites dans son noyau extrêmement chaud. Remontant jusqu'à la surface, cette énergie rayonne ensuite dans l'espace, principalement sous forme de lumière et de chaleur dont bénéficie la Terre.

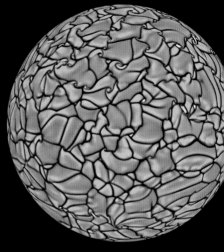

ÉNERGIE NUCLÉAIRE

Le Soleil se compose essentiellement d'hydrogène. Sous la pression et la température extrêmes régnant dans le cœur, les atomes d'hydrogène sont contraints de s'assembler. Ils subissent une fusion nucléaire et sont convertis en hélium. Ce processus génère une énergie colossale, qui s'échappe du cœur sous la forme de rayons X et gamma de haute énergie.

En mouvement

La remontée du plasma (du gaz très chaud) des profondeurs vers la surface engendre des cellules brillantes. Ces granules sont larges de 1 000 à 2 000 km. Des panaches de gaz plus imposants créent des cellules géantes, des supergranules mesurant jusqu'à 300 000 km de diamètre. Un granule ne persiste pas plus de 20 minutes, tandis qu'un supergranule peut se maintenir quelques jours.

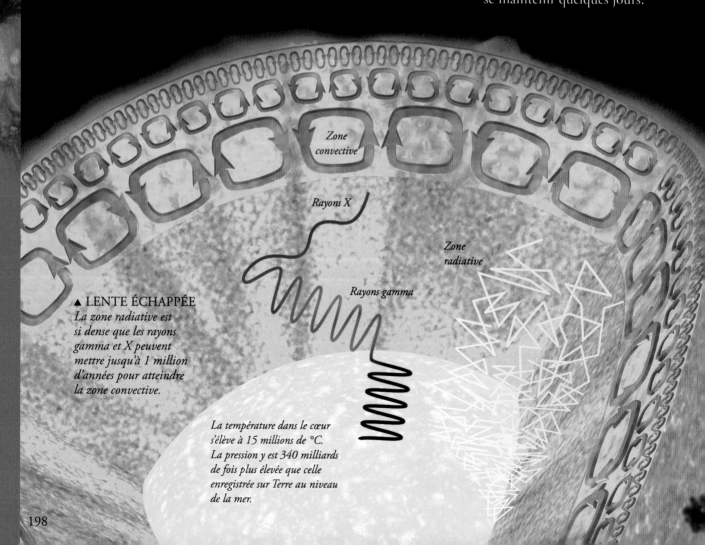

Zone convective

Rayons X

Zone radiative

Rayons gamma

▲ LENTE ÉCHAPPÉE
La zone radiative est si dense que les rayons gamma et X peuvent mettre jusqu'à 1 million d'années pour atteindre la zone convective.

La température dans le cœur s'élève à 15 millions de °C. La pression y est 340 milliards de fois plus élevée que celle enregistrée sur Terre au niveau de la mer.

La photosphère

La photosphère surmonte la zone convective. Elle forme la surface visible du Soleil. Bien qu'elle semble solide, c'est en fait une couche de gaz épaisse d'environ 500 km. Elle est encore assez mince pour laisser la lumière et la chaleur s'échapper dans l'espace. La température y est plus basse que dans le cœur : elle avoisine 5 500 °C. La lumière émanant de la photosphère parvient à la Terre en 8 minutes environ.

▲ POINT CHAUD
Le champ magnétique solaire engendre parfois des boucles de plasma qui traversent la photosphère plus froide et jaillissent dans la couronne.

Énergie abondante
Le Soleil émet en une seconde assez d'énergie pour satisfaire les besoins de la population terrestre pendant plus de mille ans. Chaque seconde, 550 millions de tonnes d'hydrogène sont converties en hélium !

Dans les zones rouges, le plasma retombe.

Dans les zones bleues, le plasma monte.

Soleil bruyant

Le brassage du plasma dans la zone convective engendre des ondes sonores qui se propagent à travers l'étoile. En surface, ces ondes éjectent le plasma jusqu'à une distance de 50 km, mais le son ne peut pas se diffuser dans le vide spatial (c'est pourquoi on n'entend pas le bruit du Soleil). Les ondes reviennent vers l'intérieur, faisant plonger de nouveau le plasma. L'étude de ces ondes a appris beaucoup aux scientifiques sur l'intérieur du Soleil.

🔍 COUP D'ŒIL SUR LA CIRCULATION

Le Soleil tourne sur un axe comme la Terre, mais à la différence de celle-ci, qui est solide et a une rotation uniforme, le Soleil tourne plus vite à l'équateur qu'aux pôles. On voit, à droite, la rotation de la surface : elle est plus rapide dans les zones vertes, plus lente dans les bleues. Le plasma circule également à l'intérieur du Soleil, entre l'équateur et les pôles. Il s'écoule vers les pôles à proximité de la surface mais revient plus en profondeur vers l'équateur.

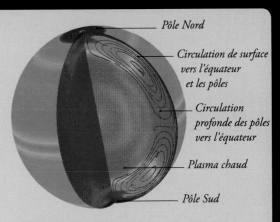

Pôle Nord

Circulation de surface vers l'équateur et les pôles

Circulation profonde des pôles vers l'équateur

Plasma chaud

Pôle Sud

▲ ROTATION SOLAIRE *Les zones tournant plus vite apparaissent en vert, les plus lentes en bleu.*

L'*atmosphère* du Soleil

La surface visible du Soleil est en fait la couche inférieure de son atmosphère, la photosphère, qui émet de la lumière visible. Elle est entourée par la mince chromosphère et l'épaisse couronne, irrégulière. Chaque couche est plus chaude et moins dense que celle qu'elle surplombe.

LA COURONNE

Dans la couche atmosphérique ténue entourant le Soleil, la couronne, la température du gaz atteint 2 millions de °C. La couronne n'est pourtant pas très lumineuse et n'est visible de la Terre que lors des éclipses solaires totales. Toutefois, les instruments embarqués à bord des sondes peuvent aujourd'hui masquer le disque solaire pour la révéler. La température très élevée de la couronne n'a pas encore trouvé d'explication certaine, mais elle semble être liée à la libération de l'énergie magnétique stockée.

▲ ÉCLIPSE SOLAIRE
La couronne forme un halo brillant autour de la Lune, qui masque le disque solaire.

▲ *Sur cette image due au satellite TRACE, de la NASA, du plasma jaillit en boucles dans la couronne.*

Boucles coronales

Les boucles coronales sont des flux de plasma (du gaz surchauffé) reliant deux zones de forte densité magnétique dans la couronne. Le plasma circule à plus de 320 000 km/h dans ces boucles qui s'élèvent à plus de 1 million de km au-dessus de la surface solaire. La température des boucles est très variable ; beaucoup atteignent plusieurs millions de degrés Celsius.

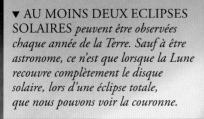

▼ AU MOINS DEUX ÉCLIPSES SOLAIRES *peuvent être observées chaque année de la Terre. Sauf à être astronome, ce n'est que lorsque la Lune recouvre complètement le disque solaire, lors d'une éclipse totale, que nous pouvons voir la couronne.*

Ulysse

Conçue par la NASA et l'ESA et lancée en octobre 1990, la sonde Ulysse est la seule à ce jour qui ait exploré les régions polaires du Soleil, très difficile à observer depuis la Terre. Elle a effectué trois passages avant d'être mise hors service, en 2009. Ulysse avait auparavant révélé que le vent solaire est plus faible lorsque l'activité solaire est réduite.

Antenne de communication avec la Terre, une des quatre antennes d'Ulysse

Filaments solaires

Des langues ou arches de gaz relativement froid et dense jaillissent souvent de la chromosphère, dans la couronne. Elles peuvent parcourir des centaines de milliers de kilomètres vers l'extérieur et se détacher pour éjecter des milliards de tonnes de gaz dans l'espace. Sur le fond brillant du disque solaire, elles forment des filaments sombres ; sur l'écran noir de l'espace, elles dessinent des protubérances. Modelées par le champ magnétique solaire, souvent associées à des taches et des éruptions solaires, elles persistent de quelques heures à plusieurs mois.

🔍 LE VENT SOLAIRE

Le Soleil libère dans l'espace des particules de gaz chaudes, chargées électriquement. Les particules s'échappant par des trous dans la couronne alimentent un vent solaire rapide, soufflant en direction de la Terre à une vitesse pouvant atteindre 900 km/s. D'autres régions donnent naissance à un vent solaire plus lent. Ces flux de particules rapides et lentes, s'entrecroisant, engendrent une onde de choc au contact du champ magnétique terrestre. À la faveur de l'onde de choc, des particules de vent solaire s'écoulent jusqu'aux pôles terrestres, où elles produisent des aurores lumineuses (👁 p. 204-205).

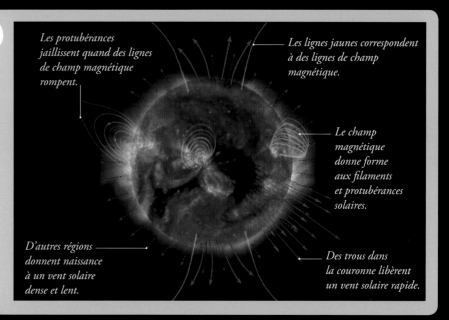

Les protubérances jaillissent quand des lignes de champ magnétique rompent.

Les lignes jaunes correspondent à des lignes de champ magnétique.

Le champ magnétique donne forme aux filaments et protubérances solaires.

D'autres régions donnent naissance à un vent solaire dense et lent.

Des trous dans la couronne libèrent un vent solaire rapide.

Tempêtes

Des ruptures dans le champ magnétique solaire provoquent de violentes explosions, qui peuvent mettre hors service les satellites et menacer la vie des spationautes. Quand ces éruptions se dirigent vers la Terre, il arrive qu'elles perturbent fortement notre atmosphère et les systèmes de communication.

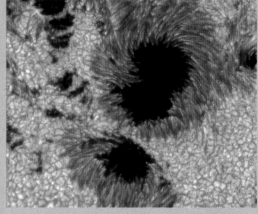

Cycle d'activité

La rotation du Soleil étant plus rapide à l'équateur qu'aux pôles, le champ magnétique s'en trouve étiré jusqu'à ce qu'il rompe. Il se retourne et ses pôles s'inversent. Cet événement se produit tous les onze ans environ et commande le cycle d'activité solaire, le nombre de taches visibles augmentant puis diminuant régulièrement.

ÉRUPTIONS

Les éruptions solaires sont d'énormes explosions qui surviennent autour des taches solaires, où le champ magnétique est très intense. Elles ne durent que quelques minutes mais libèrent une énergie colossale. Il peut s'en produire plusieurs par jour quand le Soleil est très actif. Les plus importantes sont capables de déclencher des éjections de masse coronale.

La chaleur d'une éruption solaire peut dépasser 10 millions de °C.

▲ PUISSANCE SOLAIRE *Les éruptions solaires libèrent dix millions de fois plus d'énergie qu'une explosion volcanique comme ici sur la Terre.*

LES SÉISMES

Les éruptions provoquent des séismes à l'intérieur du Soleil, très semblables à ceux que la Terre connaît. Les ondes de choc engendrées par le séisme peuvent atteindre une vitesse de 400 000 km/h et parcourir une distance équivalant à dix fois le diamètre de la Terre avant de s'évanouir dans la photosphère.

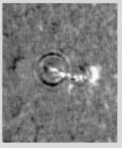

▲ ÉRUPTION SOLAIRE *photographiée par la sonde SOHO.*

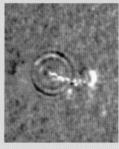

▲ LES ONDES DE CHOC *provoquées par le séisme forment des anneaux autour de l'épicentre.*

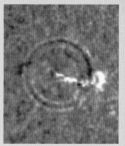

▲ LES ANNEAUX *se propagent sur 100 000 km à la surface du Soleil.*

▲ L'ÉNERGIE *libérée par le séisme alimenterait les États-Unis en énergie pendant vingt ans.*

Éjections de masse

Les taches solaires sont souvent associées à des éruptions de gaz éjectant des milliards de tonnes de matière dans le Système solaire. Ces éjections de masse coronale projettent dans l'espace des particules chargées électriquement, à une vitesse susceptible d'atteindre 1 200 km/s. Parvenant jusqu'à la Terre en deux ou trois jours, ces particules peuvent provoquer des aurores polaires, des coupures d'électricité et interrompre les communications. Comme les éruptions, les éjections de masse coronale, plus fréquentes lors des pics de taches solaires, seraient dues à un rapide dégagement d'énergie magnétique.

SOHO a observé, le 2 avril 2001, la plus grande éruption solaire jamais enregistrée.

L'éruption a déclenché cette imposante éjection de masse coronale.

INSTANTANÉ

En 2001, une tempête magnétique a balayé la Terre. Déclenchée par une éjection de masse coronale associée à une éruption solaire géante, elle a engendré de spectaculaires aurores australes. Le ciel de Nouvelle-Zélande en était vibrant aux premières heures du 1er avril. Une draperie rouge est ici suspendue au-dessus de la ville de Dunedin.

Bombardement de particules

Des particules chargées électriquement bombardèrent SOHO trois minutes après une éruption solaire, le 14 juillet 2000. Elles sont responsables de l'effet de neige sur cette image prise par la sonde. On peut y voir aussi une éjection de masse coronale et l'énorme nuage de gaz qu'elle expulse dans l'espace. À l'endroit du cercle sombre, la caméra de SOHO a bloqué la lumière du Soleil.

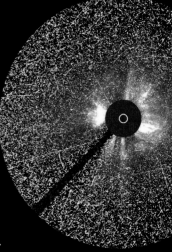

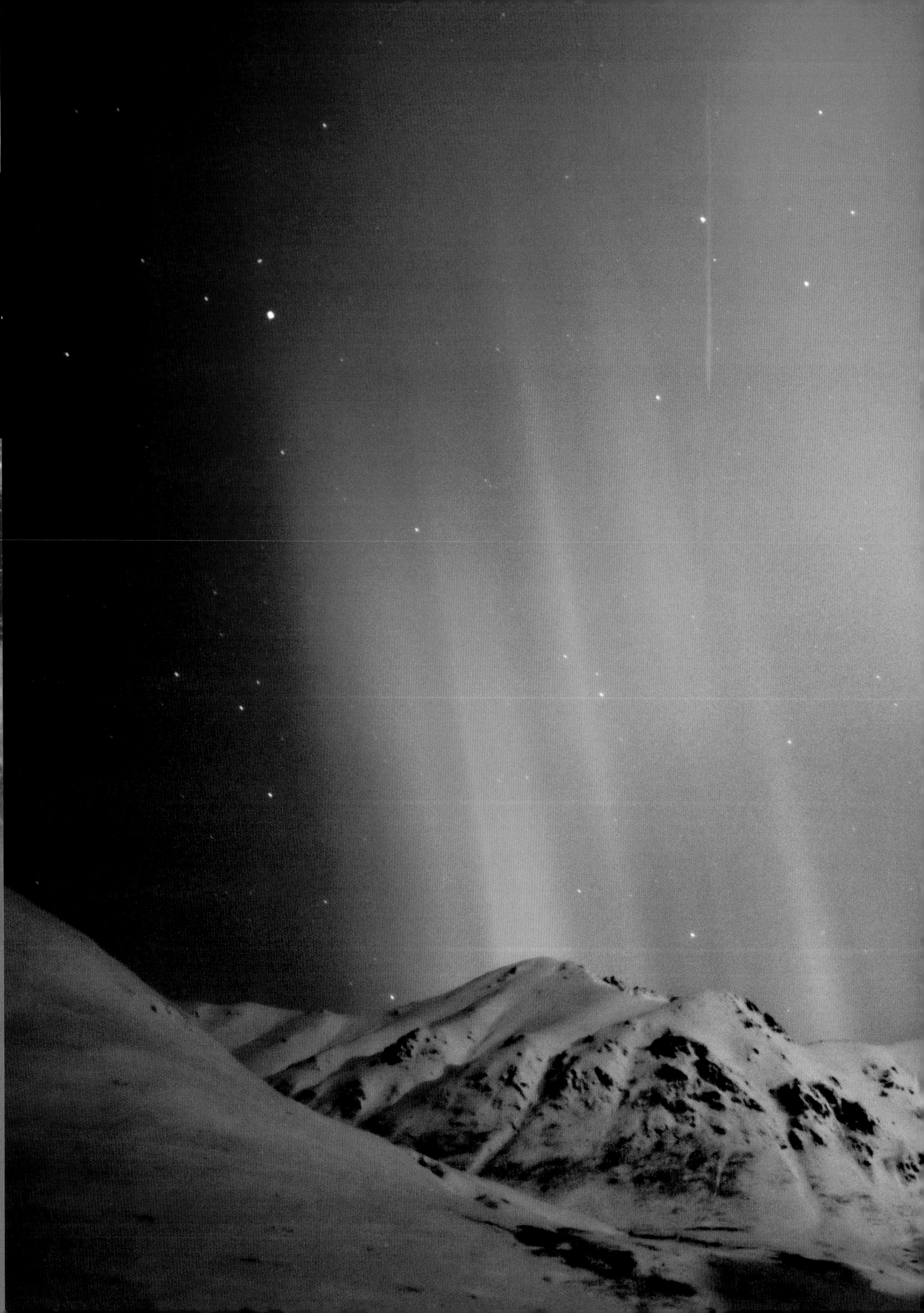

AURORE ÉBLOUISSANTE
Les aurores forment des draperies de lumière,
dansant dans le ciel polaire nocturne terrestre.
La collision des particules de vent solaire, chargées
électriquement, avec des atomes d'oxygène
et d'azote dans la haute atmosphère donne
naissance à ces éclairs de lumière rouge et verte.

Le *cycle* solaire

Le Soleil brille chaque jour dans le ciel, toujours pareil en apparence. Pourtant, il change sans cesse, traversant des cycles d'activité intense suivis de périodes de calme. Ces cycles peuvent avoir un grand effet sur notre planète.

Ces images en rayons X, dues à la sonde japonaise Yohkoh, révèlent les changements dans la couronne solaire sur dix ans.

SOLEIL CHANGEANT

Entre 2008 et 2010, le Soleil a connu beaucoup moins d'éruptions ; les régions actives y étaient moins nombreuses. Un tel déclin d'activité, appelé minimum solaire, survient tous les onze ans environ. Malgré les apparences, la quantité de rayonnement émis par le Soleil lors d'un minimum ne diminue que de 0,1 % par rapport au maximum solaire.

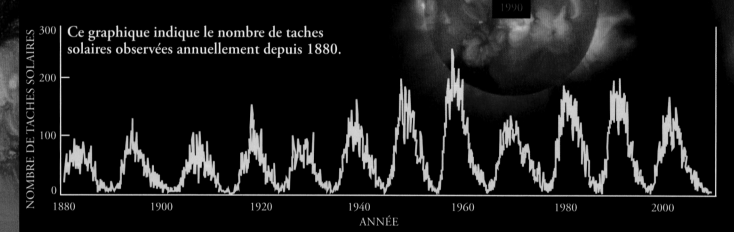

Ce graphique indique le nombre de taches solaires observées annuellement depuis 1880.

NOMBRE DE TACHES SOLAIRES

ANNÉE

Entre 1645 et 1715, on n'observa presque aucune tâche solaire. Cette période de faible activité solaire, appelée minimum de Maunder, est la plus longue jamais enregistrée à ce jour. Elle coïncida avec une longue période de froid sur Terre, dite « Petit Âge glaciaire ». Pour les scientifiques, les deux événements sont très probablement liés.

Le Petit Âge glaciaire

Durant le Petit Âge glaciaire que connut l'hémisphère Nord, du milieu du XVIᵉ siècle au début du XIXᵉ siècle, la température moyenne ne baissa que de quelques degrés. Cela suffit pour que le Groenland se trouve largement isolé par les glaces. Les canaux de Hollande étaient souvent gelés et les glaciers des Alpes avançaient, engloutissant des villages. Il y avait aussi des bons côtés : la glace était si épaisse sur les fleuves qu'on pouvait y patiner.

Le Soleil et l'ozone

La quantité de rayons ultraviolets (UV) atteignant la surface de la Terre varie avec l'activité solaire. Les UV sont invisibles, mais nous les percevons parce qu'ils nous brûlent la peau. La plus grande partie est absorbée par la couche d'ozone atmosphérique, entre 10 et 50 km d'altitude (p. 174).
Les tempêtes solaires peuvent néanmoins détruire les molécules d'ozone, facilitant la pénétration des UV jusqu'au sol.

Les UV-B (de courte longueur d'onde), principaux responsables des coups de soleil, peuvent provoquer un cancer de la peau.

Les UV-A (de grande longueur d'onde) pénètrent plus facilement l'atmosphère terrestre mais sont moins intenses.

SOLEIL

COUCHE D'OZONE

Trou d'ozone

▶ LUMIÈRE ULTRAVIOLETTE *Si les UV peuvent endommager les cellules vivantes, ils nous aident à fabriquer de la vitamine D, nécessaire pour avoir des os résistants, et favorisent la croissance des plantes.*

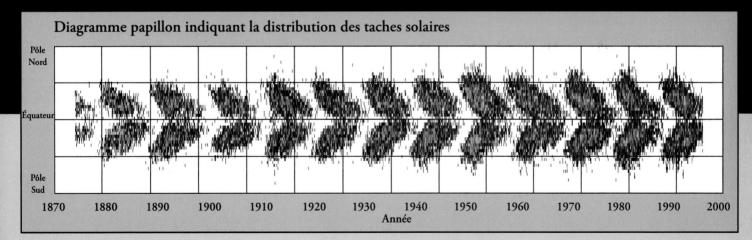

Diagramme papillon indiquant la distribution des taches solaires

Pôle Nord

Équateur

Pôle Sud

1870   1880   1890   1900   1910   1920   1930   1940   1950   1960   1970   1980   1990   2000

Année

Le diagramme papillon

L'astronome britannique Edward Maunder (1821-1928) découvrit que les taches solaires n'apparaissent pas au hasard à la surface du Soleil mais suivent un cycle de onze ans. Au début de chaque cycle, des taches font irruption près des pôles. Elles progressent vers l'équateur à mesure du cycle. En inscrivant sur un graphique les taches solaires qu'il avait observées sur plusieurs années, Maunder constata que les données prenaient la forme d'un papillon. Le nom de « diagramme papillon » est resté.

Observer le Soleil

L'Italien Galileo Galilei, dit Galilée (1564-1642), « père de l'astronomie moderne », démontra que le Soleil est au centre du Système solaire.

Les hommes observent le Soleil depuis des millénaires. Les astronomes contemporains disposent ainsi de précieuses informations sur l'activité et les mouvements passés de notre étoile. Aujourd'hui, le Soleil est décortiqué tant par des astronomes amateurs que par des observatoires spéciaux, sur Terre et dans l'espace.

LES TACHES SOLAIRES DE GALILÉE

Galilée projetait l'image du Soleil à travers sa lunette astronomique sur une feuille de papier et dessinait ce qu'il voyait. Effectuant ses observations à la même heure chaque jour, il remarqua que des taches sombres, de forme très irrégulière, apparaissaient et disparaissaient à la surface du Soleil. Leur mouvement prouvait que le Soleil tournait sur un axe.

Télescope solaire McMath Pierce
Construit en 1962, sur le mont Kitt, dans l'État américain d'Arizona, le télescope McMath Pierce est le plus grand télescope solaire au monde. Il est équipé d'un miroir de 1,60 m de diamètre, monté au sommet d'une tour de 30 m. Le miroir dirige la lumière solaire le long d'un tunnel incliné long de 60 m, vers des instruments logés en sous-sol. Les images détaillées servent à l'étude de l'activité solaire.

Hinode

Lancée en septembre 2006, la sonde Hinode est un observatoire solaire spatial, conçu pour étudier l'activité magnétique solaire. Elle orbite autour de la Terre à 600 km d'altitude et pointe vers le Soleil pendant neuf mois de l'année. Elle transporte trois télescopes de pointe, servant à prendre des images en rayons X du Soleil, à étudier son champ magnétique en 3D et à mesurer la vitesse du vent solaire.

LE SOLEIL

COUP D'ŒIL SUR LES TREIZE TOURS DE CHANQUILLO AU PÉROU

Dans le désert côtier péruvien se dresse le plus ancien observatoire solaire des Amériques. Vieilles de 2 300 ans, les treize tours de Chanquillo sont des blocs de pierre alignés sur une crête basse, orientée nord-sud. Elles forment un horizon denté. Leurs positions correspondent aux points où le Soleil se lève et se couche sur cet horizon au cours d'une année solaire. Il est probable que cette structure, permettant d'observer les mouvements du Soleil, servait de calendrier solaire pour un culte solaire ancien.

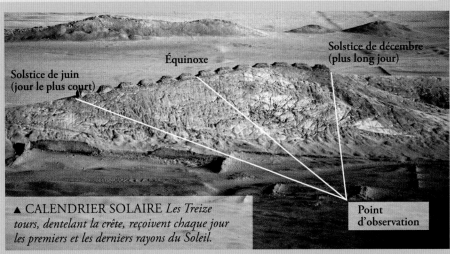

Solstice de juin (jour le plus court)

Équinoxe

Solstice de décembre (plus long jour)

Point d'observation

▲ CALENDRIER SOLAIRE *Les Treize tours, dentelant la crête, reçoivent chaque jour les premiers et les derniers rayons du Soleil.*

Tours d'observation solaire

Près du sol, l'air est chaud et turbulent, ce qui peut déformer les images captées par les télescopes. Aussi positionne-t-on les instruments dédiés à l'observation du Soleil au sommet de tours construites à cet effet. Le télescope solaire Richard B. Dunn, installé sur le mont Sacramento, au Nouveau-Mexique (É.-U.), est abrité dans une tour se dressant à 41,50 m au-dessus du sol et descendant jusqu'à 67 m de profondeur. Presque tout l'air a été chassé de la tour afin d'obtenir les images les plus claires possible.

ÉTOILES ET ASTRONOMIE

Les étoiles sont des boules de gaz chaudes et lumineuses disséminées dans tout l'Univers. Elles forment dans notre ciel nocturne des motifs que les humains étudient depuis des millénaires.

Que sont les *étoiles*?

Le Soleil, l'étoile la plus proche de la Terre, n'est qu'une étoile parmi des milliards de milliards d'autres étoiles, toutes plus étonnantes les unes que les autres. Par sa taille comme par son éclat, c'est une étoile moyenne, au milieu de sa vie. Mais comme toutes ses semblables, le Soleil est voué à se transformer spectaculairement en vieillissant.

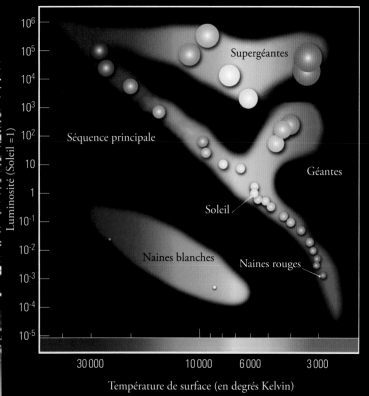

▶ ÉQUILIBRE *L'état et le comportement d'une étoile à n'importe quel stade de sa vie dépend de l'équilibre entre deux forces opposées : pression et gravité.*

Rayonnement lumineux

Force de gravité

Pression interne

CHAUDES ET BRILLANTES

Ce diagramme de Hertzsprung-Russell indique la température et l'éclat absolu, ou luminosité, des étoiles. Les étoiles froides apparaissent en rouge, les chaudes en bleu. La plupart des étoiles « brûlant » de l'hydrogène, dont le Soleil, se situent sur la diagonale, dans la « séquence principale ». Les géantes qui ont épuisé leur combustible quittent cette séquence par le haut.

VIE D'UNE ÉTOILE

Toutes les étoiles naissent dans une nébuleuse de poussières et d'hydrogène. Quand une étoile moyenne a épuisé son hydrogène, après des milliards d'années, elle se dilate en géante rouge puis se dépouille de ses couches externes pour finir sa vie en naine blanche, petite et peu lumineuse. Les étoiles massives et brillantes consomment leur combustible en quelques millions d'années. Elles se dilatent alors en supergéantes rouges puis explosent en supernova, formant une étoile à neutrons ou un trou noir.

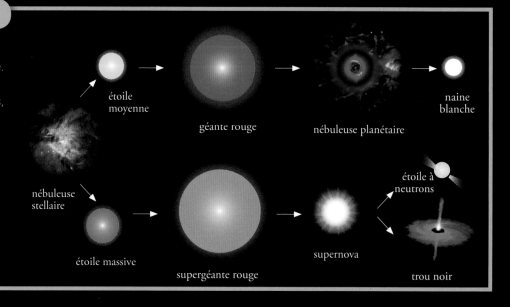

étoile moyenne

géante rouge

nébuleuse planétaire

naine blanche

nébuleuse stellaire

étoile massive

supergéante rouge

supernova

étoile à neutrons

trou noir

COUP D'ŒIL SUR LES TYPES D'ÉTOILES

Voici quelques types d'étoiles, à des stades différents de leur cycle de vie. Certaines sont jeunes et chaudes, d'autres vieilles et froides ; d'autres encore sont sur le point d'exploser.

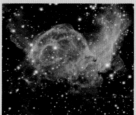

◄ ÉTOILE WOLF-RAYET *C'est une étoile massive très chaude perdant très rapidement de la masse et sur le point d'exploser en supernova.*

▼ ÉTOILE DE LA SÉQUENCE PRINCIPALE *Les étoiles de la séquence principale, comme le Soleil, convertissent leur hydrogène en hélium.*

▼ SUPERGÉANTES BLEUES *Ce sont les étoiles « ordinaires » les plus chaudes et les plus brillantes de l'Univers. Celle-ci est Rigel, l'étoile la plus lumineuse d'Orion.*

▲ NAINE BLANCHE *C'est le stade final de la vie d'une étoile moyenne comme le Soleil. Formée à partir du cœur effondré d'une géante rouge, une naine blanche est très dense.*

▲ ÉTOILE À NEUTRONS *Formée lors de l'explosion d'une supergéante rouge, elle est petite mais extrêmement dense. Une croûte de fer entoure un océan de neutrons.*

▲ SUPERGÉANTE ROUGE *Ce type d'étoile a un rayon de 200 à 800 fois plus grand que celui du Soleil mais sa température de surface est basse, d'où sa couleur rouge à jaune orangé.*

Géantes et supergéantes

Quand les étoiles de la séquence principale se trouvent à court d'hydrogène, elles se dilatent et commencent à « brûler » de l'hélium au lieu d'hydrogène. Un jour, le Soleil se transformera en une géante rouge 30 fois plus grosse et 1 000 fois plus brillante qu'il ne l'est aujourd'hui.

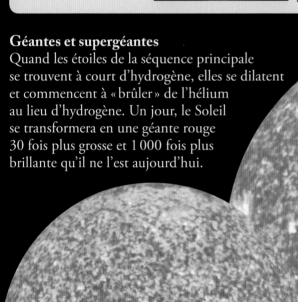

VV Cephei

Antarès

Bételgeuse

Soleil (1 pixel)   Sirius   Pollux   Arcturus   Rigel   Aldébaran

▲ UNE VRAIE GÉANTE *Même des supergéantes comme Bételgeuse et Antarès sont toutes petites à côté de VV Cephei. Classée comme hypergéante, c'est la deuxième plus grosse étoile de la Voie lactée. Elle se trouve à quelque 2 400 années-lumière de la Terre.*

▲ LA NÉBULEUSE TRIFIDE
Ce nuage de gaz et de poussières se situe dans la constellation du Sagittaire. Il est peu à peu érodé par une étoile massive voisine. En haut à droite du nuage, un jet stellaire jaillit d'une étoile enfouie. De tels jets sont formés par les gaz s'échappant des étoiles en formation.

▲ LA NÉBULEUSE DE LA LAGUNE
Proche de Trifide, la nébuleuse de la Lagune, encore plus étendue, abrite plusieurs groupes d'étoiles en formation. En son centre se trouve une très jeune étoile, chaude, dont le rayonnement disperse et fait s'évaporer les nuages environnants.

Naissance d'une étoile

Tout commence lorsqu'une nébuleuse, un énorme nuage de gaz et de poussières, commence à rétrécir puis se divise en masses tourbillonnantes. Chaque masse continuant de se contracter, la matière qu'elle contient devient de plus en plus chaude. Lorsque sa température avoisine 10 millions de °C, des réactions nucléaires s'enclenchent : une étoile est née.

LES NÉBULEUSES

Les nébuleuses prennent différentes couleurs, selon que le rayonnement émis par les jeunes étoiles est absorbé ou réfléchi. Dans une nébuleuse bleue, la lumière est réfléchie par de petites particules de poussière. Dans une nébuleuse rouge, les étoiles chauffent les poussières et les gaz.

▲ LA NÉBULEUSE DE LA TÊTE
DE CHEVAL *La sombre Tête* c
un nuage de poussières et de gaz
dessine distinctement sur le fond
rouge d'Orion, dont elle fait par
d'Orion a donné naissance à de
étoiles au cours du dernier milli

▲ LES PLÉIADES
L'amas des Pléiades se trouve da
du Taureau. Il contient plus de
enveloppées dans un mince nuag
formant un halo bleu pâle. Ma
aux sept étoiles massives, blanch
qui sont visibles à l'œil nu.

▲ LA NÉBULEUSE
DE L'AIGLE *Au bout d'un des trois*
doigts de l'aigle, formés de poussières
et de gaz froids, de jeunes étoiles
chaudes brillent à travers les
poussières sombres. Elles finiront par
expulser les poussières et par former
un amas stellaire bien visible.

◉ COUP D'ŒIL SUR LA CARÈNE

Ces deux images montrent la nébuleuse de la
Carène, pilier géant de poussières et de gaz où
naissent des étoiles. En haut, le rayonnement
des étoiles proches fait briller le nuage. En bas,
l'image en infrarouge révèle des étoiles nichées
dans la nébuleuse.

▲ LUMIÈRE VISIBLE *Dans cette nébuleuse*
brillante, des étoiles sont encore enfouies.

▲ LUMIÈRE INFRAROUGE *Deux étoiles*
tout juste nées émettent des jets de matière.

UN ÉCLAIR DE BRILLANCE

En janvier 2002, V838 Monocerotis, une supergéante rouge à environ 20 000 années-lumière de la Terre, a soudain brillé 10 000 fois plus qu'à l'ordinaire. Cette série d'images montre le sursaut de luminosité se diffusant dans l'espace, réverbéré à travers les couches de poussières qui entourent l'étoile. Ce phénomène, appelé écho lumineux, semble se traduire par une dilatation de la nébuleuse. C'est en fait la lumière émise par le sursaut stellaire qui, en se propageant, illumine une partie de plus en plus grande de la nébuleuse.

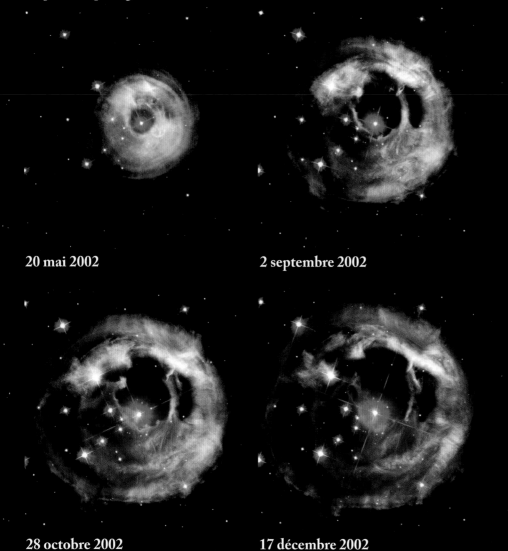

20 mai 2002

2 septembre 2002

28 octobre 2002

17 décembre 2002

Septembre 2006 *Plus de quatre ans après l'éruption de l'étoile, l'écho lumineux continue de se propager à travers le nuage de poussières.*

AVANT *L'étoile est en passe d'exploser.*

10 JOURS PLUS TARD *On voit ici la même étoile exploser en supernova, en 1987. Cette étoile est située dans le Grand Nuage de Magellan, une galaxie proche. Ce fut la première supernova visible à l'œil nu depuis près de quatre siècles.*

Plus une étoile est grosse, plus sa vie est courte. Les étoiles massives et chaudes ne brillent que quelques millions d'années. Les plus petites, bien plus froides, consomment leur combustible plus lentement et peuvent luire des milliards d'années. Mais tôt ou tard, toutes se trouvent à court de combustible et meurent.

Bételgeuse

Une étoile sur le point d'avoir épuisé son hydrogène enfle pour devenir une géante ou une supergéante rouge. Bételgeuse, une supergéante rouge dans la constellation d'Orion, est plus de 1 000 fois plus large que le Soleil. Son éclat absolu est aussi 14 000 fois plus élevé, car elle « brûle » son combustible 14 000 fois plus vite. Dans quelques centaines de milliers d'années, elle aura épuisé ses réserves et explosera en supernova. Elle deviendra alors l'étoile la plus brillante en apparence de notre ciel, après le Soleil.

Les affres de l'agonie stellaire

Eta Carinae est une étoile en fin de vie. Elle est déchirée par des explosions massives éjectant d'énormes nuages de gaz et de poussières. Son éclat évolue aussi spectaculairement. En 1843, c'était la deuxième étoile la plus brillante de notre ciel. Aujourd'hui, on ne peut plus la voir à l'œil nu.

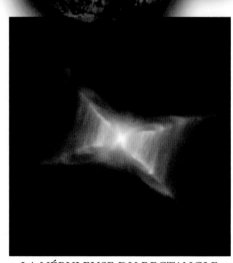

RONDS DE FUMÉE

Quand une géante rouge se trouve enfin à court d'hydrogène et d'hélium, elle s'effondre. Ses couches externes sont soufflées dans l'espace comme des ronds de fumée. Ces coquilles de gaz sont appelées nébuleuses planétaires, car ceux qui les observèrent avec les premiers instruments optiques les prirent pour des planètes. En leur centre, l'étoile se contracte en naine blanche, un objet extrêmement chaud de taille équivalente à la Terre.

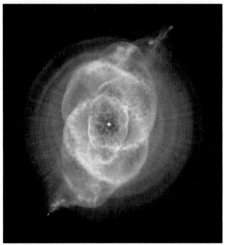

▲ LA NÉBULEUSE DE L'ŒIL DE CHAT *La bulle de gaz centrale, éjectée par une géante rouge il y a mille ans, s'étend vers l'extérieur et se confond avec des coquilles expulsées par des sursauts antérieurs.*

▲ LA NÉBULEUSE DU RECTANGLE ROUGE *Au centre, se trouve un système binaire d'étoiles. Ces deux étoiles sont entourées d'un anneau épais de poussières, ce qui a modelé le gaz environnant en quatre pointes.*

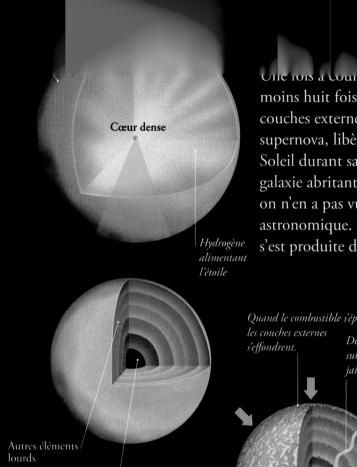

Cœur dense

Hydrogène alimentant l'étoile

Autres éléments lourds

Noyau formé de fer

Une fois à court de combustible, les grosses étoiles, d'une masse au moins huit fois supérieure à celle du Soleil, s'effondrent et éjectent leurs couches externes à la faveur d'une explosion. Ce phénomène, appelé supernova, libère une énergie équivalente à celle qu'aura rayonnée le Soleil durant sa vie entière. Une supernova peut briller plus fort qu'une galaxie abritant des milliards d'étoiles. L'événement est toutefois rare : on n'en a pas vu dans notre galaxie depuis l'invention de la lunette astronomique. La plus proche supernova observée récemment s'est produite dans le Grand Nuage de Magellan, en février 1987.

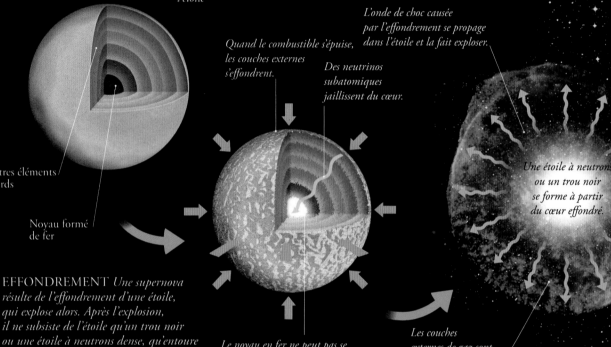

Quand le combustible s'épuise, les couches externes s'effondrent.

Des neutrinos subatomiques jaillissent du cœur.

L'onde de choc causée par l'effondrement se propage dans l'étoile et la fait exploser.

Une étoile à neutrons ou un trou noir se forme à partir du cœur effondré.

EFFONDREMENT *Une supernova résulte de l'effondrement d'une étoile, qui explose alors. Après l'explosion, il ne subsiste de l'étoile qu'un trou noir ou une étoile à neutrons dense, qu'entoure un nuage de gaz en expansion.*

Le noyau en fer ne peut pas se supporter lui-même : il s'effondre.

Les couches externes de gaz sont expulsées dans l'espace.

▲ LA NÉBULEUSE DE L'ŒUF
L'étoile centrale est cachée par une couche dense de gaz et de poussières. Mais sa lumière illumine les couches externes de gaz, produisant des arcs et des cercles brillants.

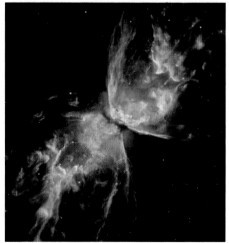

▲ LA NÉBULEUSE DU PAPILLON
Les « ailes » de gaz, expulsées par l'étoile centrale mourante, s'étirent sur quelque 2 années-lumière, la moitié de la distance entre le Soleil et l'étoile la plus proche de lui.

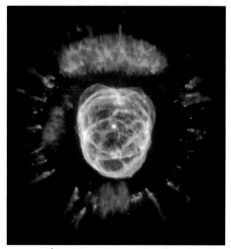

▲ LA NÉBULEUSE DE L'ESQUIMAU
Le « visage » est formé par une bulle de matière soufflée par l'étoile centrale. De celle-ci jaillissent aussi les queues d'objets en forme de comètes, qui dessinent une « capuche ».

219

Espace *interstellaire*

L'espace entre les étoiles, dit interstellaire, n'est pas si vide : partout sont disséminées des molécules de gaz et des particules de poussière. À l'échelle d'une galaxie, cela représente beaucoup de matière.

GLOBULES

On appelle globules de petits nuages de gaz et de poussières. La taille des plus petits, dits globules de Bok (du nom d'un astronome américain), n'excède pas celle du Système solaire (environ 2 années-lumière de diamètre). Ils sont surtout composés d'hydrogène moléculaire, à – 260 °C environ. Les globules peuvent se contracter lentement sous l'action de leur propre gravité et engendrer des étoiles.

▶ GLOBULES DE BOK *Ces globules de Bok, noirs, se dessinent distinctement sur un fond d'hydrogène chaud et brillant.*

Poussières et gaz

Les molécules spatiales absorbent ou émettent des ondes radio, ce qui permet de les détecter. Plus de 140 types ont été identifiés à ce jour. Les molécules de gaz sont les plus abondantes. La Voie lactée en contient assez pour fabriquer 20 milliards de Soleils. On trouve aussi des particules de poussière, de l'eau, de l'ammoniac et des composés de carbone (organiques).

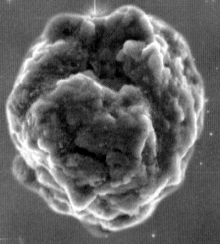

▲ POUSSIÈRE SPATIALE *Le diamètre d'une particule est inférieur à celui d'un cheveu.*

Globule à queue

Évoquant un monstre, ce nuage de poussières et de gaz, faiblement lumineux, est modelé par les vents soufflés par une toute jeune étoile voisine. La lumière ultraviolette émise par l'étoile fait rougeoyer la « gueule » du monstre. Ce nuage est un exemple de globule cométaire, ainsi appelé en raison de sa longue queue, semblable à celle d'une comète.

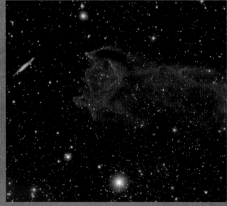

▲ NUAGE DE POUSSIÈRES *Ce globule contient assez de matière pour fabriquer plusieurs étoiles grosses comme le Soleil.*

▼ LA NÉBULEUSE DU VOILE *se trouve dans la constellation du Cygne.*

LA NÉBULEUSE DU VOILE

Les vents stellaires et les étoiles mourantes apportent sans cesse du gaz et des poussières dans l'espace interstellaire. L'aérienne nébuleuse du Voile est constituée des vestiges d'une supernova massive, ayant explosé il y a 30 000 à 40 000 ans. Elle continue de se dilater à raison d'une centaine de kilomètres par seconde.

Une pouponnière d'étoiles

Ce nuage, la nébuleuse d'Orion, est si brillant qu'il est facilement visible à l'œil nu. Situé à environ 1 500 années-lumière de la Terre, il s'étend sur 25 à 30 années-lumière et a une masse plusieurs centaines de fois plus élevée que le Soleil. Chauffée par un groupe de jeunes étoiles situées en son centre (le Trapèze), la nébuleuse d'Orion est un lieu de formation d'étoiles.

EN BREF

■ Les ingrédients de l'espace interstellaire changent constamment : des molécules sont créées, d'autres se désintègrent.

■ Les étoiles mourantes ajoutent du gaz et des poussières à l'espace interstellaire, les étoiles naissantes en retirent.

■ L'hydrogène, l'hélium et le monoxyde de carbone sont les gaz les plus abondants dans l'espace.

■ L'espace est baigné par de nombreuses formes de rayonnement, dont la lumière, la chaleur et les ondes radio.

■ Parmi les autres ingrédients de l'espace figurent les champs magnétiques, le rayonnement cosmique et les neutrons.

Système solaire en mouvement

Le Système solaire se déplace à grande vitesse dans l'espace interstellaire. L'héliosphère, bulle invisible créée autour de lui par le vent solaire, exerce une poussée sur les gaz et les poussières interstellaires, les contraignant à s'écouler autour d'elle. Les scientifiques ont longtemps pensé que le Système solaire en mouvement prenait la forme d'une comète, mais de nouvelles observations montrent qu'en fait, il ressemble à une balle qu'on presse.

◄ LE TRAPÈZE *L'amas entourant le Trapèze contient 1 000 étoiles chaudes, âgées de moins d'un million d'années.*

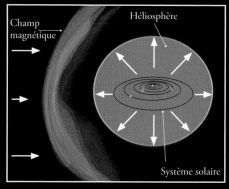

▲ POUSSÉE SPATIALE *Le champ magnétique interstellaire se courbe et se divise pour laisser passer le Système solaire.*

Multiples

La plupart des étoiles se forment dans des amas au sein d'énormes nébuleuses. Au fil du temps, elles peuvent s'éloigner de leur amas originel, mais le Soleil reste un cas assez exceptionnel d'étoile solitaire. Plus de la moitié des étoiles appartiennent à des systèmes binaires et beaucoup vivent à trois, ou plus.

SYSTÈMES BINAIRES

Un système binaire est formé de deux étoiles orbitant l'une autour de l'autre. Mizar, dans la « poignée » de la casserole que dessine la Grande Ourse, fut la première étoile binaire découverte. Son compagnon, Alcor, fut repéré par Giovanni Riccioli en 1650. Depuis, de nombreuses paires ont été identifiées. La nature double de la brillante Acrux, dans la Croix du Sud, fut percée en 1685. Mira, une géante rouge dans la constellation de la Baleine, est une autre binaire célèbre.

◀ MIRA A *(à droite) se compose de matière expulsée, formant un disque autour de Mira B, une naine blanche.*

Sirius

Sirius, qui se trouve dans la constellation du Grand Chien, est l'étoile la plus brillante de notre ciel nocturne. L'étoile bleue blanche Sirius A est plus chaude que le Soleil et 22 fois plus brillante. Son compagnon, Sirius B, est une naine blanche faible, un vestige dense d'une étoile effondrée.

▲ SIRIUS B *(à droite) est si proche de Sirius A et si faible que ce n'est que récemment qu'on en a obtenu des images.*

Cannibales de l'espace

Il arrive que les deux membres d'un système binaire soient si proches que l'un arrache de la matière à l'autre. L'étoile « cannibale » grossit, en taille et en masse, au détriment de son compagnon. Le système binaire Phi Persei contient par exemple une étoile plus ancienne, qui se dépouille de ses couches externes, et une autre qui aspire la matière éjectée. Ce compagnon avide a atteint neuf fois la taille du Soleil ! Il tourne si violemment sur lui-même que du gaz est projeté de sa surface et alimente un anneau. Il se pourrait qu'un jour, il rejette du gaz vers son aînée.

LE DUO PHI PERSEI

1. LA PAIRE D'ÉTOILES *Phi Persei est demeurée inchangée pendant 10 millions d'années, les deux étoiles tournant l'une autour de l'autre, liées par leur gravité.*

2. LA SITUATION A CHANGÉ *quand la plus grosse étoile a commencé à épuiser son hydrogène. Dès lors, cette étoile vieillissante s'est mise à enfler.*

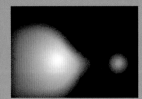 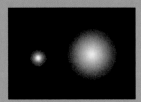

3. EN SE DILATANT, *l'étoile vieillissante projette sa matière sur son compagnon plus petit.*

4. LA PREMIÈRE ÉTOILE *se dépouille de presque toute sa masse : son cœur est exposé.*

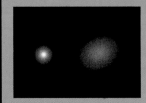 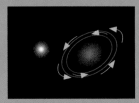

5. LE COMPAGNON, *étoile moyenne, a capturé la plus grande partie de la masse de sa partenaire. Il change d'identité, devenant une étoile massive et chaude, en rotation rapide.*

6. LA SECONDE ÉTOILE *tourne si vite qu'elle se transforme en sphère aplatie et perd de l'hydrogène, qui se dépose dans un large anneau autour d'elle.*

AMAS OUVERTS

Les amas ouverts constituent des groupes de plusieurs centaines, voire plusieurs milliers, d'étoiles. Celles-ci sont maintenues ensemble par la gravitation, s'attirant mutuellement. Les étoiles d'un amas ouvert sont toutes nées au sein d'une même nébuleuse. Elles ont donc toutes le même âge et sont de même composition, mais leur masse peut être très variable. Parmi les amas ouverts bien connus, visibles à l'œil nu, figurent les Pléiades, les Hyades et la Boîte à bijoux.

Trois en une

Polaris, l'étoile polaire si familière, est en fait une étoile triple. On lui connaissait un compagnon, Polaris B, depuis 1780. La troisième étoile est si proche de Polaris A qu'elle n'a été observée qu'en 2005.

▲ NGC 3603 *est l'un des plus grands amas de jeunes étoiles de la galaxie de la Voie lactée. On voit ici de jeunes étoiles entourées de poussières et de gaz.*

Amas globulaires

Des boules denses d'étoiles orbitent dans la Voie lactée et d'autres grandes galaxies. Chacun de ces amas globulaires peut contenir des millions d'étoiles, nées en même temps, dans la même nébuleuse. Ces étoiles restent liées des milliards d'années par la gravitation. On connaît de nombreux amas globulaires, très vieux, qui abritent quelques-unes des étoiles les plus âgées de l'Univers.

▶▶▶ EN BREF ▶▶▶

■ L'âge de la plupart des amas globulaires suggère qu'ils se sont formés très tôt dans l'histoire de l'Univers, à l'époque où les premières galaxies ont vu le jour.

■ La plupart des amas globulaires sont remplis de vieilles étoiles, typiquement âgées de 10 milliards d'années. Il ne s'y forme plus d'étoiles.

■ Certains amas globulaires contiennent toutefois plusieurs générations d'étoiles plus jeunes. Ils doivent donc être de formation plus récente.

■ Les jeunes amas globulaires seraient les vestiges de collisions entre de grandes galaxies et des galaxies naines.

▲ VESTIGES D'UNE GALAXIE NAINE?
L'amas globulaire Omega Centauri, qu'on peut admirer dans le ciel austral, serait vieux de 12 milliards d'années environ. Des observations récentes ont montré que les étoiles proches du centre se déplacent très rapidement, ce qui suggère la présence d'un trou noir de taille moyenne. Cet amas pourrait être l'ancien cœur d'une galaxie naine, en grande partie détruite lors d'une rencontre avec la Voie lactée.

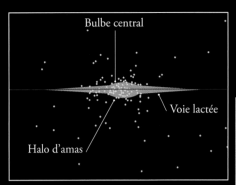

Bulbe central

Voie lactée

Halo d'amas

▲ AMAS GLOBULAIRES PROCHES
On dénombre environ 150 amas globulaires proches de la Voie lactée. Beaucoup se trouvent dans un « halo » entourant le bulbe central de notre galaxie, à la différence des amas ouverts, toujours situés dans le disque. Les scientifiques calculent la distance de ces amas à partir de leur éclat apparent.

▲ NAINES BLANCHES ET ROUGES
NGC 6397 est l'un des amas globulaires les plus proches de la Terre. Le télescope spatial Hubble a pu regarder en son centre : il y a trouvé des naines blanches faibles, mortes depuis longtemps, ainsi que des naines rouges faibles et froides, consommant lentement leur hydrogène depuis peut-être 12 milliards d'années.

Méga amas
Plus grand amas globulaire
de la Voie lactée, Omega
Centauri abrite peut-être
10 millions d'étoiles et s'étend
sur quelque 150 années-lumière.
Dans le ciel nocturne, il apparaît
presque aussi large que
la pleine Lune.

▲ M13 *L'œil nu voit cette boule scintillante d'étoiles, l'une des plus brillantes de l'hémisphère Nord, comme une étoile unique et floue, aisément repérable l'hiver dans la constellation d'Hercule. Près de 300 000 étoiles s'entassent à proximité du centre de cet amas, qui en compte beaucoup plus : il s'étend sur plus de 100 années-lumière.*

Systèmes planétaires

Pendant des siècles, on s'est interrogé sur l'éventuelle existence de planètes orbitant autour d'étoiles distantes, sans pouvoir espérer les observer. Les instruments modernes ont rendu leur détection possible : plus de 400 exoplanètes ont déjà été découvertes.

EN GESTATION

Des systèmes semblables à notre Système solaire se forment. Chacune des étoiles naissant dans la nébuleuse d'Orion est entourée d'un disque tourbillonnant de gaz et de poussières : que la matière du disque s'agrège et elle formera des planètes en orbite autour de l'étoile centrale.

Les exoplanètes

Les deux premières exoplanètes – des planètes en dehors du Système solaire – ont été découvertes en 1992. Orbitant autour d'un type d'étoile appelé pulsar, elles demeurent invisibles mais leur existence nous est connue en raison des effets qu'elles ont sur les ondes radio émises par le pulsar (p. 227).

▲ PLANÈTES PULSARS *Il est improbable que ces planètes abritent la vie, car les pulsars émettent des rayonnements dangereux.*

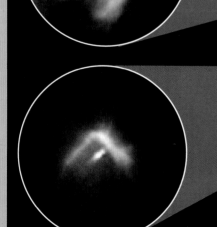

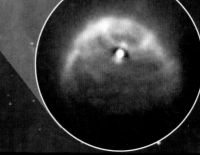

▲ POUPONNIÈRE PLANÉTAIRE
Les astronomes ont découvert 30 systèmes planétaires en formation dans la nébuleuse d'Orion.

Un pouvoir d'attraction

La première exoplanète en orbite autour d'une étoile semblable au Soleil a été identifiée en 1995. Elle a été trahie par de légers décalages dans le spectre lumineux de l'étoile, 51 Pegasi, qui, sous la force d'attraction exercée par la planète (51 Pegasi b), s'éloigne puis se rapproche légèrement de la Terre. Depuis, des centaines d'exoplanètes ont ainsi été découvertes à partir des oscillations qu'elles engendrent chez leur étoile.

Planète invisible

▲ DÉCALAGES
La longueur d'onde de la lumière d'une étoile change quand celle-ci se rapproche ou s'éloigne de la Terre. Les décalages de couleur dans son spectre lumineux peuvent indiquer la présence d'une planète en orbite.

Une planète comme la Terre?

Les systèmes planétaires étant assez communs, il pourrait exister de nombreuses exoplanètes semblables à la Terre. On s'attend à ce que les observatoires spatiaux en découvrent dans les prochaines années. Les astronomes portent leur attention sur des systèmes planétaires complexes comme HR 8799, l'un des premiers systèmes observés abritant plusieurs planètes.

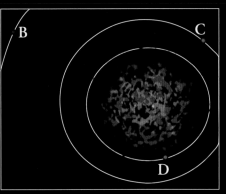

▲ SYSTÈME HR 8799 *Trois planètes (B, C et D) orbitent autour d'une étoile centrale.*

DISQUES DE POUSSIÈRES

Avant même qu'on ne découvre des exoplanètes, on avait repéré autour de jeunes étoiles des disques de poussières et de gaz en rotation susceptibles d'en engendrer. Le premier disque découvert tourbillonnait autour de Beta Pictoris. Or, en 2008, les scientifiques ont détecté un objet très proche de cette étoile : il pourrait s'agir d'une planète géante.

▶ BETA PICTORIS
est une jeune étoile chaude dans la constellation du Peintre. Le disque qui l'entoure, quoique assez froid, brille fortement dans l'infrarouge.

55 CANCRI

Situé dans la constellation du Cancer, 55 Cancri est le système planétaire le plus semblable au Système solaire qu'on connaisse à ce jour. Il compte au moins cinq planètes (plus que tout autre découvert à ce jour), toutes plus grandes que la Terre. Les quatre planètes intérieures sont toutes plus proches de leur étoile que la Terre ne l'est du Soleil. Une géante gazeuse se trouve sur une orbite distante, comparable à celle de Jupiter. Mais cette planète demeure dans la zone habitable de 55 Cancri. Il n'est pas exclu qu'une lune rocheuse abrite de l'eau à l'état liquide.

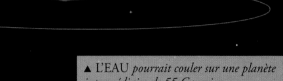

▲ L'EAU *pourrait couler sur une planète intermédiaire de 55 Cancri.*

Extrêmes

L'Univers abrite d'innombrables étoiles plus chaudes ou plus froides que le Soleil, plus ou moins massives. Certaines de ces étoiles extrêmes sont en fin de vie. D'autres sont devenues soudain très actives. D'autres encore n'ont jamais réussi à mettre en service leur processus nucléaire.

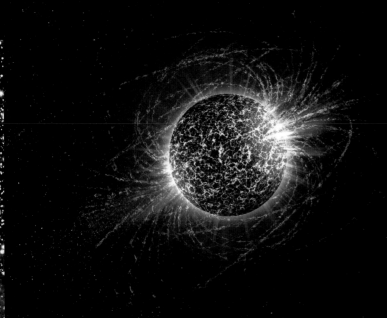

ÉTOILES À NEUTRONS

Les étoiles à neutrons ne dépassent pas une dizaine de kilomètres de diamètre ; elles sont pourtant bien plus lourdes que le Soleil. Une cuillère à café de leur matière pèserait 1 milliard de tonnes. Leur croûte de fer, 10 milliards de fois plus résistante que l'acier, recouvre un océan liquide de neutrons : les débris des atomes écrasés par l'explosion de la supernova.

Du gaz s'écoule du compagnon vers la naine blanche.

La naine blanche finit par exploser en nova.

Les naines blanches
Toute étoile d'une masse sept fois inférieure à celle du Soleil est vouée à finir sa vie sous forme d'une petite étoile faible, ou naine blanche. L'étoile mourante expulse la plus grande partie de sa matière et s'effondre, devenant extrêmement petite, compacte et chaude. Une cuillère à café de la matière d'une naine blanche pèserait plusieurs tonnes.

Naine blanche

▲ FIN PROGRAMMÉE *Après être devenu géante rouge, le Soleil finira sa vie en naine blanche comme celles-ci, dans environ 7 milliards d'années.*

Les naines brunes
Souvent décrites comme des « étoiles ratées », les naines brunes sont si petites et froides qu'elles sont incapables d'enclencher des réactions nucléaires dans leur cœur. Elles brillent toutefois, très faiblement, car en se contractant peu à peu sous l'effet de leur gravité, elles produisent de la chaleur.

▲ 2M 0939 *Vue d'artiste des corps stellaires, jumeaux, les plus sombres qu'on connaisse.*

Les novae
Lorsqu'une naine blanche est liée, dans un système binaire, à une étoile ordinaire, elle peut lui arracher de grandes quantités de gaz. Ce gaz s'échauffe, la pression augmente à la surface de la naine blanche, jusqu'à ce qu'une explosion nucléaire se produise. La naine blanche brille alors plus fort : on parle de nova. Puis elle faiblit à nouveau et le cycle se répète.

LES PULSARS

Un pulsar est une étoile à neutrons en rotation dont les rayonnements, observés de la Terre, semblent balayer le ciel nocturne comme les faisceaux d'un phare en mer. Le rayonnement d'un pulsar peut être capté sur Terre sous forme de signaux radio ou parfois de sursauts de lumière visible, de rayons X ou gamma.

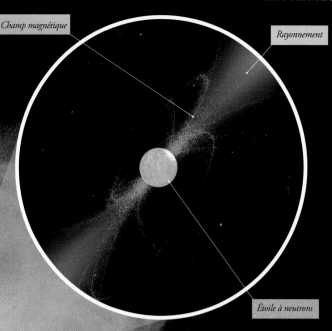

Champ magnétique

Rayonnement

Étoile à neutrons

▲ FAISCEAUX PUISSANTS
Un pulsar se caractérise par un fort champ magnétique et une rotation rapide, et rayonne des électrons de haute énergie.

◄ SÉISMES STELLAIRES
En 2004, l'éruption d'un magnétar a temporairement aveuglé les satellites à rayons X. Ce sursaut d'énergie provenait d'un séisme géant causé par l'enchevêtrement du champ magnétique de l'étoile.

Sursauts extrêmes

Les observatoires détectent parfois de puissants mais éphémères sursauts de rayons gamma. Ces sursauts sont plus lumineux que 1 milliard de Soleils mais ne durent que quelques millisecondes. Ils seraient dus à la collision d'un trou noir et d'une étoile à neutrons, ou de deux étoiles à neutrons. Dans le premier cas, le trou noir attire l'étoile à neutrons et grossit. Dans le second cas, les deux étoiles à neutrons engendrent un trou noir.

LES MAGNÉTARS

Le champ magnétique d'un magnétar est jusqu'à 1 000 fois plus puissant que celui des autres étoiles à neutrons. Sa puissance, inégalée dans l'Univers, équivaut à celle de 10 millions de millions d'aimants. Ce magnétisme intense pourrait résulter de la combinaison d'une rotation très rapide à leur naissance – 300 à 500 rotations par seconde – et du brassage du fluide électronique à l'intérieur de l'étoile.

Trous noirs

Un trou noir est peut-être l'objet le plus étrange de l'Univers. C'est une région de l'espace où la matière s'effondre sur elle-même. Il en résulte qu'une énorme masse se concentre sur une très petite superficie. L'attraction gravitationnelle du trou noir est si forte que rien ne peut y échapper, pas même la lumière.

▲ TAILLE VARIABLE *Certains trous noirs ont une masse à pein[e] plusieurs fois supérieure à celle du Soleil. Ceux situés au centre des galaxies seraient plusieurs millions de fois plus massifs. Ce trou noir de taille moyenne se niche dans un amas globulaire.*

Trous noirs stellaires

Ce type de trou noir se forme quand une étoile très massive – environ dix fois plus que le Soleil – explose en supernova. Ses vestiges s'effondrent dans une zone de quelques kilomètres de largeur. Il est plus facile de détecter un trou noir stellaire lorsqu'il possède une étoile compagnon ayant survécu à l'explosion. De la matière arrachée à ce compagnon forme un disque tourbillonnant autour du trou noir, dont les scientifiques peuvent alors calculer la masse et l'orbite.

Disque de matière chaude

▲ UN[E] SPATIONAUTE *commençant à êtr[e] aspiré par un trou noi[r] paraîtrait encor[e] normal aux yeux d[e] ses compagnon[s].*

Étoile compagnon

▲ DES RAYONNEMENTS *s'écoulent du trou noir à une vitesse proche de celle de la lumière.*

▶ LONGTEMPS APRÈS *qu'il serait tombé dans le trou noir, il resterait visible, fortement étiré et rouge, en bordure du trou noir.*

Étiré à l'extrême

Tout objet tombant dans un trou noir est étiré jusqu'à ce que sa largeur se réduise à un atome. Un spationaute qui y tomberait les pieds les premiers, sentirait ceux-c[i] beaucoup plus fortement aspirés que sa tête. Cet effet d'étirement empirerai[t] à mesure qu'il se rapprocherait du trou noir, dont la gravité finirai[t] par le broyer. Les compagnon[s] du spationaute verraient so[n] image rougir – la lumièr[e] cherchant à s'échapper du trou noir – puis flotter en bordur[e] du trou, avant de s'évanouir[.]

▲ TROU BINAIRE *Ces objets brillants sont deux trous noirs supermassifs orbitant l'un autour de l'autre, dont s'échappent des rayonnements. Ils pourraient finir par fusionner en un seul trou noir.*

TROUS NOIRS SUPERMASSIFS

La plupart des galaxies, y compris la Voie lactée, abriteraient en leur centre un trou noir supermassif. Certains spécialistes pensent que ces trous noirs voient le jour lors de la formation de la galaxie, quand une grande quantité de matière se trouve compressée en son centre. Une autre hypothèse est que les trous noirs naissent très petits et grossissent à mesure qu'ils aspirent la matière environnante.

Rayonnement

▶ JETS COSMIQUES
Le gaz attiré dans un trou noir s'échauffe très fortement. Cette énergie est libérée sous forme de rayonnements (en général des rayons X) éjectés très loin dans l'espace.

Anneau de poussières
et de gaz

Rayonnement

EN BREF

■ Toute la matière tombant dans un trou noir s'accumule en un point central unique, appelé singularité.

■ La collision de deux trous noirs ferait se propager des ondes gravitationnelles dans tout l'Univers.

■ Pour transformer la Terre en trou noir, il faudrait la compresser à la taille d'une bille.

■ Il pourrait y avoir 100 milliards de trous noirs supermassifs dans notre seule région de l'Univers.

■ L'énergie des trous noirs diminue peu à peu, mais il faudra des milliards d'années pour qu'ils s'évanouissent dans le néant.

Observer le ciel

Le ciel nocturne a toujours fasciné l'humanité.
Les premières civilisations notèrent ainsi
les positions du Soleil, de la Lune et des planètes.
Aujourd'hui, les lumières urbaines peuvent
masquer les étoiles les plus faibles,
mais le ciel des villes offre aussi
des vues stupéfiantes.

▲ ÉQUIPEMENT ESSENTIEL *En plus d'une carte
des étoiles, munissez-vous de livres pour en savoir plus sur ce
que vous regardez. Utilisez une lumière rouge pour lire : vos
yeux auront moins de difficultés à s'accommoder de nouveau
à l'obscurité. Et n'oubliez pas de vous vêtir chaudement !*

POUR VOIR LES ÉTOILES

Pour voir des objets faibles dans le ciel, des instruments optiques
sont nécessaires. Les jumelles, moins coûteuses, suffisent pour
observer les champs d'étoiles, les couleurs des étoiles, les amas
et la Lune. Les lunettes et télescopes, grossissant davantage, sont
recommandés pour observer planètes, nébuleuses et galaxies.

PANNEAUX INDICATEURS

Au premier coup d'œil, les étoiles semblent assez uniformément dispersées dans le ciel nocturne, mais si on continue à observer, des motifs apparaissent. Ce sont des constellations, identifiées dès l'Antiquité. L'une d'elles, Orion (à droite), constitue un bon repère dans le ciel hivernal de l'hémisphère Nord et peut permettre de trouver les autres constellations et étoiles brillantes.

LES CARTES DU CIEL

Les étoiles sont si lointaines qu'elles semblent fixes dans le ciel nocturne. Il peut vous sembler facile de vous souvenir de la position des plus brillantes et des constellations mais pour trouver les objets plus faibles, il vous faudra une carte du ciel. Une carte sur papier peut être utile mais elle n'est guère maniable, surtout par une nuit un peu venteuse. Un planisphère céleste est un disque qu'on tourne pour faire apparaître la partie du ciel observée. Cartes et planisphères sont aussi disponibles sur Internet.

Tournez le disque pour faire coïncider l'heure et la date.

La zone apparaissant dans la fenêtre correspond au ciel que vous pouvez voir.

▲ GUIDE DES ÉTOILES *Un planisphère vous aidera à vous repérer parmi les étoiles.*

Chercheur
Télescope
Appareil photo
Trépied

▲ ON PHOTOGRAPHIERA *des objets très faibles en fixant un appareil sur un télescope et en laissant l'obturateur ouvert au moins trente minutes.*

Un Univers coloré

Si les couleurs des planètes et des étoiles se distinguent aisément, les nébuleuses et les galaxies apparaissent souvent comme des taches floues, grises ou verdâtres, même à travers un gros télescope. Elles ne brillent pas assez pour que la partie de nos yeux sensible aux couleurs les détecte. Leurs couleurs se révéleront en les photographiant en pose longue : laissez l'obturateur de l'appareil ouvert quelques minutes, en stabilisant l'appareil.

OBSERVER LE SOLEIL

Le Soleil est fascinant à observer mais le regarder peut rendre aveugle. La manière la plus sûre d'observer les taches solaires ou une éclipse solaire consiste à projeter l'image du Soleil sur une feuille cartonnée. Vous pouvez utiliser pour cela un télescope ou une des lentilles de vos jumelles (voir illustration). Ou vous pouvez fabriquer un sténopé. Il suffit de percer dans une feuille cartonnée un trou d'épingle, par lequel l'image du Soleil sera projetée sur une autre feuille.

▲ *Regarder directement une éclipse solaire abîme les yeux.*

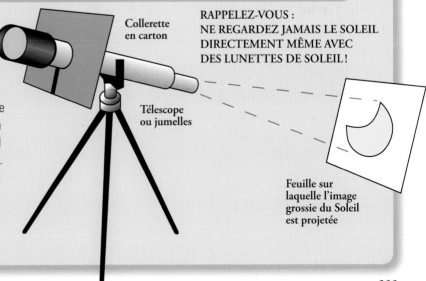

RAPPELEZ-VOUS : NE REGARDEZ JAMAIS LE SOLEIL DIRECTEMENT MÊME AVEC DES LUNETTES DE SOLEIL !

Collerette en carton

Télescope ou jumelles

Feuille sur laquelle l'image grossie du Soleil est projetée

Le ciel *nocturne*

Par une nuit claire, on peut voir des milliers d'étoiles. Mais comment les distinguer les unes des autres ? Les étoiles forment des motifs appelés constellations, qui peuvent vous aider à vous repérer dans le ciel.

Constellations de l'hémisphère Sud

QUI A DESSINÉ LES CONSTELLATIONS ?

Les astronomes de l'Antiquité avaient remarqué que les étoiles formaient des groupes se déplaçant de manière régulière dans le ciel. Pour se souvenir de ces groupes, ils ont utilisé des personnages, des animaux et des objets tirés de leurs mythes. La plupart des noms de constellations viennent des Grecs et des Romains, et pour certains des Égyptiens, des Babyloniens ou des Sumériens.

Constellations de l'hémisphère Nord

CATALOGUES D'ÉTOILES

Les premiers astronomes dressèrent des catalogues des constellations identifiées. On n'en connaissait que 48 avant que les Européens explorent l'hémisphère Sud. À mesure que les navigateurs s'aventurèrent de plus en plus au sud, des constellations s'ajoutèrent au catalogue. En 1922, l'Union astronomique internationale établit la liste et le contour des 88 constellations que nous connaissons aujourd'hui.

► ILLUSTRATION *de* L'Atlas céleste, *l'un des premiers catalogues d'étoiles.*

LES PLANÈTES

Vénus

Lune

On peut aussi repérer des planètes dans le ciel nocturne. Mercure, Vénus, Mars, Jupiter et Saturne sont toutes visibles à l'œil nu. Mercure et Vénus ont longtemps été appelées étoiles du matin et du soir, car elles sont plus facilement observables juste avant le lever du Soleil et juste après son coucher.

Trouver l'étoile Polaire

Polaris, l'étoile Polaire, se trouve presque à l'aplomb du pôle Nord, ce qui en fait un repère idéal pour situer le Nord. Elle est visible toute l'année dans l'hémisphère Nord à la pointe de la Petite Ourse. Pour la trouver, on peut utiliser comme repère une autre constellation, la Grande Ourse : sept de ses étoiles dessinent une casserole. L'étoile Polaire est la première étoile la plus brillante dans la direction vers laquelle pointent les deux étoiles formant l'avant de la casserole.

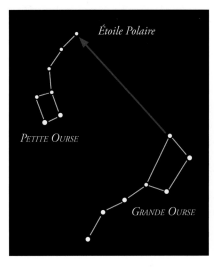

Étoile Polaire

PETITE OURSE

GRANDE OURSE

LE ZODIAQUE

Douze constellations, visibles dans les deux hémisphères, forment ce que les astronomes de l'Antiquité appelèrent le zodiaque, d'un mot grec signifiant animaux. Elles portent pour la plupart des noms d'animaux, certaines renvoyant à des personnages humains et une à un objet. Le zodiaque se déplace le long de l'écliptique, qui correspond à la trajectoire apparente du Soleil dans le ciel.

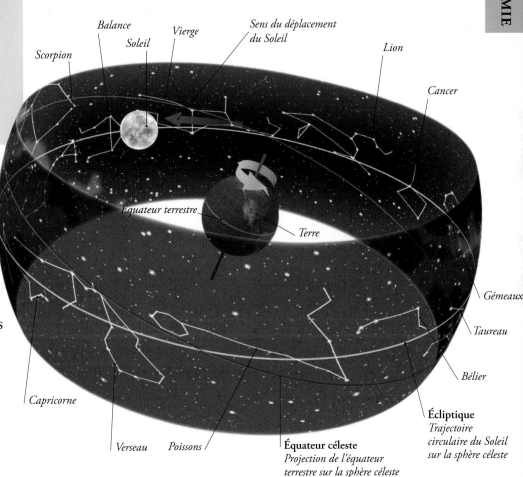

Balance

Vierge

Soleil

Sens du déplacement du Soleil

Lion

Scorpion

Cancer

Sagittaire

Équateur terrestre

Terre

Gémeaux

Taureau

Capricorne

Bélier

Verseau

Poissons

Écliptique
Trajectoire circulaire du Soleil sur la sphère céleste

Équateur céleste
Projection de l'équateur terrestre sur la sphère céleste

CONSTELLATIONS EN MOUVEMENT

Les étoiles d'une constellation semblent former un groupe cohérent, mais certaines sont en fait bien plus proches de nous que les autres. Comme nous ne voyons le ciel qu'en deux dimensions, nos yeux ne peuvent déterminer la distance qui sépare les étoiles. Chacune se déplace par ailleurs dans l'espace. Dans quelques centaines de milliers d'années, ces étoiles auront toutes changé de position et les constellations n'auront plus la même forme.

La Grande Ourse, il y a 100 000 ans…

aujourd'hui…

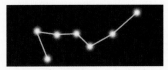

et dans 100 000 ans.

235

L'*hémisphère* Nord

La carte figurant sur la page de droite indique les constellations visibles dans l'hémisphère Nord. Vous ne les verrez pas toutes au même moment : en raison de l'inclinaison et de l'orbite terrestres, quelques-unes ne sont observables qu'à certaines périodes de l'année.

▼ LA NÉBULEUSE D'ORION (M42)
est une vaste région de formation stellaire, située dans « le fourreau » d'Orion.

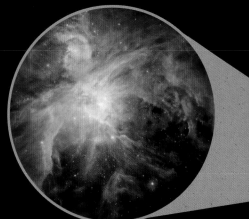

▲ LA NÉBULEUSE DE LA FLAMME
se trouve sous l'étoile la plus basse de la ceinture d'Orion.

Bételgeuse

Rigel

Le nom des étoiles

Les astronomes d'aujourd'hui classent les étoiles des constellations par ordre décroissant d'éclat et les identifient par une lettre de l'alphabet grec, suivie par le nom de leur constellation. Dans la constellation d'Orion, Bételgeuse et Rigel, ainsi nommées dans le passé, deviennent respectivement Alpha Orionis et Bêta Orionis.

Orion
Le Chasseur

Facilement reconnaissable dans les deux hémisphères, la constellation d'Orion dessine un chasseur armé d'une massue et portant une épée à sa ceinture tracée par trois étoiles en diagonale ; il tient dans la main la tête d'un lion. Cette constellation contient deux étoiles très brillantes : **Rigel**, une supergéante bleue, en bas à droite, et **Bételgeuse**, une supergéante rouge, sur l'épaule droite du chasseur.

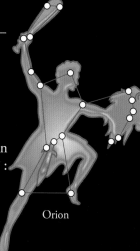

Orion

Cygnus
Le Cygne

Le Cygne est une constellation majeure de l'hémisphère Nord, qu'on appelle parfois la **Croix du Nord**. Elle est aussi visible l'hiver dans l'hémisphère Sud, juste au-dessus de l'horizon. À la base de la queue du cygne, **Deneb**, une supergéante bleue-blanche, est 160 000 fois plus lumineuse que le Soleil. Le bec du cygne contient un système binaire, **Albireo**, dont les deux étoiles sont visibles avec des jumelles ou une lunette.

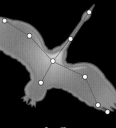

Le Cygne

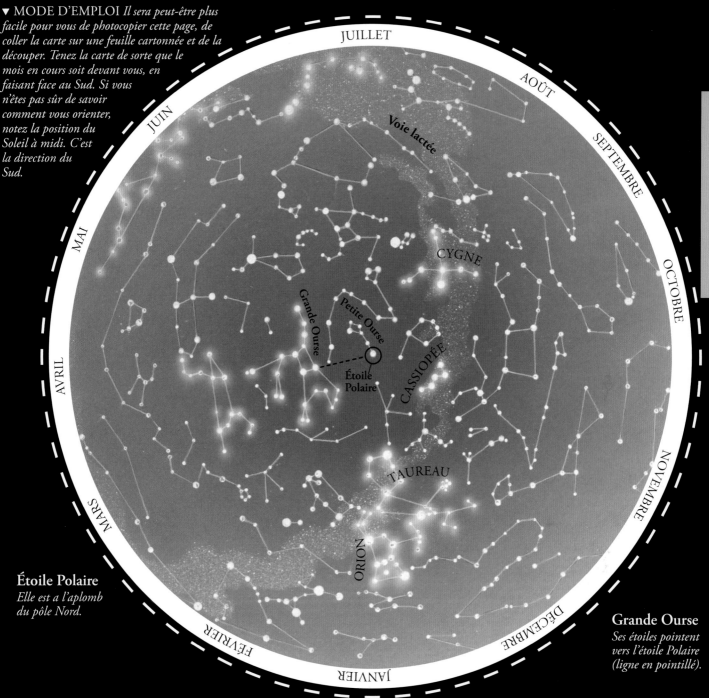

▼ MODE D'EMPLOI *Il sera peut-être plus facile pour vous de photocopier cette page, de coller la carte sur une feuille cartonnée et de la découper. Tenez la carte de sorte que le mois en cours soit devant vous, en faisant face au Sud. Si vous n'êtes pas sûr de savoir comment vous orienter, notez la position du Soleil à midi. C'est la direction du Sud.*

JUILLET

AOÛT

SEPTEMBRE

OCTOBRE

NOVEMBRE

DÉCEMBRE

JANVIER

FÉVRIER

MARS

AVRIL

MAI

JUIN

Voie lactée

CYGNE

Grande Ourse

Petite Ourse

CASSIOPÉE

Étoile Polaire

TAUREAU

ORION

Étoile Polaire
Elle est a l'aplomb du pôle Nord.

Grande Ourse
Ses étoiles pointent vers l'étoile Polaire (ligne en pointillé).

Taurus
Le Taureau

Situé juste au-dessus d'Orion, le Taureau contient deux célèbres amas d'étoiles, les **Hyades** et les **Pléiades**, qui regroupent tous deux des étoiles visibles à l'œil nu. Une étoile rouge remarquable, Aldébaran, forme l'œil du taureau. Juste au-dessus de l'étoile marquant la pointe de la corne la plus basse, la nébuleuse du Crabe (M1) est le vestige d'une supernova, repérée pour la première fois en 1054.

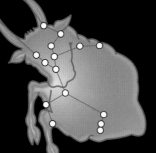

Le Taureau

Cassiopeia
Cassiopée

Cassiopée est une autre constellation aisément identifiable. Elle porte le nom d'une reine mythique. Sa vanité était notoire, c'est pourquoi elle est représentée avec un miroir dans la main. Les cinq étoiles principales de cette constellation dessinent un W. L'étoile centrale du W pointe en direction de l'étoile Polaire.

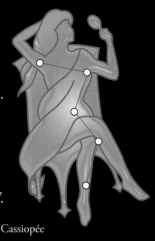

Cassiopée

L'*hémisphère* Sud

La pollution lumineuse est moins importante dans l'hémisphère Sud, ce qui facilite l'observation des étoiles plus faibles. La Voie lactée y apparaît également plus brillante et les étoiles y semblent plus nombreuses que dans le Nord. Voici quelques objets intéressants à regarder.

▲ NÉBULEUSE TRIFIDE
Cette nébuleuse colorée, divisée en trois lobes, contient de très jeunes étoiles, chaudes.

Voie lactée

LE CENTRE DE LA GALAXIE

Nous pouvons voir dans le ciel nocturne d'autres parties de notre galaxie, la Voie lactée. Nous plongeons en son centre en regardant dans la constellation du Sagittaire : elle y est le plus dense. Le Sagittaire contient davantage d'amas et de nébuleuses stellaires que toute autre constellation.

▲ LA LAGUNE *Cette énorme nébuleuse, visible à l'œil nu, prend une couleur rose sur les images des télescopes spatiaux.*

Sagittarius
Le Sagittaire

Le Sagittaire est dépeint comme un centaure, créature mythique mi-homme mi-cheval, décochant une flèche. Cette constellation abrite une source radio, qui marque le centre de la **Voie lactée** et serait un trou noir. Les nébuleuses de la **Lagune**, **Trifide** et **Oméga** et l'amas globulaire **M22** font aussi partie du Sagittaire.

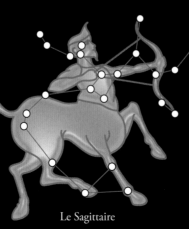

Le Sagittaire

Hydra
L'Hydre

L'Hydre, la plus grande des 88 constellations, couvre près d'un quart du ciel. La plupart des étoiles qu'elle contient sont très faibles. L'étoile la plus brillante est **Alphard**, une binaire. L'Hydre abrite aussi deux amas d'étoiles et une nébuleuse planétaire.

L'Hydre

▼ MODE D'EMPLOI *Tournez la carte jusqu'à ce que le mois en cours se trouve devant vous. Placez-vous face au nord. Si vous n'avez pas de boussole pour déterminer sa position, notez la direction du Soleil à midi, et orientez-vous dans la direction opposée.*

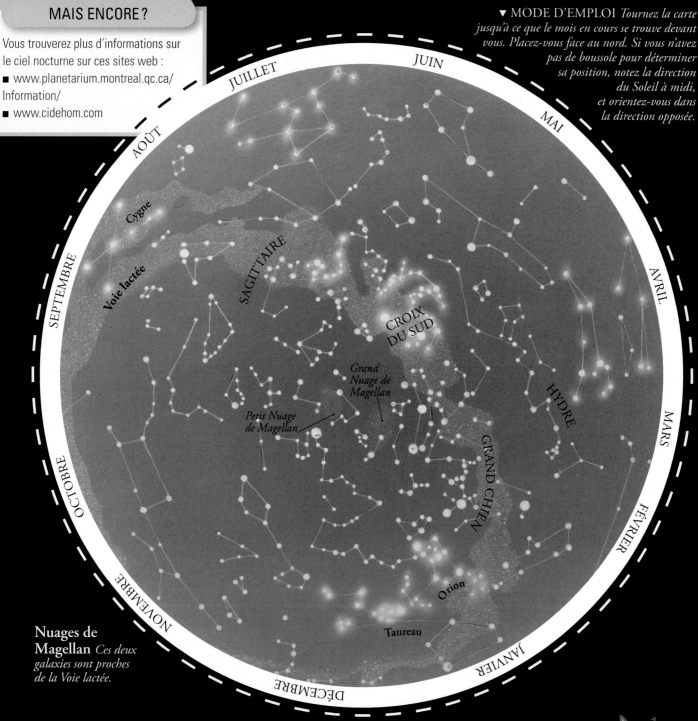

JUILLET · JUIN · AOÛT · MAI · AVRIL · SEPTEMBRE · MARS · OCTOBRE · FÉVRIER · NOVEMBRE · DÉCEMBRE · JANVIER

Cygne
Voie lactée
SAGITTAIRE
CROIX DU SUD
Grand Nuage de Magellan
Petit Nuage de Magellan
HYDRE
GRAND CHIEN
Orion
Taureau

Nuages de Magellan *Ces deux galaxies sont proches de la Voie lactée.*

Crux
Croix du Sud

Comme il n'y a pas d'étoile bien visible au-dessus du Pôle Sud, les navigateurs prennent pour repère la Croix du Sud, proche du pôle, vers lequel les étoiles formant la plus grande branche pointent. Bien que cette constellation soit la plus petite de toutes, elle contient quatre étoiles très brillantes, dont une géante rouge. À proximité de la branche gauche se trouve l'amas de la **Boîte à bijoux**, tout juste visible à l'œil nu

La Croix du Sud

Canis Major
Le Grand Chien

Le Grand Chien est l'un des deux chiens de chasse qui suivent **Orion** (Canis Minor, le Petit Chien, est proche mais plus faible). Cette constellation abrite **Sirius**, l'étoile la plus brillante du ciel. Celle-ci a pour compagnon une naine blanche, visible seulement avec un télescope puissant. Dans le calendrier égyptien, Sirius annonçait la crue annuelle du Nil et le début de la nouvelle année

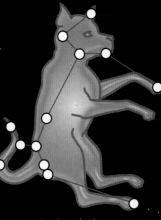

Le Grand Chien

Chronologie

Les observations réalisées au cours des siècles
par les astronomes ont considérablement élargi
nos connaissances sur le fonctionnement
de l'Univers.

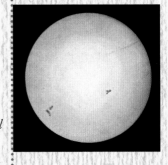

▼ **1845** *Jean Foucault
et Armand Fizeau prennent
les premières photographies
de l'espace, en utilisant
un télescope : des images
de la surface du Soleil.*

▼ **1781** *William Herschel
découvre Uranus à l'aide
d'un télescope de sa
fabrication. Il pense
d'abord à une comète.*

▲ **1609** *Galilée fabrique
une lunette astronomique
pour observer les étoiles.
Ses découvertes lui permettent
d'établir que le Soleil est
au centre du Système solaire.*

▲ **2300 AV. J.-C.** *Édification des mégalithes de
Stonehenge (Royaume-Uni), qui formeraient
un calendrier astronomique géant.*

▼ **1846** *Johann Gottfried
Galle identifie Neptune.*

3000 AV. J.-C. ├──────────────┤ 1600 APR. J.-C. ├───── 1700 ├── 1800 ├────

▼ **1801** *Giuseppe
Piazzi découvre
Cérès, le premier
astéroïde connu.
Herschel forge le
terme d'« astéroïde »,
en 1802.*

▲ **164 AV. J.-C.** *Les astronomes
de Babylone consignent la
première observation connue
de la comète de Halley.
De nouveau observée en 1066,
elle figure sur la tapisserie de
Bayeux (ci-dessus).*

▼ **1655** *Christiaan
Huygens découvre les
anneaux de Saturne.*

▲ **310-230 AV. J.-C.**
*L'astronome grec Aristarque
de Samos suggère le premier que
la Terre tourne autour du Soleil.
Il faudra dix-huit siècles pour
que cette idée soit acceptée.*

▲ **1895** *Konstantine
Tsiolkovski suggère
le premier la possibilité
de propulser des fusées
dans le vide.*

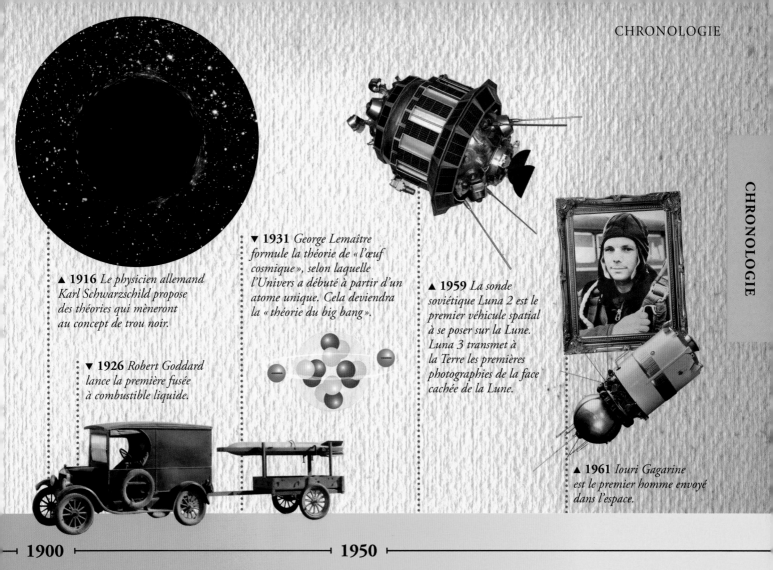

▲ **1916** *Le physicien allemand Karl Schwarzschild propose des théories qui mèneront au concept de trou noir.*

▼ **1931** *George Lemaître formule la théorie de « l'œuf cosmique », selon laquelle l'Univers a débuté à partir d'un atome unique. Cela deviendra la « théorie du big bang ».*

▲ **1959** *La sonde soviétique Luna 2 est le premier véhicule spatial à se poser sur la Lune. Luna 3 transmet à la Terre les premières photographies de la face cachée de la Lune.*

▼ **1926** *Robert Goddard lance la première fusée à combustible liquide.*

▲ **1961** *Iouri Gagarine est le premier homme envoyé dans l'espace.*

1900   **1950**

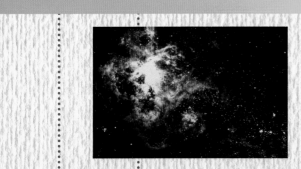

▼ **1957** *Spoutnik 1, le premier satellite artificiel, est mis en orbite par les Soviétiques (Russie actuelle).*

▼ **1962** *La sonde américaine Mariner 2 est la première à atteindre une planète : elle survole Vénus. C'est le début d'une longue série de vols spatiaux lancés par les États-Unis et l'Union soviétique (Russie actuelle), dans les années 1960 et 1970.*

▲ **1930** *Subrahmanyan Chandrasekhar prédit l'existence de supernovae, nées de l'effondrement de naines blanches sur elles-mêmes.*

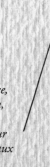

▲ **1945** *Arthur C. Clarke, écrivain de science-fiction, suggère la possibilité d'utiliser des satellites pour la retransmission de signaux de télécommunications autour de la Terre.*

▲ **1925** *Edwin Hubble annonce la découverte de galaxies au-delà de la Voie lactée.*

▲ **1965** *Le Russe Aleksei Leonov effectue la première sortie dans l'espace. Il flotte pendant 12 minutes à 5 m de Voskhod 2.*

◄ **1986** *Mir est la première station spatiale permanente en orbite. Elle rend possibles des séjours prolongés dans l'espace.*

▼ **1981** *La NASA lance la première navette spatiale réutilisable, Columbia.*

▲ **1969** *Neil Armstrong, embarqué sur Apollo 11, est le premier homme à marcher sur la Lune.*

▼ **1976** *Viking 1, lancée par la NASA, est la première sonde à se poser sur Mars et à l'explorer.*

1970 ———————————————— **1980**

▶ **1971** *Lunokhod 1, premier atterrisseur piloté à distance, achève sa mission sur la Lune.*

▼ **1971** *Saliout 1, la première station spatiale, est mise en orbite par les Soviétiques.*

▲ **1977** *La NASA lance les sondes Voyager, pour une exploration de l'espace lointain.*

▼ **1986** *La sonde Giotto, de l'Agence spatiale européenne, prend les premiers gros plans d'un noyau cométaire, en traversant la comète de Halley.*

▲ **1982** *Découverte d'anneaux autour de Neptune.*

▼ **2001** *La sonde Genesis est lancée avec mission de collecter des particules de vent solaire.*

▲ **2004** *SpaceShipOne est le premier vaisseau spatial construit par une société privée à pénétrer dans l'espace extra-atmosphérique.*

▼ **1994** *Le télescope spatial Hubble met en évidence la présence d'un trou noir dans la galaxie M87.*

▼ **2010** *La NASA annonce le retrait prochain des navettes spatiales. Le dernier vol est prévu pour juin 2011.*

▼ **2001** *NEAR est la première sonde à orbiter autour d'un astéroïde (Éros) et à s'y poser.*

1990 | 2000

▼ **2001** *Le premier touriste de l'espace, Dennis Tito, passe six jours à bord de la Station spatiale internationale.*

▲ **2006** *La mission Stardust piège des poussières de comète avec de l'aérogel.*

L'AVENIR? *Il reste beaucoup à découvrir. Les principaux défis consistent à trouver les moyens d'aller plus loin dans l'espace et à découvrir la vie sur d'autres planètes.*

▲ **1990** *Le télescope spatial Hubble est le premier grand télescope optique mis en orbite. Une fois son miroir corrigé, il livre de stupéfiantes images d'étoiles et de galaxies lointaines.*

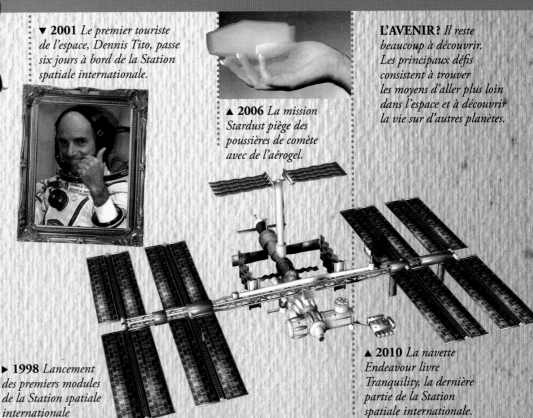

▶ **1998** *Lancement des premiers modules de la Station spatiale internationale*

▲ **2010** *La navette Endeavour livre Tranquility, la dernière partie de la Station spatiale internationale.*

Glossaire

Aérogel Substance légère utilisée pour collecter des poussières spatiales.

Amas globulaire Groupe d'étoiles en boule, orbitant autour d'une galaxie.

Année-lumière Distance parcourue par la lumière en une année.

Aphélie Point le plus éloigné du Soleil sur l'orbite d'une planète, d'une comète ou d'un astéroïde.

Astéroïde Bloc rocheux orbitant autour du Soleil.

Astromobile Véhicule commandé à distance, servant à l'exploration de la surface d'une planète ou d'une lune. On emploie aussi le terme anglais *rover*.

Astronaute Spationaute originaire d'un pays anglo-saxon.

Atmosphère Enveloppe gazeuse entourant une planète ou une étoile.

Atome Constituant élémentaire de la matière, formé de neutrons, de protons et d'électrons.

Aurore polaire Draperies de lumière apparaissant dans le ciel des régions polaires de certaines planètes, provoquées par la collision de particules de vent solaire avec des atomes de la haute atmosphère.

Axe de rotation Ligne imaginaire passant par le centre d'une planète ou d'une étoile, autour duquel celle-ci tourne.

Big bang Événement à l'origine, selon les scientifiques, de la création de l'Univers, il y a 13,7 milliards d'années.

Blazar Galaxie active abritant en son centre un trou noir supermassif et émettant des jets gazeux très rapides en direction de la Terre.

Ceinture d'astéroïdes Région de l'espace contenant le plus grand nombre d'astéroïdes en orbite autour du Soleil, située entre les orbites de Mars et de Jupiter.

Champ magnétique Zone de magnétisme créée autour d'elle par une planète, une étoile ou une galaxie, qui attire ou repousse d'autres objets.

Charge utile Cargaison embarquée à bord d'un vaisseau spatial ou d'un satellite artificiel.

Chromosphère Région de l'atmosphère solaire surplombant la photosphère.

Comète Objet constitué de glace et de poussières, orbitant autour du Soleil. Quand la comète s'approche du Soleil, la glace est vaporisée, ce qui engendre une queue de poussières et de gaz.

Constellation Motif dessiné par des étoiles dans le ciel, représentant une figure ou un objet, le plus souvent mythologique.

Cosmonaute Spationaute russe.

Cosmos Synonyme d'Univers.

Couronne Couche la plus externe de l'atmosphère solaire, très chaude.

Cratère d'impact Dépression circulaire creusée par une météorite en s'écrasant sur la Terre ou un autre objet rocheux.

Croûte Mince couche rocheuse entourant une planète ou une lune.

Densité Rapport entre la masse par unité de volume d'un objet et la masse d'une même unité de volume d'eau ou d'air. Un corps peut être de petite taille mais très dense si sa masse est élevée.

Diagramme de Hertzsprung-Russell Graphique ordonnant les étoiles en fonction de leur température, de leur éclat absolu et de leur couleur.

Éclipse Occultation, partielle ou complète, d'un objet céleste, survenant quand un autre s'interpose devant lui.

Électron Particule subatomique possédant une charge électrique négative.

Elliptique De forme ovale

Énergie sombre Énergie qui serait responsable de l'expansion de l'Univers.

Équateur Ligne imaginaire tracée autour d'une planète, à égale distance des pôles. L'équateur céleste est une projection de l'équateur terrestre sur la sphère céleste.

Espace-temps Combinaison des trois dimensions spatiales (hauteur, longueur et largeur) et du temps.

Étoile à neutrons Étoile dense, effondrée sur elle-même, composée de neutrons.

Évent hydrothermal Ouverture par laquelle de l'eau chauffée dans la croûte d'une planète jaillit à sa surface.

Exoplanète Planète située en dehors du Système solaire.

Exosphère Couche la plus externe de l'atmosphère terrestre, comprise entre 600 et environ 1 000 km d'altitude.

Étoile binaire ou **système binaire** Système composé de deux étoiles orbitant l'une autour de l'autre.

Faible Se dit d'un objet dont l'éclat, absolu ou apparent, est peu élevé, par opposition à un objet brillant.

Filament Cordon de superamas galactiques s'étirant dans l'espace. Également une langue ou une arche de plasma jaillissant de la surface du Soleil dans l'espace.

Force de Coriolis Effet produit par la rotation de la Terre, qui dévie les vents et les courants marins vers la droite dans l'hémisphère Nord, vers la gauche dans l'hémisphère Sud. Un tel effet s'observe sur d'autres objets célestes.

Fusée *Voir* Lanceur.

Galaxie Ensemble composé de millions d'étoiles, de gaz et de poussières liés par la gravitation.

Galaxie de Seyfert Galaxie active, souvent spirale, alimentée en énergie par un trou noir supermassif en son centre.

Géante rouge Énorme étoile très brillante mais très froide.

Geyser Jaillissement d'un fluide par des fissures dans une surface solide.

Globule Petit nuage de gaz et de poussières dans l'espace.

Granule Grain formé par une cellule de convection à la surface du Soleil.

Gravité Force d'attraction exercée par un objet sur un autre.

Gravitation Force d'attraction réciproque s'exerçant entre tout ce qui est constitué de matière. Elle maintient les objets en orbite et assure la cohésion des galaxies et des amas stellaires.

Habitable Se dit d'une planète ou d'une région propice à la vie.

Héliopause Frontière entre l'héliosphère et l'espace interstellaire.

Héliosphère Région contenant le Système solaire et soumise à l'influence du vent et du champ magnétique solaires.

Hémisphère Moitié d'une sphère, au nord ou au sud de l'équateur.

Image en fausses couleurs Image d'un objet sur laquelle différentes couleurs ont été portées pour mettre en évidence des traits ou de la matière qu'on ne peut pas voir en lumière visible.

Impesanteur Absence de pesanteur ressentie par les spationautes, en chute libre ou à l'intérieur d'un vaisseau spatial, lorsque l'accélération subie est égale à la gravité. Synonyme d'apesanteur.

Intergalactique Entre les galaxies.

Interstellaire Entre les étoiles.

Ionosphère Couche de l'atmosphère terrestre comprise entre 50 et 600 km d'altitude.

Kelvin Unité de température, noté K. 0 K (zéro absolu) égale – 273 °C.

Lanceur Véhicule propulsé par des moteurs-fusées, utilisé pour envoyer un vaisseau habité, une sonde ou un satellite dans l'espace. Synonyme de fusée.

Lumière visible Rayonnement électromagnétique que nous pouvons voir. On parle aussi parfois de lumière infrarouge et de lumière ultraviolette (UV), qui font partie du spectre électromagnétique non visible.

Luminosité Quantité d'énergie émise chaque seconde par une étoile. La luminosité mesure l'éclat absolu d'une étoile, quel que soit son éclat apparent dans le ciel.

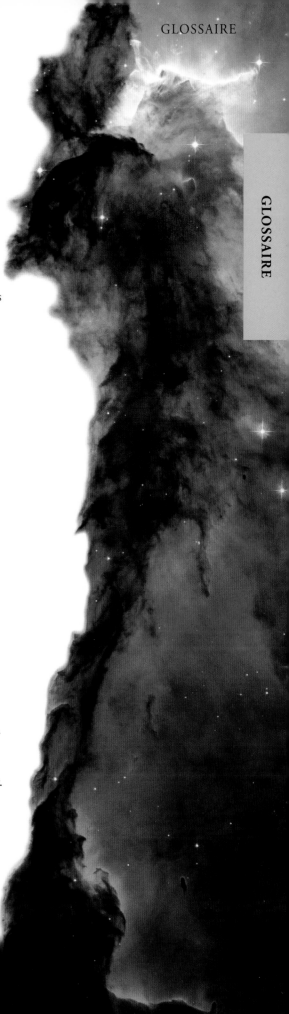

Magnétar Étoile à neutrons possédant un champ magnétique extrêmement puissant.

Magnétomètre Instrument de mesure des forces magnétiques.

Magnétosphère Région entourant une planète dans laquelle le champ magnétique est assez puissant pour écarter le vent solaire.

Manteau Couche épaisse de roche en partie fondue située en dessous de la croûte.

Masse Quantité de matière contenue dans un objet.

Matière Ce qui compose l'Univers sous forme solide, liquide ou gazeuse.

Matière noire Matière invisible qui courbe la lumière par sa gravité.

Mer Plaine lunaire, paraissant sombre depuis la Terre, où les premiers observateurs crurent voir une étendue d'eau.

Mésosphère Couche de l'atmosphère terrestre, comprise entre 50 et 80 km d'altitude.

Météore Fragment de roche ou poussière se consumant dans l'atmosphère d'un objet ; communément appelé « étoile filante ».

Météorite Objet rocheux s'écrasant à la surface d'une planète ou d'une lune.

Microgravité Gravité dont l'effet est infime.

Micro-onde Onde électromagnétique de courte longueur d'onde.

Module Partie d'un vaisseau spatial.

Naine blanche Petite étoile faible, stade final des étoiles semblables au Soleil.

Naine brune Objet plus petit qu'une étoile mais plus grand qu'une planète, libérant de la chaleur mais peu de lumière.

Nébuleuse Nuage de gaz et de poussières dans lequel les étoiles se forment.

Nébuleuse planétaire Nuage luisant de gaz et de plasma entourant une étoile en fin de vie.

Neutrino Particule fondamentale produite par fusion nucléaire dans les étoiles et lors du big bang. Les neutrinos abondent mais sont très difficiles à détecter.

Neutron Particule subatomique ne possédant pas de charge électrique.

Noyau Région centrale dense d'un objet.

Objet céleste Tout objet naturel visible dans le ciel.

Observatoire Bâtiment, vaisseau spatial ou satellite abritant un télescope servant à l'observation des objets de l'espace.

Ombre Partie centrale, la plus sombre, du cône d'obscurité projeté par un objet responsable d'une éclipse.

Onde de choc Onde énergétique produite par une explosion ou un objet se déplaçant à une vitesse supersonique.

Orbite Trajectoire décrite par un objet autour d'un autre auquel il est lié par la gravitation.

Orbite géostationnaire Orbite décrite par un satellite se déplaçant autour de la Terre à la vitesse de la rotation terrestre, de sorte que le satellite semble immobile.

Orbite terrestre basse Orbite proche de la Terre.

Orbiteur Sonde spatiale conçue pour être mise en orbite autour d'un autre objet, sans s'y poser.

Ozone Gaz incolore formant une couche dans l'atmosphère terrestre, qui absorbe une partie du rayonnement ultraviolet émis par le Soleil.

Particule Très petite quantité de solide, de gaz ou de liquide.

Particule chargée électriquement Particule possédant une charge électrique positive ou négative.

Particule subatomique Particule constituante des atomes.

Périhélie Point le plus proche du Soleil sur l'orbite d'une planète, d'une comète ou d'un astéroïde.

Phase Portion de la surface de la Lune ou d'une planète que l'on voit éclairée par le Soleil.

Photosphère Couche inférieure de l'atmosphère solaire, d'où émanent la lumière et la chaleur, formant la surface apparente du Soleil.

Planète Objet orbitant autour d'une étoile, rendu sphérique par la gravitation et assez massif pour nettoyer son orbite des débris.

Planète naine Planète assez grande pour être devenue sphérique mais dont l'orbite demeure encombrée de débris.

Planétésimaux Petit objets rocheux ou glacés s'agrégeant par gravitation pour former des planètes.

Plasma Gaz très chaud, de haute énergie.

Poussée Force engendrée par un moteur-fusée, s'opposant à la gravité.

Poussières Particules de matière solides expulsées par les étoiles et absorbant la lumière. Grains fins de matière à la surface d'une planète ou d'une lune.

Proton Particule subatomique de charge électrique positive.

Protubérance Panache de plasma jaillissant de la surface du Soleil.

Pulsar Étoile à neutrons en rotation rapide, émettant un faisceau de rayonnement.

Quasar Contraction d'objet quasi stellaire, un objet lointain et très lumineux ressemblant à une étoile.

Radiomètre Appareil utilisé pour mesurer le rayonnement électromagnétique.

Raie d'absorption Ligne sombre dans le spectre électromagnétique d'un objet, correspondant à l'absorption de la lumière dans une certaine longueur d'onde.

Rayonnement Énergie libérée par un objet.

Rayonnement de fond cosmologique Signaux micro-ondes faibles émanant du ciel tout entier, subsistant du big bang.

Rayonnement électromagnétique Ondes énergétiques se propageant dans l'espace et la matière.

Rayonnement infrarouge Ondes électromagnétiques invisibles mais dont on peut percevoir la chaleur.

Rayonnement ultraviolet Rayonnement électromagnétique de plus courte longueur d'onde que la lumière visible. Il constitue une part importante du rayonnement solaire et peut provoquer des coups de soleil.

Rayons X Rayonnement électromagnétique pouvant traverser des objets que la lumière visible ne peut pénétrer.

Rayons gamma Ondes électromagnétiques de haute énergie, de très courte longueur d'onde.

Satellite Objet naturel ou artificiel orbitant autour d'un plus grand objet.

Silicate Minéral contenant de la silice et de l'oxygène.

Sonde spatiale Vaisseau spatial non habité conçu pour explorer les objets de l'espace et transmettre les informations recueillies à la Terre.

Spationaute Personne formée pour voyager et travailler à bord d'un vaisseau spatial.

Spectre électromagnétique Ensemble des ondes formant le rayonnement électromagnétique, des plus courtes longueurs d'onde (rayons gamma) aux plus longues (ondes radio).

Stratosphère Couche de l'atmosphère terrestre comprise entre 8 et 50 km d'altitude.

Suborbital Se dit d'un vol qui porte le véhicule au sommet de l'atmosphère terrestre (à 100 km d'altitude), où il n'est plus soumis à la gravité terrestre.

Supernova Étoile massive que son explosion en fin de vie rend soudain très lumineuse.

Supersonique Qui se déplace à une vitesse supérieure à la vitesse du son.

Taïkonaute Spationaute chinois.

Thermosphère Couche de l'atmosphère terrestre comprise entre 80 et 600 km d'altitude.

Transit Passage d'une planète ou d'une étoile devant un autre, plus grand.

Troposphère Couche de l'atmosphère terrestre comprise entre 6 et 20 km d'altitude.

Trou noir Région de l'espace dont la gravité est si puissante qu'elle aspire tout ce qui s'en approche, même la lumière.

Vent solaire Flux de particules chargées électriquement provenant du Soleil.

Voie lactée Galaxie abritant la Terre.

Index

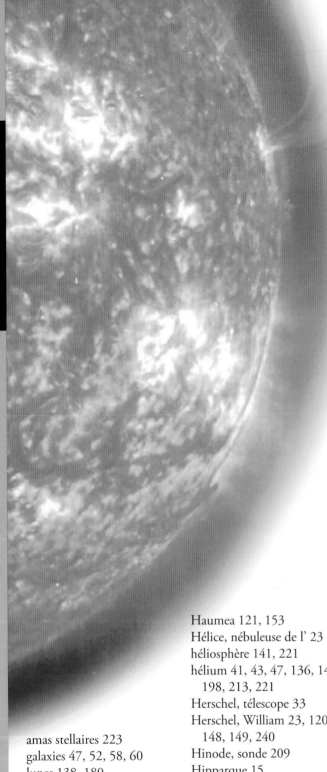

Crédits et remerciements

L'éditeur remercie les agences et photographes suivants pour lui avoir permis de reproduire leurs photos :

(Légende : h = haut ; b = bas ; c = centre ; e = extrême ; g = gauche ; d = droite ; t = tout en haut)

Couverture : *devant :* **Alamy Images :** Brand X Pictures bg ; **HubbleSite :** NASA, ESA, and A. Zezas (Harvard-Smithsonian Center for Astrophysics) ; GALEX data : NASA, JPL-Caltech, GALEX Team, J. Huchra *et al.* (Harvard-Smithsonian Center for Astrophysics) ; Spitzer data : NASA/JPL/Caltech/Harvard-Smithsonian Center for Astrophysics ebd ; **NASA :** JPL-Caltech bd ; JSC fbl ; MSFC bc ; **Science Photo Library :** Lynette Cook. *Dos :* **ESA :** bg ; NASA, ESO and Danny LaCrue ebg ; **NASA :** cd ; JPL-Caltech/STScI/CXC/UofA/ESA/AURA/JHU ebd ; **NRAO / AUI / NSF :** bc ; **Science Photo Library :** Henning Dalhoff / Bonnier Publications bd ; Larry Landolfi h.

1 Getty Images : Purestock. **2 Corbis :** Mark M. Lawrence (td) ; Douglas Peebles (cdh/volcan). **Dorling Kindersley :** NASA (bd). **NASA :** ESA (cdb/Huygens) ; JPL (cdb) ; JPL/University of Arizona (cdh). **Science Photo Library :** CCI Archives (cdh/Herschel). **SOHO/EIT (ESA & NASA) :** (cd). **3 Corbis :** Bettmann (ch/Chimps). **HubbleSite :** NASA, ESA, M. Wong and I. de Pater (University of California, Berkeley) (ch) (cb/Discovery). **NASA :** (cb/empreinte) (bd) ; A. Caulet St-ECF, ESA (cb) ; ESA et H. Richer (University of British Columbia) (tc) ; ESA et The Hubble Heritage (STScI/AURA) -ESA/Hubble Collaboration (cdh) ; ESA et The Hubble Heritage (STScI/AURA) (bc) ; GSFC (cdb/cratère lunaire) ; MSFC (cd) ; Voyager 2 (cdh/antenne). **NRAO/AUI/NSF :** (c). **Reuters :** NASA (cdb/télescope). **SST, Royal Swedish Academy of Sciences, LMSAL :** (td). **4 Corbis :** Bettmann (cdh) ; NASA/Science Faction (ch) ;

NOAA (cgh) ; Seth Resnick/Science Faction (ecgh). **SOHO/EIT (ESA & NASA) :** (ecdh). **4-5 Getty Images :** Stockbyte (arrière-plan). **5 Corbis :** Ed Darack/Science Faction (ecgh). Getty Images : Robert Gendler/Visuals Unlimited, Inc. (cgh). **NASA :** MSFC (ch). **6-34 Chandra X-Ray Observatory :** rayons X : NASA/CXC/SAO ; optique : NASA/STScI ; infrarouge : NASA/JPL-Caltech/Steward/O. Krause *et al.* (g). **6-7 Science Photo Library :** David Nunuk (arrière-plan). **7 Alamy Images :** Dennis Hallinan (ecgh). **Chandra X-Ray Observatory :** rayons X : NASA/CXC/SAO ; Optical : NASA/STScI ; Infrared : NASA/JPL-Caltech/Steward/O.Krause *et al.* (c). **Corbis :** Mark M. Lawrence (cg). **8 Alamy Images :** Dennis Hallinan (cg). **8-9 Alamy Images :** Dennis Hallinan (arrière-plan). **9 Corbis :** Mark M. Lawrence (g). **HubbleSite :** NASA/ESA/CXC/STScI/B. McNamara (University of Waterloo) (cd). **NASA :** (c) ; STS-51A (td). **10 Getty Images :** (cg) ; Rob Atkins (cgb) ; Jeremy Horner (ecgb). **NASA :** JPL-Caltech/R. Hurt (SSC) (bd) ; JPL-Caltech/C. Lonsdale (Caltech/IPAC) et the SWIRE Team (arrière-plan). **11 Science Photo Library :** Mark Garlick (c). **12-13 Science Photo Library :** Kaj R. Svensson. **14 Corbis :** Stapleton Collection (cd). **15 Corbis :** Paul Almasy (cg) ; Bettmann (td) (c) ; Jose Fuste Raga (bc) ; Rob Matheson (t/arrière-plan) ; Seth Resnick/Science Faction (c). **SOHO/EIT (ESA & NASA) :** (tc). **16 Corbis :** Roger Ressmeyer (td) (b). **16-17 Getty Images :** Stattmayer (t/arrière-plan). **17 Corbis :** Bettmann (cd) (cgb) ; Roger Ressmeyer (cd) ; Jim Sugar (bd). **18 Science Photo Library :** John Sanford. **19 Corbis :** Ed Darack/Science Faction (td) ; Roger Ressmeyer (cdb). **European Southern Observatory (ESO) :** (bg). **Getty Images :** Joe McNally (cgb). **Large Binocular Telescope Corporation :** (c). **Reuters :** NASA (cgh). **TMT Observatory Corporation :** (bd). **20 Corbis :** Matthias Kulka (ch) ; Mehau Kulyk/Science Photo Library (bg) ; NASA/JPL/Science Faction (bc). **NASA :** JPL-Caltech/Las Campanas (bd). **21 Corbis :** Markus Altmann (ch) ; NASA-CAL /Handout /Reuters (bg) ; NASA, ESA et The Hubble Heritage Team/Handout/Reuters (tc). **Science Photo Library :** David A. Hardy (c) ; NASA (bd) ; NRAO/AUI/NSF (ebd) ; JPL/Caltech/Harvard-Smithsonian Center for Astrophysics (bc). **22 NASA :** JPL (bg). **22-23 NASA :** JPL-Caltech/University of Arizona (c) ; JPL-Caltech/IRAS/H. McCallon (bd). **23 NASA :** JPL-Caltech/K. Su (University of Arizona) (tc). **Science Photo Library :** CCI Archives (c) ; Robert Gendler (cgb). **24 Avec l'autorisation de NAiC – Arecibo Observatory, a facility of the NSF :** (cg). **24-25 NRAO/AUi/NSF :** (b). **25 NRAO/AUI/NSF :**

(cgh) (td). **Science Photo Library :** Paul Wootton (tc). **26 (c) University Corporation for Atmospheric Research (UCAR) :** 2007 Copyright/ Carlye Calvin (cg). **ESA :** ECF (cdb). **Max Planck Institute for Solar System Research :** SUNRISE project/P. Barthol (bg). **NASA :** Swift/Stefan Immler, *et al.* (td). **27 Chandra X-Ray Observatory :** Optical : Robert Gendler ; X-ray : NASA/CXC/SAO/J.Drake *et al.* (cgb). **ESA :** (ch). **NASA :** ESA (g) ; SDO (td) ; Avec l'autorisation de SOHO/MDI, SOHO/EIT & SOHO/LASCO consortia. SOHO est un projet de coopération internationale entre l'ESA et la NASA. (cdb/rayons du soleil). **28 Getty Images :** NASA (g). **Science Photo Library :** Emilio Segre Visual Archives/American Institute Of Physics (cdh). **29 Alamy Images :** Dennis Hallinan (b/Terre). **Chris Hansen :** (bd). **NASA :** (c) ; ESA et the Hubble SM4 ERO Team (bd). **NRAO/AUI/NSF :** (cb). **Science Photo Library :** Archives Emilio Segre Visual/American Institute Of Physics (cdb). **30 NASA :** STScI Digitized Sky Survey/Noel Carboni ; NASA et The Hubble Heritage Team (STScI/AURA) (bg) ; NASA, ESA et J. Maíz Apellániz (Instituto de Astrofísica de Andalucía, Espagne) (td). **31 HubbleSite :** NASA, ESA et The Hubble Heritage Team (STScI/AURA) (cg). **NASA :** Avec l'autorisaion de la NASA/JPL-Caltech (tg) (cd) ; JPL-Caltech/J. Bally (University of Colorado) (bd). **32 Chandra X-Ray Observatory :** NGST (bg). **ESA :** (bc) ; D. Ducros (td). **Science Photo Library :** NASA (bd). **32-33 Alamy Images :** Dennis Hallinan (arrière-plan). **33 Chandra X-Ray Observatory :** NASA/CXC/SAO (cdh) ; rayons X : NASA/CXC/SAO ; optique : NASA/ STScI ; infrarouge : NASA/JPL-Caltech/ Steward/O.Krause *et al.* (ecdh). **ESA :** D. Ducros, 2009 (bc). **HubbleSite :** NASA, ESA et The Hubble Heritage Team (STScI/AURA) -ESA/ Hubble Collaboration (ecgh). **NASA :** (bg) (bd) ; JPL-Caltech (cgh). **34 Global Oscillation Network Group (GONG) :** NSO/AURA/NSF/ MLSO/HAO (cgh). **Laser interferometer Gravitational Wave Observatory (LIGO) :** (c). **National Science Foundation, USA :** Glenn Grant (bd). **35 ALMA :** ESO/NAOJ/NRAO (cdb) (cgb). **NASA :** SOFIA (tg) ; Carla Thomas (cgh). **The Sudbury Neutrino Observatory Institute (SNOI) :** Lawrence Berkeley National Laboratory for the SNO Collaboration (c). **36-37 HubbleSite :** NASA, ESA, J. Hester and A. Loll (Arizona State University) (arrière-plan). **36-62 HubbleSite :** NASA, ESA, J. Hester and A. Loll (Arizona State University) (g). **37 HubbleSite :** (c) ; NASA, ESA, CXC et JPL-Caltech (ecg). **NASA :** JPL-Caltech/R. Hurt (SSC) (cg). **38 Corbis :** Moodboard (cgb). **38-39 HubbleSite :** NASA, ESA et The Hubble Heritage Team (STScI/AURA) – ESA/Hubble Collaboration (c). **39 Alamy Images :** George Kelvin/PHOTOTAKE (cd) (cdb) (ecdb). **Science Photo Library :** Detlev Van Ravenswaay (bd). **40 Chandra X-Ray Observatory :** NASA/CXC/ SAO/P.Slane *et al.* (bg). **43 © CERN :** Maximilien Brice (cdb). **Corbis :** NASA/epa (arrière-plan). **Getty Images :** Rob Atkins (ecdh) ; Jeremy Horner (cdh). **NASA :** WMAP Science Team (cgb). **44-45 Science Photo Library :** NASA/ESA/STScI/R.WILLIAMS, HDF TEAM (arrière-plan). **45 Anglo Australian**

Observatory : David Malin (bd). **HubbleSite :** NASA, ESA, Y. Izotov (Main Astronomical Observatory, Kyiv, UA) et T. Thuan (University of Virginia) (cdb). **NASA :** rayons X : CXC/Wesleyan Univ./R.Kilgard *et al.* ; UV : JPL- Caltech ; Optical : ESA/S. Beckwith & The Hubble Heritage Team (STScI/AURA) ; IR : JPL-Caltech/University of Arizona/R. Kennicutt) (tc). **Science Photo Library :** (c) ; JPL-Caltech/ CTIO (bg) (bd). **Science Photo Library :** Volker Springel/Max Planck Institute For Astrophysics (cg). **46-47 NASA :** JPL-Caltech/STScI/CXC/ UofA/ESA/ AURA/JHU (c). **47 European Southern Observatory (ESO) :** (bg). **NASA :** Al Kelly (JSCAS/NASA) & Arne Henden (Flagstaff/USNO) (bc) ; ESA, A. Aloisi (STScI/ESA), The Hubble Heritage (STScI/AURA) – ESA/Hubble Collaboration (ebg) ; The Hubble Heritage Team (STScI/AURA)/Ray A. Lucas (cd). **48-49 HubbleSite :** NASA et The Hubble Heritage Team (STScI/AURA, x). **50 European Southern Observatory (ESO) :** Yuri Beletsky (cg). **Science Photo Library :** Chris Butler (bg). **50-51 NASA :** JPL-Caltech/R. Hurt (SSC) ; CXC/MIT/Frederick K. Baganoff *et al.* (cdb). **51 NASA :** CXC/UMass/D. Wang *et al.* (td) ; JPL-Caltech/R. Hurt (SSC) (bc) ; JPL-Caltech/S. V. Ramirez (NExScI/Caltech), D. An (IPAC/Caltech), K. Sellgren (OSU) (cgb) ; NASA/CXC/M.Weiss (cdh). **52 Chandra X-Ray Observatory :** NASA/SAO/CXC (cdb). **NASA :** JPL-Caltech /M. Meixner (STScI) & the SAGE Legacy Team (cg). **53 CSIRO :** Dallas Parr (bd). **ESA :** Hubble et Digitized Sky Survey 2 (tg) ; NASA, ESO et Danny LaCrue (cdh). **NASA :** ESA et the Hubble Heritage Team (STScI/AURA) (td). **54 Science Photo Library :** Mark Garlick (bd) ; MPIA-HD, BIRKLE, SLAWIK (c). **55 NASA :** Adam Block/ NOAO/AURA/NSF (c) ; JPL-Caltech/D. Block (Anglo American Cosmic Dust Lab, SA) (td) ; JPL-Caltech/University of Arizona (cg) ; Paul Mortfield, Stefano Cancelli (bd) ; UMass/Z.Li & Q.D.Wang (tc). **56-57 NASA :** JPL-Caltech/ESA/CXC/STScI. **58 NASA :** rayons X : NASA / CXC/CfA/E. O'Sullivan Optical : Canada-France-Hawaii-Telescope/Coelum (c). **58-59 Avec l'autorisation du Dr Stelios Kazantzidis (Center for Cosmology and Astro-Particle Physics, The Ohio State University) :** (b/ collision de galaxie spirale) ; NASA, ESA et The Hubble Heritage Team (STScI/AURA) (td) ; NASA, ESA et The Hubble Heritage Team (STScI/AURA) -ESA/Hubble Collaboration (cdb) ; NASA, ESA, Richard Ellis (Caltech) et Jean-Paul Kneib (Observatoire Midi-Pyrénées, France) (cgb) ; NASA, H. Ford (JHU), G. Illingworth (UCSC/LO), M.Clampin (STScI), G. Hartig (STScI), the ACS Science Team et ESA (cd). **59 HubbleSite :** NASA, ESA, CXC, C. Ma, H. Ebeling et E. Barrett (University of Hawaii/

INDEX

IfA) *et al.* et STScI (tg). **60 Corbis:** STScI/ NASA (cdb). **Till Credner, Allthesky.com:** (arrière-plan). **HubbleSite:** (bg). **Science Photo Library:** NRAO/AUI/NSF (cd). **61 Chandra X-Ray Observatory:** rayons X: NASA/CXC/ Univ. of Maryland/A.S. Wilson *et al.*; Optical: Pal. Obs. DSS; IR: NASA/JPL-Caltech; VLA: NRAO/AUI/NSF (bg). **HubbleSite:** John Hutchings (Dominion Astrophysical Observatory), Bruce Woodgate (GSFC/NASA), Mary Beth Kaiser (Johns Hopkins University), Steven Kraemer (Catholic University of America), the STIS Team. et NASA (tg). **NRAO/AUI/ NSF:** Image avec l'autorisation de la National Radio Astronomy Observatory/Associated Universities, Inc./National Science Foundation (cdh). **Science Photo Library:** NASA/ESA/ STSCI/J.BAHCALL, PRINCETON IAS (cdb). **62 Science Photo Library:** Mike Agliolo (cdb); Volker Springel/Max Planck Institute For Astrophysics (cg). **62-63 Science Photo Library:** Lynette Cook. **63 HubbleSite:** NASA, ESA, M.J. Jee et H. Ford (Johns Hopkins University) (bd). **Science Photo Library:** M. Markevitch/ CXC/CFA/NASA (bg). **64-65 Getty Images:** AFP/Jim Watson (arrière-plan). **64-88 Dorling Kindersley:** ESA – ESTEC (g). **65 Corbis:** Bettmann (ecg). **ESA:** (c). **US Geological Survey:** Astrogeology Team (cg). **66 Getty Images:** Sir Godfrey Kneller (c). **NASA:** KSC (g); United Launch Alliance/Pat Corkery (d). **67 NASA:** Bill Ingalls (c); Pratt & Whitney Rocketdyne (td). **68-69 NASA:** Bill Ingalls. **70** Alamy Images: Linda Sikes (bd). **Corbis:** NASA/CNP (c). **Science Photo Library:** Mark Garlick (cg). **71 Alamy Images:** Stock Connection Blue (c). **Corbis:** (cdh); Bettmann (tg). **Getty Images:** NASA (cgb). **Science Photo Library:** NASA (cd) (cdb). **72 NASA:** (td); KSC (cdb); MSFC/KSC (cg). **73 ESA:** (cg). **EUROCKOT Launch Services GmbH:** (cdh). **Getty Images:** Space Imaging (bg). **NASA:** Victor Zelentsov (tg). **Avec l'autorisation de Sea Launch:** (bd). **74 ESA:** CNES/Arianespace/ Photo optique vidéo du CSG (cgb) (cb); Service Optique CSG (cd). **74-75 ESA:** CNES/ Arianespace/Photo optique vidéo du CSG (t). **75 ESA:** CNES/Arianespace/Photo optique vidéo du CSG (bc) (cd); Service Optique CSG (cg). **76 Corbis:** Alain Nogues/Sygma (bd). **NASA:** JPL (cgb). **77 NASA:** (b). **78 Corbis:** Bettmann (b). **ESA:** D. Ducros (c). **NASA:** Goddard Space Flight Center/MODIS Rapid Response Team/Jeff Schmaltz (cd). **79 CNES:** Illustration P. Carril – Mars 2003 (cgb). **© EADS:** Astrium (cdb). **ESA:** J. Huart (cdh). **80-81 USGS:** Avec l'autorisation du U.S. Geological Survey. **82 Getty Images:** Ludek Pesek (b). **NASA:** NSSDC (tg). **Science Photo Library:** Detlev Van Ravenswaay (c). **83 NASA:** Ames Research Center (cdh); JPL (tg); NSSDC (cgb). **Science Photo Library:** NASA/JPL (bc). **US Geological Survey:** Astrogeology Team (ecgb). **Wikimedia Commons:** Daderot (bd). **84 ESA:** (c). **NASA:** (cdb). **85 CNES:** Illustration D. Ducros – 1998 (cd). **ESA:** (td). **NASA:** (cb) (bc) (bd). **86 NASA:** ISRO/JPL-Caltech/USGS/Brown Univ. (bg). **Science Photo Library:** Indian Space Research Organisation (d). **87 CBERS:** INPE (cdh). Corbis: Li Gang/xinhua Press (tc). **Getty Images:** ChinaFotoPress (cg). **Akihoro Ikeshita:** (cgb). **Avec l'autorisation de JAXA:** NHK (b/ arrière-plan) (cb). **88 ESA:** AOES Medialab/ESA 2002 (cb). **Science Photo Library:** David A. Hardy, Futures: 50 Years In Space (ch). **89 Avec l'autorisation de JAXA:** (cdb). **Science Photo Library:** David A. Hardy (cgb); NASA (tg) (cdh). **90-114 Dorling Kindersley:** NASA (g). **90-91 Getty Images:** NASA/National Geographic (arrière-plan). **91 Corbis:** Bettmann (cg). **NASA:** (ecg). **SpaceX:** NASA (c). **92 Corbis:** Bettmann (cg) (cd); NASA – digital version copyright/Science Faction (bg). **NASA:** 5909731/MSFC-5909731 (cdh). **92-93 Corbis:** Bettmann (arrière-plan). **93 Corbis:** Bettmann (cgh) (bc) (cd); Karl Weatherly (cb). **Dorling Kindersley:** Bob Gathany (tg). **NASA:** (cgb); MSFC (td). **94 NASA:** ESA (d); Robert Markowitz/Mark Sowa (bc). **95 ESA:** (cgh) (cdh); ASI-Star City (cdb). **NASA:** (cg) (bd) (cgb); Bill Ingalls (tg). **Science Photo Library:** NASA (cd). **96 NASA:** JSC (cgb) (b) (td). **97 Dorling Kindersley:** NASA (cgb). **NASA:** JSC (cdb) (bd) (ebd). **Science Photo Library:** NASA (t). **98 NASA:** (cg) (bc). **Science Photo Library:** NASA (cdb) (bd). **99 NASA:** (tg) (bc) (td). **Wikimedia Commons:** Aliazimi (bg). **100 Alamy Images:** RIA Novosti (cg). **Corbis:** Bettmann (c); Hulton-Deutsch Collection (td). **Getty Images:** Hulton Archive (ch). **NASA:** 5909731/MSFC-5909731 (bd). **101 Corbis:** Roger Ressmeyer (td). **NASA:** Kennedy Space Center (bg). **Press Association Images:** (ebd). **Science Photo Library:** Power And Syred (cdb). **102-103 NASA:** (arrière-plan). **104 Alamy Images:** RIA Novosti (cgh). **The Kobal Collection:** MGM (cdb). **NASA:** (cgb). **104-105 Science Photo Library:** NASA (b). **105 NASA:** (tg) (cdh). **106 NASA:** (cg) (bd). **107 Avec l'autorisation de JAXA:** (bd). **NASA:** (cgh) (cd) (td). 108 **NASA:** (cdh) (cb) (cdb). **109 Corbis:** Bettmann (cd). **NASA:** (bd); MSFC (tg) (cgh). **Science Photo Library:** NASA (cdh). **110 Alamy Images:** Detlev van Ravenswaay/ Picture Press (bd). **Corbis:** Jim Sugar (bg). **NASA:** Scaled Composites (ch). **110-111 Corbis:** Ed Darack/Science Faction (arrière-plan). **111 Bigelow Aerospace:** (cdb). **Getty Images:** Daniel Berehulak (ch). NASA: KSC (bg). **Science Photo Library:** Take 27 Ltd (bd). **Avec l'autorisation de Virgin Galactic:** (tg) (cdh). **112 Reaction Engines Limited/Adrian Mann:** Reaction Engines Ltd developpe SKYLON, avion orbital issu du projet HOTOL (b). **Science Photo Library:** Richard Bizley (cdh). **113 Agence France Presse:** (cdb). **Corbis:** (cg). **NASA:** DFRC/Illustration de Steve Lighthill (b). **SpaceX:** NASA (td). 114 **Alamy Images:** Pat Eyre (cdb). **Corbis:** James Marshall (cb). **ESA:** S. Corvaja (bg). **Science Photo Library:** Sinclair Stammers (cdh). **115 Alamy Images:** Photos 12 (cd). **NASA:** MSFC (cgb). **PA Photos:** AP/NASA (bd). **Science Photo Library:** Victor Habbick Visions (t). **116-117 NASA:** JPL/University of Arizona (arrière-plan). **116-162 Dorling Kindersley:** NASA /Finley Holiday Films (g). **117 Corbis:** Dennis di Cicco (c). **HubbleSite:** M. Wong et I. de Pater (University of California, Berkeley) (cg). **118 NASA:** JPL-Caltech/T. Pyle (SSC) (c). **Science Photo Library:** Detlev Van Ravenswaay (cdb). **119 David A. Hardy:** PPARC (bd). **Julian Baum:** (cgb). **120 HubbleSite:** Reta Beebe (New Mexico State University)/NASA (cb); NASA, ESA, L. Sromovsky and P. Fry (University of Wisconsin), H. Hammel (Space Science Institute) et K. Rages (SETI Institute) (cdb). **NASA:** (cgb/Terre). **120-121 NASA:** JPL-Caltech (planètes du Système solaire). **121 Dorling Kindersley:** NASA /Finley Holiday Films (cb). **122 Science Photo Library:** NASA (d). **123 Getty Images:** Dieter Spannknebel (tg); NSSDC (cgb). **NASA:** NSSDC/GSFC (ch). **Science Photo Library:** M. Ledlow *et al.*/ NRAO/AUI/NSF (cb). **SOHO/EIT (ESA & NASA):** (cd). **124-125 Science Photo Library:** NASA (tc). **125 ESA:** MPS/Katlenburg-Lindau (cdb). **NASA:** JPL (cgh); NSSDC (bg) (bc). **126 NASA:** JPL (cdh) (b) (cgb). **127 ESA:** (cdb). **NASA:** Ames Research Center (td); JPL (tg); JPL-Caltech (cdh) (c) (cg). **Science Photo Library:** David P. Anderson, SMU/NASA (cb). **128 ESA:** DLR/FU Berlin (G. Neukum) (bc). **NASA:** (cdh); ESA (cd); JPL (cb); JPL/Malin Space Science Systems (bd); NSSDC (bg). **129 Getty Images:** Time & Life Pictures (cgb). **NASA:** GSFC (d); JPL /MSSS (tg); JPL/Malin Space Science Systems (ch). **130 Corbis:** Lowell Georgia (bd); JPL/USGS (d); JPL /MSSS (cb). **NASA:** JPL/University of Arizona (cg). **131 ESA:** G. Neukum (FU Berlin) *et al.*/Mars Express/DLR (cdh); JPL (cgb); JPL-Caltech (cb/ rover). **NASA:** JPL/Cornell (t) (bg) (bd) (ch) (cb). **Science Photo Library:** NASA (ebg). **132-133 NASA:** HiRISE/JPL/University of Arizona. **134 Alamy Images:** Mary Evans Picture Library (td). **Science Photo Library:** Chris Butler (cb) (bd). **135 NASA:** JPL/USGS (t). **Science Photo Library:** Henning Dalhoff/ Bonnier Publications (cdb); D. Van Ravenswaay (cg). **136 HubbleSite:** NASA/ESA, John Clarke (University of Michigan) (td); M. Wong et I. de Pater (University of California, Berkeley) (bd). **137 Corbis:** NASA-JPL-Caltech – version digitale/Science Faction (d). **HubbleSite:** NASA, ESA, IRTF et A. Sánchez-Lavega et R. Hueso (Universidad del País Vasco, Espagne) (cgb). NASA: JPL/Cornell University (cgh). **138 Corbis:** Bettmann (td); JPL/USGS (b). **NASA:** JPL/University of Arizona (c); JPL/Brown University (bg); JPL/DLR (td); JPL/University of Arizona (cd). **139 NASA:** JPL (cgh) (bc) (cg) (cgb). **140 NASA:** JPL-Caltech (cdb); MSFC (bg). **141 NASA:** Walt Feimer (cd); JPL (cgb); JPL-Caltech (cg) (bd); MSFC (cdh); JPL/Space Science Institute (cgb). **142 NASA:** JPL/STScI (td). **Science Photo Library:** D. Van Ravenswaay (cdb); NASA, ESA, J. Clarke (Boston University) et Z. Levay (STScI) (c). **143 Corbis:** NASA – digital version copyright/ Science Faction (tc); STScI/NASA (d) (bc). **Science Photo Library:** NASA/JPL/University Of Arizona (cg). **144 Alamy Images:** The Print Collector (td); JPL/USGS (bc). **NASA:** JPL/ Space Science Institute (cgb) (cg) (cdb). **NRAO/ AUI/NSF:** (cd). **144-145 NASA:** JPL/Space Science Institute (tc). **145 ESA:** (bd); NASA/ JPL/University of Arizona (td) (cb) (cdb). **NASA:** (cgh); JPL (bg); JPL/GSFC/Space Science Institute (cgb); JPL/University of Arizona (ch). **146-147 NASA:** JPL/Space Science Institute. **148 Getty Images:** John Russell (cg). **W.M. Keck Observatory:** Lawrence Sromovsky, (University Wisconsin-Madison) (cb). **NASA:** JPL (bd); NSSDC (g). **149 NASA:** GSFC (bd); JPL (c); JPL/USGS (bg); JPL-Caltech (cgh) (cd) (ecd); NSSDC (cdh). **150 NASA:** (bg); Voyager 2 (c). **151 NASA:** (cdh); JPL (bg); JPL/USGS (cgh). **Science Photo Library:** Royal Astronomical Society (cd). **152 HubbleSite:** NASA, ESA et M. Buie (Southwest Research Institute) (td). **NASA:** Dr. R. Albrecht, ESA/ ESO Space Telescope European Coordinating Facility (cgh). **152-153 NASA:** ESA et G. Bacon (STScI) (b). **153 HubbleSite:** ESA, H. Weaver (JHU/APL), A. Stern (SwRI) et HST Pluto Companion Search Team (cb). **154 Corbis:** Dennis di Cicco (b). **155 Corbis:** Jonathan Blair (bg); Gianni Dagli Orti (cgh). **HubbleSite:** NASA/ESA/M. Wong (Space Telescope Science Institute, Baltimore, Md.)/H. B. Hammel (Space Science Institute, Boulder, Colo.)/Jupiter Impact Team (cd). **Science Photo Library:** Mark Garlick (bd); Gordon Garradd (td); NASA/ESA/ STSCI/H. Weaver & T. Smith (c). **156 Corbis:** NASA (cdb); Roger Ressmeyer (c). **Dorling Kindersley:** ESA (cdh). **ESA:** SOHO (cgb). **NASA:** JPL (bd). **157 HubbleSite:** NASA, ESA, P. Feldman (Johns Hopkins University) et H. Weaver (Johns Hopkins University Applied Physics Laboratory) (td); JPL/UMD (cdh). **NASA:** JPL (tg); MSFC (cg). **Science Photo Library:** Erik Viktor (b). **158 ICSTARS Astronomy:** Vic & Jen Winter. **159 Corbis:** Tony Hallas/Science Faction (bd). **HubbleSite:** John Caldwell (York University, Ontario), Alex Storrs (STScI), (td). **Kwon, O Chul:** (cd). **Jimmy Westlake:** (cgh). **160 Corbis:** Hans Schmied (ch). **Science Photo Library:** Mark Garlick (cgh). **160-161 Corbis:** Bryan Allen (b). **161 Dorling Kindersley:** The Natural History Museum, Londres (ch). **Galaxy Picture Library:** UWO/University of Calgary/Galax (td). **NASA:** Ted Bunch/JPL (ecdh); M. Elhassan/M. H. Shaddad/P. Jenniskens (cdb); Michael Farmer/ JPL (cd); JPL/Cornell (cg). **162 Selden E. Ball:** Cornell University (ch). **Corbis:** NASA/Roger Ressmeyer (cd). **NASA:** JPL/University of Arizona (ecd). **Science Photo Library:** Christian Darkin (b); NASA (cg); T. Stevens & P. Mckinley, Pacific Northwest Laboratory (cdh). **163 NASA:** (tc) (bg); JPL/USGS (cgb); JPL/ University of Arizona (cg); JPL/University of Arizona/University of Colorado (td); NOAA (cd). **Science Photo Library:** Mark Garlick (bd); US Geological Survey (cdb). **164-165 Science Photo Library:** Planet Observer (arrière-plan). **164-176 Dorling Kindersley:** NASA (g). **165 Corbis:** Momatiuk – Eastcott (ecg); Douglas Peebles (c). **Getty Images:** Barcroft Media (cg). **166 Dorling Kindersley:** Planetary Visions Ltd (cgb). **166-167 NASA:** (c). **167 NASA:** (td/Terre); MSFC (cd) (bc). **168-169 Alamy Images:** Rolf Nussbaumer Photography. **170 Alamy Images:** Alaska Stock LLC (b). NASA: JPL (cg). **171 iStockphoto.com:** Janrysavy (cg) (cb) (cd) (ecdb). **NASA:** GSFC (bg); MODIS Ocean Science Team (bd). **Science Photo Library:** Agence spatiale européenne (c). **172 Corbis:** Douglas Peebles (cdb). **172-173 Corbis:** Galen Rowell (b). **173 Corbis:** Momatiuk – Eastcott (ch). **Science Photo Library:** Bernhard Edmaier (cdb); David Parker (bd); Ron Sanford (td). **174 Corbis:** Bryan Allen (cgb); Hinrich Baesemann/DPA (cg). NASA: (td). **Science Photo Library:** Detlev Van Ravenswaay (bd). **175 Corbis:** (bd); Mike Hollingshead/Science Faction (bg); Gerolf Kalt (cgb); NOAA (cd). **Science Photo Library:** David R. Frazier (cg). **176 Dorling Kindersley:** The Royal Museum of Scotland, Édimbourg (bd). **Science Photo Library:** Lynette Cook (volcans); Henning Dalhoff/Bonnier Publications (cgb). **177 Alamy Images:** Amberstock (tg). **Dorling Kindersley:** Jon Hughes (bg) (bc). **ESA:** (cdb). **imagequestmarine.com:** Peter Batson (cb). **NOAA:** Office of Ocean Exploration; Dr. Bob Embley, NOAA PMEL, Chief Scientist (ch). **Science Photo Library:** Victor Habbick Visions (td); P. Rona/OAR/National Undersea Research Program/NOAA (cg). **178-179 Alamy Images:** Melba Photo Agency (arrière-plan). **179 NASA:** (cg) (c). **180 Alamy Images:** Patrick Eden (b). **Science Photo Library:** Andrew J. Martinez (cdh) (ecdh). **181 Corbis:** William Radcliffe/ Science Faction (cd). **Science Photo Library:** Planetary Visions Ltd (bc). **182 Getty Images:** VGL/amanaImagesRF (ecdh). **NASA:** Image,

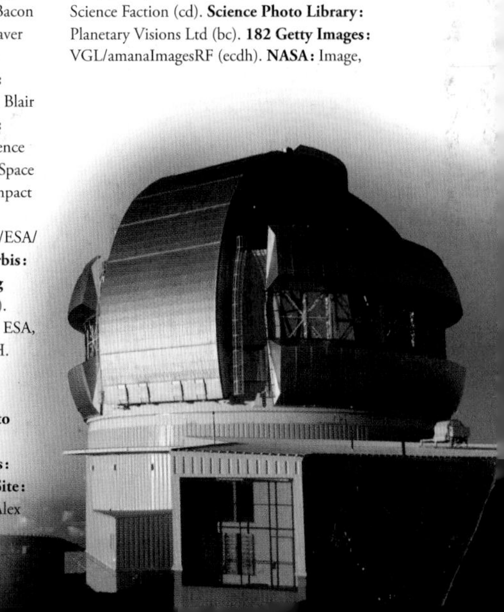

Remerciements

L'éditeur remercie aussi Ben Morgan pour son aide éditoriale, Peter Radcliffe pour sa collaboration dans les dessins et Peter Bull pour les illustrations supplémentaires.